ENCICLOPEDIA
LINGÜÍSTICA HISPÁNICA

I

ENCICLOPEDIA LINGÜÍSTICA HISPÁNICA

DIRIGIDA POR

M. ALVAR, A. BADÍA, R. DE BALBÍN, L. F. LINDLEY CINTRA

INTRODUCCIÓN DE

RAMÓN MENÉNDEZ PIDAL

Tomo I

SUPLEMENTO

LA FRAGMENTACIÓN FONÉTICA PENINSULAR

E·L·H

CONSEJO SUPERIOR DE INVESTIGACIONES CIENTIFICAS

MADRID MCMLXII

Depósito Legal: M. 3.310-1959

SUCESORES DE RIVADENEYRA, S. A.—Paseo de Onésimo Redondo, 26.—MADRID

LA FRAGMENTACIÓN FONÉTICA PENINSULAR

TEMAS Y PROBLEMAS DE LA FRAGMENTACION FONETICA PENINSULAR

POR

DÁMASO ALONSO

NOTA PRELIMINAR

Las páginas que siguen enfocan, desde distintos puntos de vista, cuestiones de áreas fonéticas de la Península Hispánica, que por una causa o por otra han llamado la atención del autor. Son, pues, sólo unos cuantos retazos, y retazos de sentidos muy diferentes. No se espere, de ningún modo, una visión ordenada y completa de esta temática peninsular [1].

Unas veces nos ha movido a escribir, la enorme importancia del tema, dentro del mundo hispánico (por ejemplo, sobre la -s final). Otras, la consideración de la existencia de un inmenso territorio —el arco de todo el NO. y O. peninsular—, en donde la vocal tónica es especialmente sensible a influjos metafónicos, ya de los que llamamos anticipadores, ya de los que titulamos recordadores (y no dejaron de movernos también las correspondencias italianas de estos fenómenos). En ocasiones nos ha impelido el deseo de pedir un poco de pausa o de moderación en los entusiasmos teorizadores, generosos y muy respetables, pero que no siempre construyen sobre el conjunto de datos que sería necesario tener en cuenta (así al tratar del vocalismo básico del castellano y el portugués, al hablar sobre «B en vez de V» o sobre el ensordecimiento de alveolares y palatales fricativas o africadas, etc.). En cada caso se ha querido ver el tema como un conjunto:

---

[1] Una excelente exposición metódica de los principales problemas de fragmentación fonética en la Península Hispánica, con abundante bibliografía, se encontrará ahora en el libro de KURT BALDINGER, *Die Herausbildung der Sprachräume auf der Pyrenäenhalbinsel. Synthese und Querschnitt durch die neueste Forschung*, Berlín 1958. Está en prensa una traducción española en la que el autor ha introducido importantes modificaciones y ampliaciones.

como un conjunto dentro de la Península Hispánica, y relacionado con fenómenos extrapeninsulares.

Quiero todavía justificar el doble título, temas y problemas. En todo tema hay un problema. Pero unas veces la intención no ha ido más allá de ver un cuadro, un conjunto; en otras, en cambio, por diversas causas, el aspecto problemático se nos ha impuesto desde el primer instante[2].

---

[2]   El largo período (unos dos años) que, por una serie de causas, ha durado la corrección de pruebas de este trabajo ha hecho que haya algunas incongruencias en las citas bibliográficas. Obras de especial importancia, o que en los temas tratados interesaban especialmente, se designan, a veces, por el nombre del autor: así la mención de Corominas, Meyer-Lübke, Rohlfs, etc., sin más, indica, respectivamente, el *DCEC*, el *REW*, la *Hist. Gramm. der Ital. Sprache* (mencionada otras veces como *It. Gramm.*, etcétera). Pedimos disculpa por estas irregularidades. También últimamente han aparecido algunos artículos o libros que no hemos podido tener en cuenta.—Diciembre de 1959.

1.—SOBRE EL VOCALISMO PORTUGUES Y CASTELLANO (CON MOTIVO DE UNA TEORIA)

Sistemas vocálicos en la Romania

1. El español participa en la gran mutación que se desarrolla en el vocalismo de la mayor parte de la Romania y que lleva de la oposición de vocales largas y breves a la de cerradas y abiertas, de tal modo que las largas se convierten en cerradas y las breves en abiertas. Pero la i y la u así resultantes (de $\breve{\imath}$ y $\breve{u}$) pasaron más allá y se hicieron ϱ y ϱ respectivamente, es decir, llegaron a confundirse con los resultados de $\bar{e}$ y $\bar{o}$. Quedó, pues, como antigua base del español un sistema de siete vocales[3]:

$$
(A) \quad \begin{array}{cccccccc} \bar{\imath} & \breve{\imath} & \bar{e} & \breve{e} & a & \breve{o} & \bar{o} & \breve{u} & \bar{u} \\ | & \vee & | & | & | & \vee & | \\ i & \varrho & \varrho & a & \varrho & \varrho & u \end{array}
$$

Este sistema es básico también para las demás lenguas de la península Ibérica, las de Galorromania, el retorrománico y para lo mismo el italiano que los dialectos de Italia hasta el napolitano inclusive[4], y puede bien denominarse —a pesar de las excepciones de que hablaremos— «sistema común románico» porque es el que explica el vocalismo de un enorme territorio compacto de la Romania.

Recientemente hemos adquirido una idea clara de otros sistemas vocálicos de la Romania.

---

[3] Designo los sistemas vocálicos de que se va a tratar con las letras con que lo hace ROHLFS, *Hist. Gramm. It. Spr.*, §§ 1-5. Doy en nota los nombres que usa Lausberg y que acepta LÜDTKE *(Die strukturelle Entwicklung des romanischen Vokalismus,* Bonn, 1956, págs. 64-65).

[4] Es el que H. LAUSBERG *(Die Mundarten Südlukaniens,* Beihefte der *ZRPh,* Heft 90, Halle 1939, § 145) llama «tipo napolitano»: lo hace así porque, siendo, como es este tipo, general en la Romania de Occidente, en Italia se extiende hasta el napolitano inclusive, es decir, hasta la frontera N. de los otros tipos de que Lausberg trata.

Conocido era el del sardo[5], en el que los cinco timbres fundamentales
de las vocales latinas han quedado sin variación:

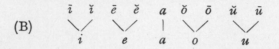

(B)

Este mismo sistema ha sido descubierto por Lausberg en Italia en una
pequeña zona fronteriza lucano-calabresa, de costa a costa, desde el Tirreno
al Golfo de Tarento [6].

Adosada a ella existe otra interior, dentro de Lucania [7], que posee un
sistema caracterizado por la falta de simetría entre las vocales de la serie
anterior y las de la posterior:

(C)

Este sistema es parecido al también asimétrico del rumano:

Rumano

Nótese, sin embargo, que el rumano tiene en su base la distinción entre
ẹ y ę (la ę acentuada diptonga lo mismo en sílaba libre que trabada, es
decir, como en castellano). Hay que señalar aún otro sistema. Existe en
una zona que, salvo por el sur, rodea a la del tipo C, y que por el NE., N.
y NO. linda con el tipo común románico (tipo A). Este sistema marginal [8]
es el siguiente:

(E)

---

[5]   Existente también en el S. de Córcega; pero no se usa en la zona de Sácer (Sassari), NO. de Cerdeña.

[6]   LAUSBERG, *Die Mundarten*, § 148. El territorio correspondiente a B es llamado
«Mittelzone» ('zona intermedia') por el autor.

[7]   LAUSBERG, *Die Mundarten*, § 149. El territorio correspondiente a C es llamado
«Vorposten» ('puesto avanzado') por LAUSBERG.

[8]   LAUSBERG, *Die Mundarten*, § 150. El territorio correspondiente a E ha sido denominado «Randgebiet» ('zona marginal') por LAUSBERG. En esta exposición hemos prescindido del que Rohlfs denomina sistema D, en vigencia en la que LAUSBERG (§ 147)
llama «Südzone» ('zona Sur'), que comprende además de Sicilia los extremos Sur de
Calabria y Apulia. Este sistema D reúne las vocales ī, ĭ y ē en i, y las ū, ŭ y ō en u;
mientras que ĕ y ŏ dan e y o respectivamente.

Una nueva teoría sobre el vocalismo portugués y español

2. Ultimamente, H. Lüdtke ha tratado de dar desde un punto de vista estructural y a la luz de estos descubrimientos, una interpretación conjunta del vocalismo románico; y ha dedicado muy particular atención al portugués y al español.

Es Lüdtke un joven filólogo alemán que ha trabajado con especial interés sobre la fonología portuguesa, y ha realizado una labor muy meritoria de recogida de materiales dialectales en ese campo portugués. Su libro recientemente aparecido, *Die strukturelle Entwicklung des romanischen Vokalismus. Romanisches Seminar an der Universität Bonn*, Bonn, 1956, es un considerable esfuerzo teórico y plantea valientemente muchos problemas interesantes. Creemos, pues, conveniente abrir aquí discusión sobre un aspecto de su doctrina que trata de cambiar todas nuestras ideas sobre el vocalismo del Occidente y del centro de la Península Ibérica.

No parece caber duda de que de todos los sistemas vocálicos que hemos mencionado, el más arcaico es el B, común al sardo y a la zona fronteriza lucano-calabresa [9], ni de que a éste debe seguir en antigüedad el rumano (la apertura de $\breve{\imath} > \rho$ sería, por tanto, más temprana que la de $\breve{u} > \rho$) [10]. En época aún más tardía se habría originado el tipo A [11] (es decir, el llamado por Lausberg «tipo napolitano», que nosotros seguimos denominando «común románico»).

En cuanto a los tipos C y E serían —según Lüdtke— antiguos territorios de tipo B en los que se habrían mezclado por superposición (Überschiebung), respectivamente, los sistemas rumano y A [12].

Con esta ingeniosa teoría en su mente se vuelve Lüdtke a la Península Ibérica y encuentra: 1) Que el vasco (lo mismo que el beréber del N. de Africa) tiene en algunos de sus elementos latinos el arcaico sistema B. 2) Que el portugués en algunos sustantivos y adjetivos parece poseer un tipo en el que $\breve{u}$ llegó a confundirse con $\bar{u}$, y $\breve{o}$ con $\bar{o}$, es decir, las condiciones del sistema asimétrico rumano. 3) Que, en cambio —opina Lüdtke—, lo mismo el portugués que el español poseen en el verbo las condiciones características del sistema E ($\breve{\imath}, \bar{e}, \breve{e} > \rho; \breve{u}, \bar{o}, \breve{o} > \rho$) [13].

---

[9] LÜDTKE, *Die strukturelle Entwicklung*, pág. 62.
[10] Ibid., pág. 63.
[11] Ibid., pág. 63.
[12] Ibid., págs. 60-61.
[13] Ibid., págs. 65-66.

La aparente contradicción entre 1, 2 y 3 se explicaría, según Lüdtke, por la superposición en la Península de diversas capas de latín durante el largo período de romanización. La más antigua (tipo B) sólo se conservaría enquistada en el vasco; el sistema asimétrico se encontraría en el «marginal» Portugal, es decir, el extremo occidental de la Romania habría distinguido la vocal u < $\ddot{u}$, $\bar{u}$, frente a la o < $\ddot{o}$, $\bar{o}$, lo mismo que aún hoy Rumanía, en el extremo oriental[14], pero las condiciones actuales en portugués reflejarían la mezcla de ese sistema asimétrico con uno de tipo A. En fin, en los verbos tanto españoles como portugueses, la presencia de un tipo E se explicaría lo mismo que en el sur de Italia: sobre un sistema arcaico tipo B se habría superpuesto uno de tipo A. El tipo B igualaba $\ddot{o}$ y $\bar{o}$ y el tipo A igualaba $\bar{o}$ y $\ddot{u}$; al reunirse ambas tendencias había de resultar $\ddot{o} = \bar{o} = \ddot{u}$; y, por causas semejantes en la serie palatal, $\ddot{e} = \bar{e} = \ddot{i}$, y con estas vocales la e larga y abierta, resultado del antiguo diptongo ae, Lüdtke, págs. 64-65; pero en la Península Ibérica «por la mezcla de dialectos propia a todos los terrenos de colonización», sólo una parte del léxico (los verbos) fue afectada por estas condiciones[15].

Dejadas aparte algunas aprensiones y dudas que suscita en el lector la teoría de Lüdtke sobre las relaciones entre algunas de esas zonas suditalianas —y que no son para discutidas aquí—, conviene atender a los hechos en nuestra Península.

EL VOCALISMO EN ANTIGUOS LATINISMOS DEL VASCO

3.   Ante todo el vasco. Es cierto que entre los muchos latinismos recibidos por esa lengua no indoeuropea, los más antiguos de ellos no tienen aún los rasgos del vocalismo común románico (a saber, $\check{i} > e$, $\check{u} > o$). Ese cambio no se ha cumplido en voces vascas como *kirru* < c $\check{i}$ r r u (esp. *cerro*), *pike* < p $\check{i}$ c e (esp. *pez*), *piper* 'pimiento, pimienta' < p $\check{i}$ p e r (esp. *pebre*), *muku* < m $\check{u}$ c c u (esp. *moco*), *tipula* < c a e p $\check{u}$ l l a (esp. *cebolla*). Max-L. Wagner ha llamado varias veces[16] la atención hacia casos parecidos, de voces latinas enquistadas en lenguas beréberes del N. de Africa; también en beréber antiquísimos latinismos han conservado el timbre fundamental de las vocales $\check{i}$ y $\check{u}$ del latín: *afullus* < p $\check{u}$ l l u s; *ulmu, tulmust* < $\check{u}$ l m u ; *ikiker, akiker* < c $\check{i}$ c e r ; *ifilku* < f $\check{i}$ l $\check{i}$ c e .

Todo eso es cierto. Pero es arriesgado especular con cosas tan distin-

---

[14]   Ibid., 65, v. también pág. 59.
[15]   Ibid., pág. 66.
[16]   WAGNER, M.-L., *Restos de latinidad en el N. de Africa*, Coimbra, 1936; *Hist. Lautl. des Sard.*, §§ 14 y 500; *La lingua sarda*, págs. 310-311.

tas como, por un lado, voces vivas en las zonas románicas donde rige el vocalismo tipo B, y, de otro, voces latinas enquistadas en una lengua no indoeuropea, en época remota. Porque no sabemos con exactitud cuándo esas voces entraron en vasco o en beréber. En rigor, ni siquiera las fechas de la conquista por los romanos pueden servirnos de tope *a quo;* muchas voces tomadas del inglés norteamericano se usan en naciones hispanohablantes; y, sin embargo, esas naciones no han sido conquistadas por los Estados Unidos. La conquista de la Península Ibérica comenzó hacia el año 200 antes de C. y progresó durante dos siglos (pero el proceso de romanización dura mucho más; si hablamos con precisión hemos de decir que continúa aún en 1959) [17].

Esas voces del vasco que conservan la *i* y la *u* procedentes de *ĭ* y de *ŭ* latinas, no prueban más sino que cuando entraron en el vasco, aún no se habían producido en el· latín hablado los cambios *ĭ > e* y *ŭ > o*. Por la misma temprana época hubiera podido ocurrir lo mismo, en cualquier zona de la actual Romania que ya estuviera incorporada al Imperio, donde hubiera habido una lengua extraña en que las voces latinas entraran y se enquistasen. No hay, pues, por lo que toca a las voces latinas del vasco, motivo para pensar en una base de latín vulgar especial a la Península Ibérica: cuando esas voces entraron en el vasco lo hicieron con *i* y *u*, sencillamente porque *ĭ* y *ŭ* latinas sonaban aún así en el latín hablado en la Península Ibérica, o en Italia, o en la mayor parte del Imperio.

¿VOCALISMO ASIMÉTRICO EN PORTUGUÉS Y ESPAÑOL?

4. Supone Lüdtke que otra capa posterior [18] en la que *ĭ* ya habría dado *e*, pero *ŭ* no habría dado aún *o*, se habría extendido por la Península Ibérica. De ella nos quedarían restos en el extremo occidental: unas cuantas palabras portuguesas y españolas en que *ŭ* no se ha abierto en *o* [19].

---

[17] El fenómeno de enquistamiento y sus consecuencias son incomparables con el de conquista idiomática: en este último caso (el latín en la Romania) las voces evolucionan con todo el sistema a que pertenecen; en el caso de entrada en una lengua extraña (p. ej., una voz latina en el vasco), la palabra evolucionará sólo según el sistema extraño en el que se ha introducido. En un medio idiomático extraño, el extranjerismo queda ya separado de su lengua de origen, en cierto modo «congelado» respecto a la evolución de ésta. En esp. seguimos diciendo *frambuesa, toesa* (con *oé, wé*) como sonaban esos galicismos cuando entraron en nuestra lengua: es decir, sin llegar a *wá*. Véase COROMINAS, *DCEC*, para *frambuesa* (la voz *toesa < fr. toise < tĕ(n)sa*, falta en ese diccionario). Son, pues, dos tipos muy diferentes de «aislamiento».

[18] LÜDTKE, *Die strukturelle Entwicklung*, pág. 59.

[19] Los ejemplos que da son tanto portugueses como españoles, comp. LÜDTKE, pág. 175; otras veces habla como si se tratara sólo de voces portuguesas.

Son las siguientes (las enumero en orden distinto del que usa Lüdtke, y añado algunas que se pueden agregar, aunque no citadas por él):

esp. *pulpa*, esp. *surco*, port. *sulco*, esp., port. *cruz*, esp. *yugo*, port. *jugo*, esp., port. *nunca* (gall. ant. *nonca*), esp. *cumbre* (port. *cume*), esp. (port.) *junco*, esp., port. *junto*, esp., port. *mundo*, esp., port. *segundo*, esp., port. *curvo*, esp., port. *culpa*, esp., port. *justo*, port. *urso*, port. a. *usso*, gall. a. *osso*, port. *curto*, port. *fundo*, port. *chumbo*, port. *furto*, port. *surdo*.

De esta lista hay que eliminar, primero, las voces que están en ella por mero error: quítense esp., port. *justo* y port. *furto*, pues *justus* y *furtum* tienen en latín *ū* y claro está también tienen *u* los otros derivados románicos de estas voces (¿a qué santo se las ha traído aquí?). Comp. *REW*, 3606 y 4635; MEYER-LÜBKE considera cultismos los derivados de *jūstus*. Hay que eliminar luego los evidentes cultismos. Unos son eclesiásticos, como *cruz* [20], *mundo* (el mismo fr. *monde* es una refacción culta, frente al ant. *mont*, que habría pasado al moderno como mõ [21]), *culpa* [22]. De otra esfera viene *curvo* (el autor olvida que el español tiene el verdadero resultado popular, *corvo*: hablamos de una *línea curva* pero de *un corvo alfanje, una nariz corva;* y esta diferencia explica, sin más, el carácter culto de *curvo* [23]). No se puede dudar tampoco del carácter culto de *segundo:* son cultos lo mismo it. *secondo*, que el fr. *second* (éste no ya por su incongruente ortografía, sino porque habría debido ser **sond* [24]); no es sino muy explicable que las formas port. y esp. también lo sean [25].

En cuanto al port. *urso*, se extraña el autor de que pueda pensarse que el port. a. *usso* (en que *rs* > *ss*) sea cultismo; lo cierto es que *osso*, está repetidas veces en port. a., por lo menos desde 1196.

¿Cómo es posible desconocer la rica descendencia toponímica de *osso* después de las páginas que le dedicó Leite de Vasconcelos? La capa más profunda, pues, de la palabra tiene *o-* y en ella se cumplió *ŭ* > *ǫ* [26]. En cuanto a *urso*, mi interpretación es la siguiente: *osso* < ŭ r s u tenía etimológicamente *ǫ* frente a *osso* < ŏ s s u que la

---

[20] 'Cruz' es voz popular en el resto de la Romania. Pero esta palabra evidentemente en español y portugués no evolucionó tradicionalmente (comp. MACHADO, *DELP*), como tampoco, entre nosotros, *virgen, ángel, iglesia, Dios,* etc. Todas estas voces son semicultismos, y sería absurdo basar sobre cualquiera de ellas una teoría sobre fonética románica.

[21] Comp. r o t ŭ n d u - > fr. ant. *reond* > *rond*, rõ. El «mundo» es uno de los enemigos del alma, abominado en la predicación.

[22] Para MEYER-LÜBKE, *REW* 2379, los derivados de c u l p a en los otros pueblos de la Romania tampoco debieron ser voces tradicionales «trotz der lautgerechten Behandlung», dice.

[23] Comp. aún esp. *la corva de la pierna*.

[24] Comp. de un lado l u c o r e > fr. *lueur*, s e c u r u > fr. ant. *sẽur*, y de otro fr. a. *reond*, fr. *rond*.

[25] En español se da en esta palabra la misma dubitación medieval entre *-c-* y *-g-* que en francés.

[26] CORTESÃO, *Subsídios;* LEITE DE VASCONCELOS, *Lições de Filologia Portuguesa,* Lisboa, 1926, págs. 233-237. Véase también, MACHADO, *DELP*.

tenía abierta: al operar la metafonía y cerrar la *o* de *osso* 'hueso', tuvo que mantenerse la correlación con 'oso', de ahí port. ant. *usso*. Esta forma, muy próxima ya al latín, fué entonces rehecha por presión culta en *urso*.

Junto al port. *chumbo* y *prumo* hay que considerar el esp. *plomo:* no cabe duda de que *prumo* no es voz tradicional (por su *pr-* y por su *-m-):* debe de ser un castellanismo [27]; por su parte esp. *plomo* tampoco es palabra popular (por su *pl-;* se esperaría **llomo)* [28]. Dejemos, por un momento, a un lado la explicación de Lüdtke. Vemos entonces que ni la voz portuguesa *chumbo* ni la esp. *plomo* han evolucionado como lo harían palabras tradicionales (la una por su vocal tónica, la otra por su grupo inicial). Lo mismo se puede decir del port. *fundo* considerado frente al español *fondo:* si la palabra portuguesa tiene de anómalo la *u*, la esp. tiene la *f* (si bien, como adjetivo, tenemos *hondo* [29]). Vemos, pues, cómo los indicios de que sobre estas voces se han ejercido influjos de tipo culto tienen siempre una correspondencia en portugués y en español.

Quítese asimismo el port. *curto* porque no sólo el cat. tiene *u (curt)*, sino también están acreditadas formas con *u*, de esta palabra, en leonés y aragonés antiguos y modernos, en provenzal, en retorrománico y en italiano del N. (*REW* 2421 y *DCEC*). Naturalmente que la *u* de *curto* no puede, pues, achacarse a un vocalismo del «marginal» portugués.

Resalta inmediatamente que hay en la lista una serie de palabras que todas en su base etimológica tenían de común un grupo de *l* + consonante o de *n* + consonante: esp. *pulpa;* esp. *surco*, port. *sulco;* esp. *cumbre* (port. *cume)* (< * c u l m i n e) ; español, port. *nunca;* esp., port. *junco;* esp., port. *junto* (esp. *punto)*. Por lo que toca a estas palabras con *l* + consonante, se ha indicado varias veces que siguen una norma fonética común. Creo acertada la explicación de Corominas (art. *cumbre): «*el caso [de *cumbre*] coincide con el de d ŭ l c i s > *dulce* (antes *duz)* y con el de s ŭ l c u s > *surco* (antes *sulco)* y con *-uch-* (-*uit*-) como resultado general de - ŭ l t - ». Hay que pensar que la *l* se vocalizó tempranamente y que luego la semivocal cerró la vocal precedente y fué absorbida por ella: *duz, cumbre, suco* (forma frecuentísima en el NO. peninsular [30]). Lo mismo se produjo en *puches* < p ŭ l t e s , *mucho* < m ŭ l t u , etc. y *empujo* < i m p ŭ l s o , pero aquí el carácter de la segunda consonante hizo que se desarrollara un proceso de palatalización; y cuando ese proceso de palatalización ha sido imposible, tenemos V u l t u r a r i a > *Utrera* y *buitre, butre* < v u l t u r e *(utre*, en ast.). Sobre *duz* y *suco* ha debido haber reacciones cultas que impusieron *dulce* y port. *sulco:* este último «por resistencia del vulgo a pronunciar un sonido que en esta posición había quedado fuera de su sistema fonético» (COROMINAS).

En cuanto a los casos de *n* + consonante, obsérvese que en todos a la *n* seguía consonante velar *(junctu, punctu, juncu, numquam)*. Algunas de estas voces han sufrido procesos de palatalización de la *-k-* en otros territorios románicos (fr. *point, joint*, prov. *jonchar, joncha, poncha*). Y cuando no son evidentes las palatalizaciones, también

---

[27] En cuanto a su *u* debe proceder de las voces *prumada, prumar* en que la original *o*, sin acento, se pronunció *u*. Comp. cast. *plomada*.

[28] Es posible que sea un catalanismo como sugiere COROMINAS, *DCEC*.

[29] Corominas cree que el uso adjetivo vendría de p r o f u n d u > *perfondo*. De aquí saldría, por separación de prefijo, *fondo*. Ocurre, sin embargo, que precisamente el uso adjetivo se decidió por *h*, mientras que el sustantivo *fondo* < f u n d u conserva anómalamente su *f-*. Como adj., existe también port. *fondo* (s. XIV), MACHADO, *DELP*.

[30] R. LAPESA, *Derivados españoles de «sulcus»*, en *RFE*, XVII, 1930, págs. 169-173.

el prov. tiene *u: junta*, *punta*, y lo mismo el catalán. No sirven estas palabras para la tesis de Lüdtke. La extensión de las formas con *u*, en esp., port. *junco*, cat. occid. *junc*, gasc. *jünc*, it. *giunco*, hace, otra vez, completamente inadecuada esta palabra. En esta voz, y también en esp., port., cat. ant. *nunca* [31] (comp. it. *giunco*, it. ant. *unqua* < ŭnquam, it. *dunque* < dŭnc), la -*nk*- ha producido una cerrazón de la vocal. El que no se produzca en it., esp. *tronco* < trŭncu lleva a Corominas a pensar que en varias ocasiones ha actuado también el elemento *w;* pero en la familia 'junco' en donde la *u* está como hemos visto, tan extendida, hay que pensar que hayan colaborado a la par en la cerrazón el grupo -*nk*- y la palatal inicial.

En resumen: eliminadas las que son meros errores, porque tenían *ū* en latín, varias de estas voces de la breve lista en que Lüdtke basa toda su teoría, se ordenan en dos grupos en los que el mantenimiento de *ŭ* está explicado por muy especiales y evidentes condiciones fonéticas semejantes; otras resultan cultismos o por su innegable ambiente cultural, o porque en varias lenguas románicas por diferentes rasgos fonéticos se manifiestan como voces sujetas a una influencia culta; muchas de estas voces con *u* son comunes a varias lenguas románicas, unas veces peninsulares, otras que llegan al sur de Francia, al retorrománico, al italiano, y han de explicarse por condiciones fonéticas o bases etimológicas comunes a todos esos países.

No hay, pues, en léxico portugués (ni en castellano) el menor indicio de restos que permitan afirmar la existencia de un vocalismo «asimétrico» en el que *ŭ* no se hubiera confundido con *ō*, mientras que *ĭ* se habría ya fundido con *ē*.

¿VOCALISMO «A LA SARDA» EN LOS VERBOS PORTUGUESES Y ESPAÑOLES?

5. Otra capa posterior de latín (sistema A) al mezclarse con el primitivo sistema asimétrico habría, según Lüdtke, producido —como ya dijimos— las ecuaciones *ŏ = ō = ŭ* y *ĕ = ē = ĭ*; estos dos grupos habrían dado respectivamente, lo mismo en castellano que en portugués *ǫ* y *ę*, pero sólo en la conjugación, o fuera de ella sólo en algunas voces. Lüdtke esquematiza así su teoría sobre el vocalismo portugués:

$$\begin{array}{ccccccc} \bar{u} & \breve{u} & \bar{o} & \breve{o} & a & \breve{e} & \bar{e} & \breve{i} & \bar{i} \\ | & / & \backslash & | & / & | & & \backslash & | & / & | \\ u & & \varrho & & a & & \varrho & & i \end{array}$$

En este esquema, *ŭ* > *u* es el elemento asimétrico (y ya hemos visto

---

[31] Sobre el cat. *nunca*, bien acreditado antiguamente, se han lanzado sospechas de castellanismo o latinismo.

cómo la lista de ejemplos en que para esto se basa Lüdtke [32], se desmorona cuando se la analiza).

Al ir a hablar del vocalismo verbal combate Lüdtke la afirmación de Williams de que «los verbos latinos con $\bar{e}$ ($\check{\imath}$) y $\bar{o}$ ($\check{u}$) en la radical han sufrido la fuerza analógica de los verbos latinos con $\check{e}$ y $\check{o}$ en la radical» [33]. Y agrega Lüdtke: «La afirmación de Williams sería quizá exacta si se llegara a probar que, fuera del sistema verbal, la evolución fonética hubiera coincidido con la de la zona napolitana (i. e. la general románica), por un lado $\check{\imath} = \bar{e} > \varrho$ y $\check{u} = \bar{o} > \varrho$ y por otro $\check{o} > \varrho$ y $\check{e} > \varrho$». Como vemos, Lüdtke parte, para comenzar su teoría del vocalismo verbal, de una seguridad: la de creer que fuera del verbo ha quedado demostrada su idea de un vocalismo asimétrico en castellano y portugués. Acabamos de mostrar —«fuera del sistema verbal»— que la lista de ejemplos en los que Lüdtke pretende probar que hubo una capa $\check{u} > u$ en el más antiguo romance portugués (y español) no puede aguantar la más ligera crítica.

También en el verbo habría, aun hoy —según el Dr. Lüdtke—, algunas reliquias directas del tipo arcaico, en el que $\check{u}$ no daba o, sino u. Para probar esto cita port. *surte, curte, entupe, cumpre*. Tampoco valen esta vez los ejemplos aducidos como prueba: de los cuatro, el cuarto sobra, porque no tiene u en su base (port. *cumprir*, esp. *cumplir* < c o m p l ē r e); y los otros tres no dan ventaja alguna porque son tres pavorosos problemas de etimología [34].

---

[32] En la pág. 176 da una breve lista de nombres en los que se habrían cumplido también los supuestos fenómenos $\varrho < \bar{o}$, $\check{u}$ y $\varrho < \bar{e}$, $\check{\imath}$. Hay que prescindir, claro está, de las voces con flexión que plantean delicados problemas especiales de analogía o metafonía. No hay que suponer semejante proceso en el port. *forma*, pues es una voz culta que al lado tiene *forma* (< lat. f ō r m a) legítima voz popular; con perfecta correspondencia en español: *forma*, cultismo; *horma*, voz tradicional. Y en ambas lenguas, como es natural, el cultismo tiene los sentidos abstractos, y los concretos ('horma de zapatero, etc.') el popularismo. Lo mismo ocurre con *regra*, semicultismo, como el esp. *regla;* las verdaderas voces populares son port. *relha* y esp. *reja* < r ē g u l a. Cita como otra excepción port. *jovem* < lat. j ŭ v e n e, que tiene que ser voz culta, como lo es esp. *joven* (a pesar de algún uso medieval, aún era objeto de burla en las sátiras anticultistas). Port. *meda:* los diccionarios dan esta voz (lat. m ē t a) con ϱ y con ϱ (en zona gall.-ast., zona extrema muy arcaizante, la he oído siempre con ϱ). Port. *sé:* en textos aragoneses (COROMINAS) aparece la forma correspondiente a la vocal abierta portuguesa: aragonés *siet (sied* en Berceo). En aragonés y en portugués ha habido una evidente confusión entre s ē d e s y el verbo s ĕ d e o. Esp. *nieve, nuez*, port. *neve, noz:* no se comprende cómo el autor puede presentar como especiales fenómenos centrooccidentales peninsulares lo que es común a zonas mucho más extensas de la Romania (v. COROMINAS). Y objeciones parecidas se pueden hacer a las muy pocas voces de esta lista, que dejo de comentar.

[33] *From Latin to Portuguese*, Filadelfia, 1938, § 176, 3.
[34] La de *surtir* (véase COROMINAS, *DCEC*) está en port. especialmente enmara-

Es cierto que el verbo portugués ha uniformado su vocalismo radical tónico según un sistema de una simple, pero también extraña, armonía: todos los verbos de la primera conjugación con *o* o *e* en la radical, las matizan como abiertas en las formas fuertes [35]: *sǫlto* ($< \breve{o}$), *sǫmo* ($< \breve{u}$), *nęgo* ($< \breve{e}$), *cęrco* ($< \breve{i}$), *espęro* ($< \bar{e}$). Los de la segunda conjugación se han regularizado[36] de tal modo, que *é* y *ó* se matizan como cerradas ante *-o* y *-a* (1.ª sing. ind. pres. y todas las personas fuertes del subjuntivo pres.) y como abiertas ante *-e* (2.ª, 3.ª sing. y 3.ª plur. del ind. pres. y 2.ª sing. imperat.): *vęrto*, *vęrtes* ($< \breve{e}$), *bębo*, *bębes* ($< \breve{i}$), *cędo*, *cędes* ($< \bar{e}$); *mǫvo*, *mǫves* ($< \breve{o}$), *cǫrro*, *cǫrres* ($< \breve{u}$). Los verbos de la tercera conjugación tienden a una regularización semejante, con la diferencia que ante *-o* y *-a* las tónicas *o* y *e* se cambian en *u* e *i*: *sigo*, *sęgues* ($< \breve{e}$), *acudo*, *acǫdes* ($< \breve{u}$), *durmo*, *dǫrmes* ($< \breve{o}$), y aun *sumo*, *sǫmes* ($< \bar{u}$)[37]. Lüdtke está en lo cierto al afirmar que una explicación clara de estos hechos no existe. Todas las explicaciones[38] tratan de abrirse paso entre analogía, inflexión vocálica (por yod) y metafonía (por vocal final).

La teoría del Dr. Lüdtke está basada en la creencia de que el verbo portugués y el español habrían tenido también inicialmente un vocalismo a la sarda y con metafonía de tipo sardesco[39]. Esto último habría producido en los verbos en *-áre* y en *-ére* un vocalismo abierto de las radicales tónicas ($\dot{\varrho}$ y $\dot{\varrho}$), porque en esas conjugaciones las desinencias eran siempre *-a*, *-e* u *-o*[40]; pero en la conjugación en *-íre*, por el contrario, se habrían producido $\dot{\varrho}$ y $\dot{\varrho}$, porque todas las desinencias contenían *-i*. Al penetrar después —según Lüdtke— el sistema común románico con sus cuatro grados de abertura, los verbos ahora nuevamente importados se habrían adaptado a esas condiciones antiguas (las de tipo sardesco), por lo que toca al portugués; en el español, en cambio, el sistema de cuatro grados se habría

---

ñada por la coexistencia de *surtir*, *sortir*, *surdir*. En cuanto a *curtir*, COROMINAS, después de haber sopesado las varias posibilidades, lo juzga «de origen incierto». Y todo hace más que problemática la relación de *entupir* con *stŭppare (COROMINAS piensa en una onomatopeya tup, gemela de tap, REW 8564).

[35]   Salvo en condiciones especiales. (DUNN, *GPL*, §§ 403-404.)

[36]   Salvo en condiciones especiales. (DUNN, *GPL*, §§ 411-412.)

[37]   Hay muchos verbos que mantienen *u* e *i* en todas las fuertes (DUNN, *GPL*, §§ 414-421).

[38]   Véase bibliografía en WILLIAMS, § 176. Véase últimamente DOROTHY M. ATKINSON, en *EMP*, Madrid, 1954, t. V, págs. 39-65.

[39]   LÜDTKE, *Die strukturelle Entwicklung*, pág. 184; WAGNER, *Hist. Lautl. des Sard.*, §§ 14-15.

[40]   Ocurre, por el contrario, que en la 2.ª conj., el subjuntivo tiene *-a*, y, sin embargo, la vocal tónica es cerrada *(bęba, cǫrra)*.

impuesto casi completamente en las conjugaciones en -ár y en -ér [41].

El resto de la teoría del Dr. Lüdtke [42], no nos interesa ahora de momento. Remito al lector al libro mismo del Dr. Lüdtke. Pero no puedo dejar de decir que lamento que su autor haya gastado tanto ingenio en construir una armazón tan complicada: el agua se sale por todas partes, y el Dr. Lüdtke trabaja en vano para intentar remediarlo. Sería de esperar que con esa teoría del antiguo vocalismo a la sarda, los presentes españoles y portugueses resultaran aclarados. Todo lo contrario. La admisión de tal hipótesis obliga a una verdadera carrera de obstáculos. Sin base sólida, en los nombres, para sus teorías sobre el vocalismo peninsular —como vimos—, quiere ahora el Dr. Lüdtke mostrar un sistema «a la sarda» en las más remotas raíces del verbo portugués y castellano. Cualquier lingüista sabe cuán movedizo es ese terreno: el verbo es un bullicio de formas analógicas; querer desde nuestra altura rastrear un sistema primitivo (sardo) con superposición de uno asimétrico (tipo rumano) y aún más de un tercero (tipo general románico) es empresa optimista. El autor, después de montar su tinglado de sistemas vocálicos, termina por tener que echar mano desaforadamente de la analogía.

En lo que sigue voy a tratar sólo de la base misma de la teoría: es decir, del supuesto vocalismo a la sarda. Téngase en cuenta que todo lo demás, de que no hemos tratado, se apoya en esa hipótesis.

Testimonio del gallego

6. Siempre el Dr. Lüdtke habla de «portugués» y «español», sin más. El doctor Lüdtke afirma, por ejemplo, que el portugués, por ser Portugal país de extrema margen, no recibió tan completamente las innovaciones que venían de Italia, como el español. Evidentemente, cuando así habla, no tiene en cuenta que lo mismo el español que el portugués, en su extensión peninsular actual, son principalmente lenguas de colonización, originadas muy al N. Así aparecen cuando entran en el cuadro histórico en los siglos X-XI. Si los núcleos originarios del gallego y del castellano estaban en la época de la romanización en los mismos lugares en donde luego aparecerán en la Edad Media [43], se debía referir constantemente a Galicia, y

---

[41] LÜDTKE, Die strukturelle Entwicklung, págs. 184-186.
[42] Ibid. 186-188.
[43] Hay una serie de elementos que conocemos muy mal o que desconocemos en absoluto. Por ejemplo: huída de la población hacia el N., como zona de refugio, al ocurrir la invasión árabe; alteraciones de la lengua en su expansión, con la Recon-

claro está que para la teoría habría que haber tenido en cuenta el gallego.
He aquí una enorme dificultad, porque debido al increíble atraso de los
estudios de lingüística gallega, esta lengua, en su estado moderno, es casi
una incógnita; lo es, desde luego, su vocalismo. Falta casi completamente
una recogida sistemática de materiales: labor de años. Cuando se compara
con el catalán, el balance es desconsolador: imposible imaginar en Galicia
gramáticas como la de Moll, o como la de Badía, con su atención constante
a la fonética, aun en menudas variaciones dialectales [44].

No sabemos la exacta situación actual del vocalismo gallego: algunos
diccionarios y gramáticas se suelen contentar con señalar unas cuantas
o y *e* como abiertas y cerradas, pero sin consistencia, y sin precisión. El
habla de ciudades y villas ha perdido o confundido los matices. Por lo que
toca al vocalismo verbal, si bien las gramáticas usuales ignoran en absoluto
la cuestión, los interrogatorios que he efectuado parecen dar una imagen
que, en parte, resulta clara. Los datos acerca de la 1.ª conjugación serían
decisivos; pero, por desgracia, hacen falta exploraciones por toda la extensión de la lengua gallega.

Las más detenidas y repetidas han sido en zonas del gallego que llamo
exterior, dialectos gallegos hablados fuera de los límites políticos de Galicia, a saber: en el Occidente de Asturias (gallego-asturiano); y en el Bierzo,
provincia de León (berciano o gallego-leonés) [45]. Otros datos proceden de
Galicia: de Pol (en el Este de la provincia de Lugo); otros de Túy. Aparte
estos interrogatorios, he observado la pronunciación de sujetos gallegos
de distintas zonas rurales; últimamente he hecho un interrogatorio sobre
vocales radicales acentuadas, en los presentes verbales (registrado en cinta
magnetofónica), a viejos de aldeas cercanas a Villalba, provincia de Lugo
(lugares de San Cobade y Distriz).

Se puede afirmar que el gallego (el hablado en Galicia y lo mismo el
exterior) tiene una clara metafonía en las vocales radicales tónicas de la
conjugación en -*ér*. Así en gallego de los Oscos: *bȩrco, bȩrques, bȩrque*, etcétera, *bȩrca, bȩrcas*, etc. (verbo *berquer* < vĕrtĕre) junto a *mȩto, mȩtes,
mȩte*, etc. (verbo *meter* < mĭttĕre). He citado este ejemplo, de una de las
zonas que están más alejadas de la frontera portuguesa (es zona políticamente asturiana) para dar idea de la enorme extensión del fenómeno. También en todos los interrogatorios de zona políticamente gallega he encontrado lo mismo: *cǫllo, cǫlles; fȩndo, fȩndes; cǫzo, cǫces; cǫso, cǫses; fȩrbo,*

quista, hacia el S.; reacciones que en la lengua llevada hacia el S. pudieron producir
los restos o los vestigios de lengua mozárabe.

[44] La de GARCÍA DE DIEGO, excelente en su época, no pudo tener presente, sino
de modo escaso, la fonética.

[45] Prescindo ahora del gallego-zamorano.

fęrbes, etc. Es exactamente la metafonía portuguesa en los verbos en -*ér* (con algunas ligeras diferencias que no son ahora del caso) [46].

En la conjugación en -*ír*, las condiciones son menos regulares. En portugués se conjuga *sirvo, sęrves, sęrve, sirva;* en los Oscos se oye *sirbo, sęrbes* o *sirbes, sęrbe* o *sirbe*. Condiciones iguales señalaba ya en 1868, para el gallego, Saco Arce *(Gram. Gall.* pág. 81).

Existe, por tanto, en gallego en la conjugación en -*ér*, y aún se conserva (con alguna vacilación) en la en -*ír*, un vocalismo radical tónico esencialmente igual al portugués: es éste uno de los grandes fenómenos unitivos de todo el dominio gallego-portugués, e incluye también, como hemos visto, los dialectos gallegos del O. de Asturias y León. Hay que colocar en primera línea el hecho de la metafonía verbal en la segunda y la tercera conjugación, junto a otros fenómenos que se suelen considerar característicos del dominio gallego-portugués: la conservación normal de *ŏ* y *ĕ* como *ǫ* y *ę*, la caída de -*n*- y el infinitivo conjugado. Todos estos fenómenos se encuentran también, en términos generales, lo mismo en el portugués que en el gallego de Galicia, que en el gallego exterior a Galicia.

7. Los datos del gallego exterior los creo doblemente interesantes. Es necesario comprender las especiales circunstancias de esas zonas, gallego-asturiana y gallego-leonesa; se trata, evidentemente, de territorios que fueron segregados de Galicia antes de que ésta quedara separada de Portugal en la rápida ascensión hacia la independencia portuguesa, desde fines del siglo XI, hasta la consolidación, a lo largo del fecundo reinado de Don Alfonso Enríquez. Esos territorios, que hablan gallego, en el O. de Asturias y en el NO. de León, han participado, p. ej., con todo el dominio gallego-portugués, en la caída de -*n*- intervocálica, pero no han participado ya en el desarrollo de una palatal, cuando la caída fué tras *i* (gallego *beciña;* portugués *vizinha;* gall.-ast. *becía;* gall.-leon. de Ancares *becía*). Estas regiones de gallego exterior han conservado muchas veces estados lingüísticos que —en comparación con el gallego de Galicia— podemos llamar

---

[46] Reservo más pormenores para otro lugar. He aquí algunas de estas diferencias: en port. la segunda persona del imp. tiene vocal abierta *(cǫse);* en los Oscos (San Martín) es cerrada *(cǫse);* no hay en los Oscos metafonía en los verbos en *ecer (debęzo, debęces, calęzo, -ęces, ateręzo, -ęces)*; la *n* final de sílaba produce cierre de la vocal *é* u *ó* en portugués *(vęnde, escǫnde)*, pero en los Oscos sigue la regla general. Encontré la metafonía verbal en los Oscos en 1942. No tenía yo entonces sino una idea confusa de la metafonía verbal del portugués, de modo que fué una gran sorpresa ver luego en los libros que lo mismo que había encontrado en el occidente de Asturias, era lo que existía en portugués.

medievales (Ancares, *becía*) [47]; otras veces han evolucionado de manera distinta que todo el resto del dominio gallego-portugués (Oscos, *becía*). Como siempre ocurre en zonas que no han tenido norma literaria, hay en el gallego exterior fenómenos de tipo evolutivo; pero otros son sumamente arcaizantes, y no es difícil el reconocerlos como tales.

Hemos visto que hay una casi perfecta correspondencia por lo que toca al vocalismo radical tónico de las conjugaciones en *-ér* y en *-ír*, entre gallego de Galicia, gallego exterior y portugués. Pero, en cambio, a juzgar por nuestros interrogatorios, las vocales radicales *é* y *ó*, en la conjugación en *-ár* son, en gallego y en gallego exterior, fundamentalmente las mismas del latín vulgar, mientras que, en portugués, tanto las que eran cerradas como las que eran abiertas en el latín vulgar, se han hecho todas abiertas. Así en gallego tenemos *cęgo, cęgas; lębo, lębas* (< c a e c o, -a s; l ĕ v o, -a s) y, lo mismo, *sęgo, acęrto.* Por el contrario, *achęgo, -as; pęso, pęsas* (< a p p l ĭ c o, -a s, p ē (n) s o, -a s) y, lo mismo, *mędo, męxo.* En cambio, en port., *cęgo, lęvo*, lo mismo que *chęgo, pęso.* También, por lo general, hay conservación de la vocal etimológica en los verbos de radical o: *esfǫlo* (< * e x f ŏ l l o), *fǫlgo* (< f ŏ l l ĭ c o) y, lo mismo, *xǫgo, sǫlto;* frente a *pǫdo* (< p ŭ t o), *cǫrto* (< c ŭ r t o). Pero aquí he observado algunas irregularidades que necesitan más consideración [48].

Lo mismo en gallego que en el gallego exterior (especialmente arcaizante), en la conjugación en *-ár*, las vocales radicales tónicas *é, ó*, conservadas con su valor etimológico se diría que representan las condiciones originarias del vocalismo gallego-portugués. Estas condiciones hemos de pensar que se alteraron posteriormente en portugués resultando abiertas tanto las vocales *e* y *o* que etimológicamente lo eran, como las que eran cerradas. Las condiciones originarias en gallego, es decir, en el núcleo de donde procede el portugués, parecen, pues, las de conservación del matiz (abierto o cerrado) del sistema común románico (tipo A) y no las del sistema sardo (tipo B). El núcleo originario del dominio gallego-portugués parece, pues, oponerse a la teoría del Dr. Lüdtke. Pero hacen falta más investigaciones.

---

[47] Sobre el habla de Ancares, véase la comunicación presentada por mí, en colaboración con V. GARCÍA YEBRA, al *III Colóquio Internacional de Estudos Luso-Brasileiros*, de Lisboa, 1957, actualmente en prensa, y aquí más abajo, págs. 149 y ss.

[48] Algunos verbos con ō presentan vacilaciones. Encuentro, p. ej., casi siempre gall. *chǫro* < p l ō r o, *afǫgo* (< o f f ō c o), y, alguna vez, *cǫrto*. Es curioso cómo se ha resuelto la homonimia entre la primera persona de *poder* y *podar*: *pǫdo* 'puedo', *pǫdo* 'podo'. En el verbo *poder* se ha refrenado la metafonía, pues se esperaba, según la norma general *pǫdo* 'puedo'. Parece que los sonidos palatales cierran la vocal anterior, aunque sea etimológicamente abierta: *pęcho* (junto a p ĕ s s ŭ l u m), *mǫllo* (< m ŏ l l o).

8. Antes de dejar esta cuestión conviene considerar las razones que da Williams [49] para explicar el vocalismo de la 1.ª pers. de pres. ind. en los verbos portugueses de las conjugaciones en -ér y en -ír: para él, *vęrto* es portugués antiguo y *vẹrto* portugués moderno; y *sęrvo* portugués antiguo y *sirvo* portugués moderno. He aquí su explicación (para los verbos con *e*, aplicable también a los con *o*): «En portugués antiguo no había, parece, cambio en la 1.ª pers. sing. de los verbos de la 2.ª conjugación portuguesa, mientras que la *ę* se cerró en *ẹ* por acción de la yod en los de la 3.ª conjugación. Por lo menos, *sęrvo* es la forma que primero reemplazó al antiguo *sęrvio* en los *Cancioneiros* tempranos. En la transmisión a las formas modernas, ocurrió que por la acción de la metafonía, *sęrvo* se convirtió en *sirvo* y *vęrto* en *vẹrto*». Es decir, en la 2.ª conjugación sólo hubo metafonía por *-u* (< *-o*); en los de la 3.ª hubo inflexión por yod y después metafonía por *-u* (< *-o*).

Williams no nos dice en dónde pone la barrera entre portugués antiguo y moderno, pero bien se ve que la sitúa muy a fines de la Edad Media o en los comienzos de la moderna.

Tenemos que decir que los hechos del gallego (tanto del hablado en la actual Galicia, como del hablado en el Occidente de Asturias y de León) hacen muy improbable su teoría.

En efecto, en gallego, los verbos de la 2.ª conjugación inflexionan su vocal —ya lo hemos visto— en la 1.ª persona (y en las fuertes del subjuntivo): *vẹrto, vẹrtes, vẹrta.* Del mismo modo, en la 3.ª conjugación, la vocal se ha cerrado y se ha establecido la alternancia *sirvo, sęrves, sirva.* Estas son las formas propias del gallego, en la 3.ª conjugación; pero, ya lo hemos visto también, en Galicia como en las zonas de habla gallega de Asturias y León se está generalizando hoy una pronunciación con *i* uniforme [50].

El hecho de que estas alternancias *ẹ-ę (ọ-ǫ)* ocurran en la 2.ª conjugación en todo el ámbito gallego y que lo mismo suceda con las *i-ę (ú-ǫ)* de la 3.ª conjugación, hace poquísimo probable que las formas portuguesas *vẹrto* y *sirvo* no hayan tenido uso medieval [51]. Puesto que *vẹrto - vẹrtes* y *sirvo - sęrves* se dan en todo el dominio lingüístico gallego-portugués es necesario que en la época de disgregación de ese dominio estos fenómenos existieran ya. No se comprende, si no, que lo mismo las hablas exteriores (abandonadas, sin norma lingüística en valles de Asturias o León), que el gallego

---

[49] § 176, 1 y 2.

[50] En el gall.-ast. de los Oscos los sujetos viejos y que mejor representaban la tradición del habla conjugaban sirⱱo, sęrⱱes, sirⱱa. Otros decían sirⱱes, pero conocían sęrⱱes; los más jóvenes solían conocer sólo sirⱱes.

[51] Hay, en efecto, algún caso de *sirvo*, en el Canc. de Ajuda.

de Galicia, que el portugués, hayan tenido exactamente la misma evolución y llegado al mismo resultado.

La cuestión se complica aún por el hecho de que -*o* no suene -*u* en gallego (a diferencia del portugués). ¿Habrá que pensar en una metafonía causada por -*ǫ*?

9. Me he detenido en la teoría del Dr. Lüdtke, en primer lugar por la importancia del tema: puesto que es una de las más ambiciosas que se pueden presentar en nuestro campo: nada menos que atribuir al español y al portugués una base de vocalismo completamente distinta de la habitual. Además, porque, aun reconociendo cierta osadía en los argumentos del Dr. Lüdtke, no cabe negar que su obra contiene datos, observaciones e hipótesis muy interesantes, algunos de ellos, y también cuando habla de portugués y de español (el Dr. Lüdtke ha hecho asimismo una excelente labor de recogida de materiales dialectológicos portugueses). Pero creo que en el caso del sistema vocálico se ha dejado deslumbrar por la belleza del posible descubrimiento, y ha procedido con notable arrebato teorizante y falta de rigor.

Me interesaba, además, el tema, por otras razones. A un lado está la rigurosa y metódica recogida de datos; al otro, la interpretación teórica. Esta es imposible sin aquélla. Otras zonas románicas han sido más favorecidas por la investigación. Por lo que toca al centro y al occidente peninsular falta aún mucho que hacer en cuanto a recogida y mera clasificación de los fenómenos idiomáticos actuales [52]. Si pensáramos en Galicia y en el aspecto fonético, podríamos decir que está por hacer casi todo. Ahora han trabajado con fruto en dialectología portuguesa Rohner, Hammarström y el mismo Lüdtke, y en gallego, H. Schneider; y mucho esperamos del Atlas Peninsular. Pero aún en las variedades dialectales del portugués —tan complejas en el aspecto fonológico— hay mucho que hacer y precisar. Existen en el vocalismo de algunas zonas peninsulares fenómenos importantes, que hasta ahora no hemos comenzado a apreciar realmente como tales. Otro tanto se puede decir respecto al castellano. Por de pronto la consideración de categoría dialectal al andaluz es uso bien reciente: el nuevo sistema de *e* y *o* abiertas y cerradas, con valor fonológico, en la Andalucía oriental, acaba de ser descubierto. Nosotros hemos encontrado aún otra

---

[52] El leonés ha sido más favorecido, porque por él se interesó tempranamente M. Pidal, y da como fruto en nuestros días trabajos como los de Rodríguez-Castellano, M.ª Josefa Canellada, Menéndez, Concepción Casado, Diego Catalán, Galmés de Fuentes, Neira Martínez, etc. Sobre todo abundan estos últimos años excelentes descripciones de las variedades dialectales del asturiano.

zona andaluza de curiosas palatalizaciones de *a*. Pero ¿cuántas sorpresas más nos reserva Andalucía? El *Atlas* de Andalucía de Manuel Alvar contestará a estas y muchas otras preguntas semejantes. ¿Cuántos rincones nos reservará el gallego tan curiosos como el habla gallego-leonesa de Ancares? Hace falta una recogida escrupulosa de datos. Quizá en el mismo castellano, la idea, por ejemplo, de la gran uniformidad del vocalismo —que no es sino, en general, muy cierta— ha impedido, me temo, la desapasionada y objetiva observación de los hechos.

Otro tanto cabe decir en el aspecto histórico respecto a la recogida y cronologización de los testimonios documentales: tenemos en España el colosal esfuerzo de los *Orígenes del español*; tal labor está por hacer en una gran parte de lo que se refiere, p. ej., a las formas del verbo, discutidas aquí.

Sin conocimiento de la realidad lingüística, actual o histórica, las teorías revolucionarias no serán más que jaulas, mejor o peor construídas, pero sin pájaro.

Somos de los que creen que en nuestros días asistimos a un cambio de perspectiva en las ciencias lingüísticas de una importancia tan grande, que representa quizá la mayor crisis de crecimiento de estas disciplinas. Por primera vez, la nueva fonología se propone un objeto rigurosamente científico al querer desentrañar la estructura idiomática. Algunos ya maestros —Martinet, Lausberg, algunos jóvenes como Alarcos Llorach (que ha hecho entre nosotros una labor tan fecunda) o como el mismo Dr. Lüdtke, etcétera—, nos hacen esperanzadamente confiar. Pero hay que prevenirse contra la utilización inconsiderada de unos métodos [53] que a poco que se exageren caen en un estéril cubileteo y amontonamiento de hipótesis sobre hipótesis, de tal naturaleza que una pequeña equivocación de varias de ellas lleva en la última a un error sólo medible, digamos, en «años de luz».

---

[53] Por ej., no empeñarse en registrar los últimos pormenores del habla individual (como en los trabajos de las escuelas fonéticas de principios de siglo). Tampoco serían de desear investigadores con prejuicios estructuralistas, y con ideas preconcebidas de lo que ha de ser el sistema vocálico de una región. La recogida de materiales ha de ser hecha por «fonéticos» y no «fonólogos»; pero fonéticos que a base de muchas observaciones individuales, lleguen a determinar la pronunciación media de una determinada localidad.

2.—DIPTONGACION CASTELLANA Y DIPTONGACION ROMANICA

Coincidencia rumana y castellana

1. El rumano y el español diptongan lo mismo en sílaba libre que trabada las vocales procedentes de la *ĕ* acentuada del latín. Sílaba libre (en el rumano se han producido, a veces, fenómenos secundarios) [54]: rum. *fiere, miere, iepure, ieri, piatră, fiară, piedică;* esp. *hiel, miel, liebre, ayer, piedra, fiera, piezgo* < lat. f ĕ l, m ĕ l, l ĕ p ŏ r e, h ĕ r ī, p ĕ t r a, f ĕ r a, p ĕ d ĭ c a, -u. Sílaba trabada: rum. *pierde, fierbe, şapte, piele, ţară;* esp. *pierde, hierve, siete, piel, tierra* < lat. p ĕ r d e t, f ĕ r v e t, s ĕ p t e m, p ĕ l l e, t ĕ r r a.

Esta extraordinaria semejanza entre el extremo oriental y el casi extremo occidental de la Romania, ¿se deberá a una misma causa? ¿o se habrán producido independientemente (por causas distintas) los mismos fenómenos en Rumanía y en España? La primera reacción es pensar que debe existir una causa unitaria. Es, sin embargo, indudable que dos fenómenos idénticos pueden obedecer a causas completamente distintas.

Hacernos esa pregunta, ampliada ya a toda la Romania, equivale a plantear el problema fundamental de la diptongación en las lenguas que proceden del latín. No aspiramos, claro está, a resolverlo, sí únicamente a reseñar algunas de las explicaciones que se han dado, mientras, de paso, vemos en qué relación por semejanza o desemejanza está la diptongación española con los hechos de los demás países románicos.

Diptongación en sílaba libre y en trabada

2. En seguida observamos que existen otras lenguas románicas de rasgos, por lo que se refiere a la diptongación de la *ĕ*, parecidos a los del ruma-

---

[54] La metafonía de la *é*, producida por algunas vocales finales (-*ă*, -*a* y -*e*), unida a la diptongación, ha podido producir el triptongo *iea*, reducido luego a *ia* (así en los ejemplos *piatră, fiară, şapte*; en este último caso, la *i* ha palatalizado la *s*-, embebiéndose en ella), etc.

no y el español; p. ej. en parte del retorrománico, especialmente en el oriental, la diptongación de las vocales breves se produce también en sílaba libre y trabada: Friul, *ljevar, yever* (< l ĕ p ŏ r e), *ier* (< h ĕ r ī), *sjet* (< s ĕ p t e), *pjel* (<p ĕ l l e) , *tjara, tjera* (< t ĕ r r a) . En el dálmata de la isla de Veglia existía asimismo la diptongación de *ĕ* en libre y en trabada, si bien en sílaba libre hubo una posterior monoptongación en *i (dik* < d ĕ c e , *pjal* < p ĕ l l e) . Hay, pues, un gran arco, que parte de Retorromania oriental y por Istria y Dalmacia, roto ahora, parece saltar a Rumanía: se diría que en todo ese extenso territorio la *ĕ* diptongó como en español, lo mismo en sílaba libre que en trabada.

Si atendiéramos ahora a lo que ocurre con la vocal correspondiente de la serie posterior, la *ŏ*, encontraríamos, con pequeña variación, lo mismo, desde Retorromania, especialmente Friul, hasta Dalmacia: la *ŏ* diptongó ahí, como lo hizo en español. No el rumano: en su sistema, asimétrico, sólo diptonga la *ĕ*.

El francés y el italiano diptongan como el español, el rumano y las otras lenguas citadas, cuando consideramos fr. *fiel, miel, pierre;* it. *fiele, miele, pietra,* es decir, voces en las que *ĕ* estaba en sílaba libre; pero no diptongan cuando la sílaba era trabada: fr. *terre, perd;* it. *terra, perde.* También en el caso de *ŏ* veríamos que el francés y el italiano la diptongan como el español y las lenguas citadas (menos, como hemos dicho, el rumano) pero únicamente cuando estaba en sílaba libre; nunca la diptongan en sílaba trabada el francés y el italiano, en oposición al español y a las otras mencionadas lenguas. También en gran parte de los dialectos retorrománicos se señala la diferenciación de sílabas libres y trabadas [55].

---

[55] Del retorrománico, donde hay multitud de variaciones, se pueden sacar conclusiones muy distintas, según se elijan los ejemplos. Parece acertada, en líneas generales, la interpretación que estableció, hace casi medio siglo, Gartner. Según él, la *ĕ* tónica en sílaba trabada no ha diptongado en gran parte del territorio (salvo en especiales condiciones fonéticas); pero en el Friul sí diptonga (y también en localidades renanas de los Grisones). También es general la diferenciación en el caso de *ŏ* acentuada (salvo en determinadas condiciones fonéticas); pero también diptonga la *ŏ* acentuada, en sílaba trabada, en el Friul. *(Handbuch der rätoromanischen Sprache,* Halle, 1910, págs. 152-156 y 157-162.) WARTBURG *(Die Ausgliederung der romanischen Sprachräume,* Berna, 1950, págs. 149-150; *La fragmentación,* págs. 180-181) habla rápidamente de esta muy complicada materia; a base de unos ejemplos que no comenta, se limita a decir que el retorrománico participa en la diferenciación entre la vocal tónica en sílaba libre y en sílaba trabada, aunque agrega que «en distinta medida».

POSICIÓN DEL CASTELLANO EN LA DIPTONGACIÓN ROMÁNICA

3. Hemos hablado hasta ahora sólo de la *ĕ* y la *ŏ*, porque son las vocales que diptongan en español. Pero el número de vocales a las que llega este fenómeno varía mucho de unas lenguas románicas a otras. Prescindiendo ahora de si tiene efecto sólo en sílaba libre, o en libre y trabada, todas las vocales, hasta las extremas *ī* y *ū*, podían diptongar en el dálmata de Veglia; todas se podría decir que son capaces de diptongación en retorromânico, pues hasta *ī* y *ū* lo hacen en unas pocas hablas grisonesas [56]; todas, menos la *ī* y la *ū*, pueden diptongar [57] en francés; sólo la *ĕ* y la *ŏ* en italiano no dialectal y en español; sólo la *ĕ* en rumano; ninguna en sardo, en provenzal antiguo y en portugués.

Como se ve, el español está en una posición intermedia: cinco lenguas o no diptongan; o sólo una vocal; o las mismas dos que el español, pero sólo en sílaba libre. Adónde podía llegar el último penetrar de las fuerzas de diptongación, nos lo muestran los restos recogidos del extinguido dálmata. De las lenguas de primera importancia cultural, sólo el francés diptonga más vocales que el español, y si bien lo hace sólo en sílaba libre, los fenómenos secundarios (monoptongaciones mixtas *fleur*, **flǫ̈r** < f l ō r e ; *coeur*, **cǫ̈r** < c ŏ r , diptongos de aspecto muy innovador *toile*, **twál** < t ẹ l a) dan al vocalismo francés un colorido muy distinto del latino. Las demás lenguas (incluso el italiano, que diptonga las mismas vocales que nosotros, pero sólo en sílaba libre), tienen una diptongación menos amplia que la española o carecen de ella en absoluto.

DIPTONGACIÓN Y VOCALISMO, EN CASTELLANO

4. El español sólo diptonga *ŏ* y *ĕ* (*ǫ* y *ę* del lat. vulg.), pero al hacerlo lo mismo en sílaba libre que en trabada transforma todas las posibles oposiciones del lat. vulgar *ó/ǫ é/ę* en otras dos parejas *ó/ué é/ié*. Cuando se dice que frente al provenzal antiguo o al portugués o al italiano (con sus *ó/ǫ é/ę*), el español no conserva esa diferenciación etimológica, se afirma

---

[56] La diptongación de *ī* y de *ū* ocurre en los puntos *e-i*, de la lista de GARTNER, páginas 137-141. Pero véase la interpretación, algo confusa, de GARTNER, *Ibid.*, páginas 166-167, al hablar de «verhärtete diphthonge». Para otras zonas de diptongación de *ī* y *ū*, véase LAUSBERG, *Rom. Sprachwissenschaft*, §§ 166 y 185.

[57] Admitiendo, como hoy suele hacerse, que el paso *á* < > *é* fuera originariamente una diptongación.

algo inexacto: el español la conserva en la forma *ó/ué*, *é/ié*, es decir, no sólo ha mantenido una diferencia, sino que la ha exagerado. Las *ó* y *é* que quedan en español, son ante todo las procedentes del latín vulgar *ǫ́* y *ę́* (a las que hay que agregar *ó* y *é* de *áu̯* y *ái̯*, y las que ocurren en cultismos, extranjerismos, etc.). Estas *o* y *e* a las que en el primer romance hay que suponer articulación ni abierta ni cerrada (por no existir ya la necesidad de oposición *ǫ́/ọ́* y *ę́/ẹ́* del lat. vulg.) han tomado, según distintas condiciones articulatorias, matices ligeramente cerrados o ligeramente abiertos: estos matices no han podido adquirir valor fonológico por ocurrir en situaciones distintas *(cǫsa, cǫjo, cǫrte, cǫrro; ęso, cęsta, cęrca, pęrra)*; nunca se puede presentar, pues, la oposición **cọsa / cǫsa*, porque **cọsa* es inconcebible en el sistema castellano. El mantenimiento de abundantes signos en la morfología (de singular y plural, de masculino y femenino, de las personas y tiempos verbales, etc.) hace innecesario, en castellano, cualquier desdoblamiento vocálico. Compárese, en cambio, la complacencia con que el andaluz oriental propaga la abertura de las vocales en los plurales, cuando no sólo se ha perdido la *-s* final, sino que la aspiración que la sustituye es eminentemente caediza: sing. *mǫnǫ́tǫnǫ*, plur. *mǫnǫ́tǫnǫ(h)*; sing. *cǫsa*, plural *cǫsạ(h)*; o nótese la necesidad de matización del artículo en francés: *Le pauvre garçon malade. Le(s) pauvre(s) garçon(s) malade(s)*. Español: *El pobre muchacho enfermo. Los pobres muchachos enfermos*. El francés hablado expresa precariamente por un solo signo no siempre bien delimitado [58] (el matiz de la vocal del artículo) lo que el español significa excesivamente por medio de cuatro señales (tres *-s*, y además, la gran diferencia *el - los*).

El español, pues, fiel a la distinción del latín vulgar *ǫ́/ọ́ ę́/ẹ́*, la ha mantenido, pero exagerada, por medio de la diptongación, en cualquier situación silábica, de *ǫ́* y *ę́*. Conserva así todas las distinciones del vocalismo tónico del lat. vulgar [59].

$$\begin{array}{ccccccc} \acute{u} & \acute{o} & \acute{\varrho} & \acute{a} & \acute{\varrho} & \acute{e} & \acute{\imath} \\ | & | & | & | & | & | & | \\ \acute{u} & \acute{o} & u\acute{e} & \acute{a} & i\acute{e} & \acute{e} & \acute{\imath} \end{array}$$

Distinción, abundancia de signos morfológicos y la no necesidad de desdoblamiento de las *o* y *e* restantes son cosas mutuamente relacionadas.

---

[58] Que no es difícil confundir en condiciones acústicas deficientes o por un oyente extranjero. La gran abundancia de signos de plural haría muy raro tal error en castellano.

[59] No nos preocupa ahora la cuestión de si *ié*, *ué* son fonemas. No cabe duda de que entre *el celo* y *el cielo* se establece la misma relación *é/ié* a la que el hablante está acostumbrado por la conjugación.

Todas ellas llevaban, de consuno [60], al castellano hacia la claridad y la acumulación de signos, de un lado, y hacia un vocalismo de una gran sencillez: cualidades de no pocas ventajas y de algunos inconvenientes: lo que se gana en recia claridad [61] se pierde en veladura, en matiz, en capacidad de sugestión.

LA TEORÍA DE WARTBURG

5. Volvamos, pues, al problema fundamental: ¿cómo se ha originado la diptongación románica? Dos explicaciones han sido las más en candelero en estos años últimos: la de Wartburg y la de Schürr.

El gran filólogo suizo, en quien se unen un exactísimo conocimiento de los hechos y una penetrante intuición lingüística, ha expuesto varias veces su teoría [62]. Atiende al hecho de que el francés no sólo en los casos de *ĕ* y *ŏ* considerados en lo que antecede, sino en todos aquellos en que diptonga, lo hace únicamente cuando la vocal se hallaba en sílaba libre, pero no diptonga si la sílaba era trabada. En los ejemplos que siguen partimos de formas del latín vulgar; en algunos casos el diptongo antiguo ha sufrido un proceso que ha llegado a una monoptongación en la pronunciación moderna.

$ẹ \Big\langle$ > *wá* (t ẹ l a > *teile* > *toile*, **twál**)

$ẹ \Big\rangle$ > *ẹ* (v ẹ r d e > *vert*, **vẹr**)

$ǫ \Big\langle$ > *óu* > *ŏ* (f l ǫ r e > *flour* > > *fleur*, **flǫ̈r**)

$ǫ \Big\rangle$ > *ǫ* > *u* (ortografía *ou*) (t ǫ - r r e > fr. ant. *tǫr* > fr. *tour*)

$ẹ \Big\langle$ > *ié* (c ẹ l u > *ciel*, **sjẹ́l**)

$ẹ \Big\rangle$ > *ẹ* (f ẹ r r u > *fer*, **fẹr**)

$ǫ \Big\langle$ > *ué* > *ŏ* (m ǫ l a > *muele* > *meule*, **mǫ̈l**)

$ǫ \Big\rangle$ > *ǫ* (m ǫ r t e > *mort*, **mǫ́r**)

$á \Big\langle$ > *é* (c a n t a r e > *chanter*)

$á \Big\rangle$ > *á* (v a c c a > *vache*)

Estos fenómenos separan netamente el francés del provenzal: prov. ant.

---

[60] Más otros rasgos, ya del vocalismo no acentuado, que ahora no podemos comentar.

[61] Claridad en este aspecto; el más libre orden de las palabras, etc., hacen en español, mayores, en cambio, que en francés, las posibilidades expresivas, pero a costa de una gran disminución de la claridad.

[62] Los lectores españoles pueden ver un resumen breve en WARTBURG, *Problemas*, páginas 66-68, y véase allí pág. 67, nuestra nota 42, donde citamos bibliografía. Posteriormente, WARTBURG, *Die Ausgliederung der romanischen Sprachräume*, Berna,

tẹla, vẹrt; cẹl, fẹr; flọr, tọr; mọla, mọrt; cantar, vaca. El provenzal antiguo no diptonga nunca espontáneamente: no diferencia la sílaba libre de la trabada [63].

Atento Wartburg a la repartición de la colonización franca por el suelo de la Galia, observó que allí donde la colonización fué muy intensa (aproximadamente al N. del Loira) se produjo la diferenciación de las vocales en sílaba libre respecto a las en sílaba trabada. Al S. de esa línea la colonización franca es escasa, y no hay diferenciación de libre y trabada [64]. Al SE. en el dialecto francoprovenzal [65], también se produce la diferenciación de sílaba libre y trabada, y también aquí sólo diptongan las vocales en sílaba libre [66]: la zona francoprovenzal queda incluída dentro de los límites del antiguo reino de los burgundos y allí hubo también una intensa colonización de este pueblo germánico [67]. En fin, se vuelve Wartburg a Italia, donde si se atiende a la dialectología del N., existen diferentes tipos de diptongación que llega a bastantes más vocales que en el italiano oficial: en Lombardía y el Piamonte a cuatro vocales, y en parte incluso a cinco, en la Emilia a cinco, en Liguria a tres; lo mismo en la Toscana norteoriental y en partes extensas de la Umbría y de las Marcas, y en el resto de la Toscana a dos vocales [68]. Wartburg compara esta progresión decreciente con el adelgazamiento de la dominación y colonización longobardas según se va, en Italia, de N. a S.: su colonización fué especialmente muy intensa en la llanura del Po; el Sur escapó más o menos a su dominio, a pesar de la constitución de los ducados de Spoleto y Benevento. Donde no llegó el influjo longobardo no se diferenciaron las vocales en sílaba libre y trabada [69].

1950 (nueva edición en la que el autor contesta a sus críticos); v. sobre todo, págs. 74-157. Los lectores españoles pueden usar la trad. de este libro por MANUEL MUÑOZ CORTÉS, con el título *La fragmentación lingüística de la Romania*, Madrid, 1952, sobre todo págs. 96-191.

[63] Existe una diptongación espontánea de ǫ̆ en una extensa zona del provenzal moderno, lo mismo en sílaba libre que en trabada. V. RONJAT, §§ 97-98; M. PIDAL, *Orígenes del español*, § 24, 1-2.

[64] El límite entre francés y provenzal corre hoy por occidente bastante más abajo; pero en lo antiguo es seguro que fenómenos de tipo provenzal llegaban casi hasta el Loira.

[65] Comprende una amplia zona francesa (en torno a Lyon), y la Suiza francesa, y penetra en los valles alpinos italianos. Pero en una zona Este el vocalismo tiene otros rasgos. (Comp. WARTBURG, *La fragmentación*, págs. 121-124 y mapa 12).

[66] Sin embargo, en francoprovenzal la *a* persiste como en provenzal (salvo si precede palatal).

[67] WARTBURG, *Die Entstehung der romanischen Völker*, Halle, 1939, págs. 118-122.

[68] WARTBURG, *Frag.*, pág. 173.

[69] Debe, según W., ser reciente la diferenciación que asociada a metafonía, se encuentra en los Abruzos y parte de Apulia y algunos otros puntos meridionales. *Frag.*, págs. 171-173.

Los fenómenos de la diptongación en francés, en francoprovenzal y en el italiano con los dialectos del N. de Italia, comparados en cada caso con la historia de la conquista y colonización por los francos, los burgundos y los longobardos, respectivamente, prueban una relación en la que la conquista y el período de bilingüismo subsiguiente en cada uno de estos países, habrían sido los determinantes de la diptongación. En la lengua de los tres pueblos había la costumbre articulatoria de prolongar las vocales en sílaba libre y acortarlas en trabada. Esta costumbre de los señores, los dominadores, que empezaron a hablar romance, haría que se exagerara cierta tendencia análoga (testimoniada por Consencio ya en el s. v) que existía en el latín vulgar: esa prolongación en sílaba libre llevaría a una bimatización de la vocal distendida, y, por último, a su diptongación; tales hechos, claro está, no se habrían producido en la vocal breve, de la sílaba trabada.

La diptongación francesa, francoprovenzal e italiana quedaría así explicada por el superestrato de tres pueblos germánicos distintos.

La teoría de Wartburg opera sólo negativamente con respecto al español: deja la diptongación española y la rumana en una, diríamos, espantosa soledad, en una completa falta de explicación. Si volvemos a uno de nuestros ejemplos lat. m ĕ l > esp. *miel;* fr. *miel;* it. *miele;* rum. *miere;* ahora resulta que fr. *miel,* e it. *miele,* quedan aclarados según la teoría de Wartburg: se habrían originado por un fermento exterior totalmente ajeno a la evolución espontánea del romance. Y entonces nos preguntamos (y no se nos da contestación): ¿por qué se produjeron esp. *miel* y rumano *miere?* Si no hubo una causa de tipo unitario, serán ya tres las explicaciones necesarias, una, para *ie* rumano, otra (que se nos da), para *ie* italiano y francés, y otra para *ie* español. Desde un punto de vista lógico no hay —como dijimos— repugnancia absoluta a admitir tres causas distintas en países distintos, para un mismo efecto en los tres. Pero a nuestro sentido común se le hace duro.

Ocurre en seguida preguntar: ¿la diptongación en sílaba libre tendrá una historia totalmente distinta con relación a la de la diptongación que se produce lo mismo en sílaba libre que en trabada?

OBSERVACIONES A LA TEORÍA DE WARTBURG

6. Hace años formulé algunas observaciones [70] a la teoría de Wartburg (con el profundo respeto que me merecen su enorme competencia y su

---

[70] En *RFE,* XXIV, págs. 384-396.

probidad intelectual). Mi perplejidad mayor se presentaba cuando había que admitir en el N. de Francia, en el territorio burgundo y en el N. de Italia, en tres lugares distintos, efectos iguales producidos por fuerzas distintas, en épocas distintas y según modos distintos, sobre pueblos distintos, correspondientemente también en época distinta de su evolución lingüística. Germanistas como Frings creen que la teoría de Wartburg casa bien con los hábitos articulatorios de francos, burgundos y longobardos. Pero hay que tener en cuenta que la diferencia de tiempos es enorme, y confesémoslo, nos desconcierta. Los francos habían llegado hacia el 455 hasta el Somme, hacia 490 hasta el Loira, y luego viene la rápida progresión hasta los Pirineos y la posesión ininterrumpida ya del territorio. Muy otra es la historia de los burgundos: apenas tienen noventa años de dominio y expansión en las tierras en torno a Ginebra, Lyon, Grenoble; en 534 su poderío perece a manos de los francos. Por su lado, la conquista longobarda es mucho más tardía: empieza en 568 cuando ya había desaparecido el poderío burgundo en el SE. de la Galia, y cuando ya hacía aproximadamente un siglo que los francos dominaban el N. de la Galia y sesenta años que se habían apoderado del S. hasta los mismos Pirineos; el poderío longobardo perece a manos de Carlomagno (774). Resumen: un dominio de menos de un siglo, de los burgundos (443-534); un dominio de unos dos siglos, de los longobardos (568-774); un dominio de los francos, que podemos considerar asentado en el N. cuando llegan al Loira (h. 490) y que se continúa con la historia de Francia.

No solamente las épocas y las duraciones del dominio se conciertan mal para que esperemos resultados iguales; los modos son muy distintos también. Coinciden inicialmente francos y burgundos en asociar en la administración y aun en la política a los vencidos; pero las gentes de raza franca formaban en el N. una densa masa; en cambio, el número de burgundos debió de ser muy limitado (y, en gran parte, debían estar ya romanizados hasta lingüísticamente [71]). En cambio, en el reino longobardo falta este elemento, asociado con fina política por los francos y que debió de actuar como intermediario entre ellos y el pueblo bajo romanohablante: los longobardos, por su parte, se dedican a asesinar a los romanos libres, y estas condiciones sólo parecen cesar a principios del siglo VII. Wartburg mismo reconoce que comparados con los francos llevaban los longobardos un retraso de casi dos siglos: uno, ya inicialmente por la época de la invasión; pero otro más, perdido en lo que toca a convivencia.

---

[71] Condiciones, pues, más bien parecidas a las de los visigodos de España: arrianos primero, como ellos, pronto se fueron convirtiendo al catolicismo. Los burgundos hacen a comienzos del siglo VI, ante los ataques francos, esfuerzos desesperados por aumentar su propia población. Comp. WARTBURG, *Die Entstehung*, pág. 90.

He aquí, pues, tres elementos distintos (la lengua de francos, burgundos y longobardos) que actúan de modos distintos en tres territorios diferentes y sobre un latín vulgar o un protorromance distinto también por épocas y lugares. Un resultado igual en los tres casos (la misma diferenciación de sílabas libres y trabadas, y la misma diptongación de la vocal de las libres) resulta muy difícilmente esperable. Ocurre preguntar: admitiendo que la diferenciación de sílabas libres y trabadas sea un rasgo unitivo peculiar a esas tres zonas (y parcialmente también de la retorrománica) [72] ¿no hay ningún otro rasgo peculiar de ellas?

7. En seguida vemos que el N. de Francia, el francoprovenzal, el retorrománico occidental y central y el N. de Italia (prescindiendo ahora del veneciano) participan, claro está, en todos los fenómenos de la Romania Occidental (-p-, -t-, -k-, -s- > -b-, -d-, -g-, -z-; -kt- > -it-; u > $ü$) que por comunes con otras zonas occidentales no interesan en este momento; pero tienen unos cuantos rasgos peculiares.

Hay, ante todo, el cambio k^a- > $\check{s}$-, común al norte de Francia (salvo el extremo Norte), al antiguo dominio burgundo, al viejo territorio rético y a parte del norte de Italia. Existe, por otro lado, la tendencia a la volatilización de los resultados de -p-, -t- y -k-: esta volatilización se cumple totalmente en francés (y casi lo mismo en francoprovenzal) para -t- y -k- [73]; en la Italia del Norte se llega a las proximidades de ese estado [74]; y en el retorrománico, aunque en condiciones confusas, se alcanza muchas veces lo mismo [75]. No se ve la causa para interpretar de modo distinto fenómenos que se producen conjuntamente en cuatro zonas. Para Wartburg k^a- > $\check{s}$- sería debido a la común evolución de estos países, relacionados entre sí; pero, en cambio, ya la tendencia a la volatilización de -t- y -k-, y también la diptongación con diferencia de libres y trabadas, al ocurrir en estos mismos países, se habrían producido independientemente en cada uno de ellos: en un

---

[72] Wartburg extiende aún su teoría de la diferenciación silábica a los dialectos retorrománicos: aquí sería tal diferenciación el resultado de contactos tempranos con hablas alemánicas y bávaras, y de inmigraciones posteriores. Serían, pues, cuatro casos distintos (francés, francoprovenzal, retorrománico e italiano), cuatro elementos germánicos distintos, en cuatro tiempos, y un solo resultado por todas partes. Nos parece extremadamente difícil. En Friul atribuye la acción al elemento longobardo: pero en Friul es evidente que $\check{e}$ y $\check{o}$ diptongan en sílaba trabada. (Comp. *Die Ausgliederung*, pág. 150; *Frag.*, págs. 181-182)

[73] Para el francoprovenzal, H. HAFNER, *Grundzüge einer Lautlehre des Altfrankoprovenzalischen*, Berna, 1955, pág. 188, y para -k- (con ligera diferencia respecto al francés), pág. 190.

[74] RŒLF, *Hist. Gramm. It. Spr.*, págs. 197, 201-203 y 207.

[75] Th. GARTNER, *Handbuch*, págs. 180, 183 y 187.

sitio por los francos, en otro, por los burgundos y, en otro, por los longobardos.

Tenemos una larga cadena de fenómenos fonéticos que estos pueblos han
realizado en común. ¿Por qué imaginar ahora que k^a- > š- es el último en
común? ¿Por qué suponer que los otros dos (diptongación y tendencia a la
aniquilación de ciertas consonantes), que se producen también en todos
ellos, son ya cosas independientes, lo mismo por el efecto que por las causas, el tiempo y el modo? Al sentido natural le resulta difícil.

En la nueva edición de *Die Ausgliederung*, pág. 150, rechaza Wartburg
mi interpretación (después de decir que a primera vista tiene «algo de
seductora»). La principal razón que da es la de la no coincidencia de las
áreas: el fenómeno de palatalización de k^a sobrepasa en Francia el de la
diferenciación de libres y trabadas; en Italia sucede todo lo contrario. He
aquí sus palabras: «compárese... la estrecha faja de la palatalización de *c*
en los valles alpinos con la extensión de la diferenciación vocálica, que no
solamente abarca toda la llanura del Po, sino también la Toscana y una
parte de la Umbría, un territorio que es diez veces mayor que aquél. Sería
incomprensible que dos movimientos con igual fundamento y sincrónicos
se hubieran detenido en límites tan distintos» [76].

Pero nuestro argumento no se basa en una igualdad de áreas [77] del fenómeno de la diptongación en sílaba libre y del de la palatalización de k^a,
sino sencillamente en su *presencia* en francés, en francoprovenzal, en retorrománico (hasta cierto punto) y en italiano del Norte. No podíamos
comparar áreas cuando la historia de esa *presencia* es muy distinta, y a

---

[76] *Die Ausgliederung*, pág. 151; *Frag.*, pág. 183.

[77] No podemos creer en pruebas a base de igualdad de áreas: toda la en gran parte
convincente teoría de Wartburg sobre la creación del espacio lingüístico italiano está
en contradicción con argumentos de esta clase. Las áreas fonéticas están constantemente avanzando o retrocediendo. (Puede tener, sí, algún valor la absoluta coincidencia de áreas, si va unida a otros indicios). Por lo que se refiere a la palatalización
de k^a en el N. de Italia, Wartburg parece vacilar un poco. En un sitio dice «la tendencia evolutiva hacia la palatalización comprendió tempranamente el conjunto de los
dialectos alpinos, descendiendo bastante hacia la llanura» (*Die Ausgliederung*, páginas 56-57 = trad. esp.ª, pág. 76); en otro: «En la llanura del N. de Italia la palatalización no parece haber existido nunca» (Ibid., pág. 60, n. 1 = *Frag.*, pág. 8, n. 1). Sin
embargo, basta contemplar los dos mapas (evolución de *ka*- y de *ká-*) que publica el
mismo Wartburg para comprender que ese inmenso arco de conservación desde las
fuentes del Po hasta el Tagliamento, da la imagen evidente de una indudable regresión, enorme en el tiempo y enorme en el espacio. Comp. *Die Ausgliederung*, págs. 52-
57 (*Frag.*, págs. 71-76) y ROHLFS, *Hist. Gramm. Ital. Spr.*, I, 1949, pág. 253,
quien señala el importante testimonio de algunas colonias galoitalianas de Sicilia y
Lucania —que, según Rohlfs, indican existencia antigua de palatalización en el S. del
Piamonte— y restos bien meridionales, como en Busto Arsizio, al NO. de Milán.

veces se diría que contraria. Wartburg, precisamente ha querido demostrar que la diptongación es un fenómeno que los longobardos llevan a lo largo de su avance hacia el S. en territorio italiano (idea que nos parece feliz, aunque pensamos que necesita una ligera matización). En cambio, es evidente y el mismo Wartburg lo reconoce, que la palatalización de k^a en el N. de Italia es un fenómeno que lleva más de un milenio de regresión. Basta esto último para ver cuán fútil sería un argumento que trate de fundarse en igualdad o desigualdad de áreas: porque de los dos fenómenos, uno, el de la diptongación en libre, se convirtió en fluyente, en una especie de corriente hacia el S. propagada por los longobardos; en cambio, el otro fué rechazado probablemente por los mismos longobardos hacia el N. contra los Alpes, con un empuje que aún continúa hoy. La palatalización iba a ser ya una cosa rural, relegada cada vez más al norte, hasta las cabeceras de los valles alpinos donde hoy se extingue.

Los hechos, pues, son éstos: dentro de los fenómenos comunes a la Romania Occid. hay unos cuantos que son peculiares a esa gran comunidad galo-norteitalo-rética, uno de ellos es la palatalización de k^a-, otro, es la diptongación, con diferenciación de libres y trabadas; otro, la tendencia hacia la aniquilación de los resultados de -t- y -k-.

Es curioso que cuando Wartburg cree que el primero de estos fenómenos se ha producido unitariamente en ese bloque, en lugar de pensar también una causa unitaria para el de la diptongación y para el de la volatilización vaya a pensar en una triple acción de pueblos distintos, aunque los tres de un muy antiguo tronco común, en épocas muy distintas, con duración muy distinta, con modos muy distintos de contacto con los romanohablantes; y esas tres acciones tan diferentes habrían producido en los tres sitios un único e idéntico resultado. Parece mucho más inmediato pensar que ese resultado idéntico esté basado en algo que se originó en época mucho más antigua, cuando las tres zonas románicas no se habían separado aún.

Por otra parte, la teoría de Wartburg deja sin explicar el resto de la diptongación románica.

LA TEORÍA DE SCHÜRR

8. Para la teoría de la diptongación del prof. Schürr —notable muestra de criterio elaborado y perseverante a lo largo de 25 años, con bastantes retoques y una copiosa bibliografía diseminada [78] en ese tiempo— nos basa-

---

[78] Trabajos especiales de SCHÜRR sobre la diptongación en este territorio: *La diptongación ibero-románica*, en *RDTP*, VII, 1951, págs. 379-390.

remos en el extenso resumen *La diphtongaison romane*, publicado en 1956 [79].
No podremos alabar como se merecen muchos datos y resultados muy valiosos, sobre todo en la consideración de algunas zonas (p. ej., en el romañolo) [80].
Debemos limitarnos: *a)* a una rapidísima ojeada general; *b)* a la aplicación de la teoría en la Península Hispánica.

Schürr distingue totalmente dos clases de diptongación, de un lado
la de $ę$ ($< ě$) y $ǫ$ ($< ǒ$); de otro, la de $ę$ ($< ẹ, i$) y la de $ǫ$ ($< ọ, ụ$). La primera, existente en lenguas como el español, el francés, el italiano, el dálmata
y el rumano, sería muy antigua. La otra, que, de lenguas de importancia cultural, afecta sólo al francés, sería bastante más moderna.

La teoría de Schürr trae, pues, consigo, algo que, en principio, no podemos sino saludar con gusto: una explicación unitaria de esa extraña unanimidad entre el español *(miel)*, francés *(miel)*, italiano *(miele)* y rumano
(miere) en el resultado de la $ě$ del latín. En cambio, la diptongación de
las $ẹ$ y $ọ$ del latín vulgar, que existe sólo en el francés, dialectos retorrománicos, dálmata de Veglia y dialectos italianos, sería para Schürr un
fenómeno más tardío [81].

La diptongación (de $ę$ y $ǫ$) sería una diptongación condicionada «la única
general a la Romania, la verdadera diptongación románica» [82]. Su proto-
tipo lo tendríamos en lo que ocurre actualmente en los dialectos del mediodía y del centro de Italia, en donde se tiene (damos formas simplificadas):
pęde, plur. *piedi; cuntientu*, fem. *cuntęnta*, plur. masc. *cuntienti*, plur. fem.
cuntęnte; nuovu, nǫva, nuovi, nǫve, etc. Es decir, la i ($< i$) y la u ($< ǔ$,
véase más abajo, págs. 119-120) que ahí perviven, habrían producido la diptongación de $ę$ y de $ǫ$, por eso la diptongación aparece en los singulares masculinos en -*u* y en los plurales en -*i*. En esas mismas zonas la $ę$ y la $ǫ$ por influjo de -*u* o -*i* se hacen *i* y *u (męse*, plur. *misi) ;* y en algunos sitios, por la

---

[79]   *RLiR*, XX, 1956, págs. 107-248. (Citado aquí como *Diphtongaison*).

[80]   A este dialecto ha dedicado el prof. SCHÜRR toda una serie de estudios. Véanse
sus *Nuovi contributi allo studio dei dialetti romagnoli*, en los «Rendiconti» del «Ist.
Lombardo di Scienze e Lettere, Classe di Lettere», vol. 89-90, Milán, 1956, y allí
la bibliografía de la pág. 122.

[81]   No podemos detenernos en esta que Schürr llama diptongación espontánea (y
que atribuye a la «acentuación descendente») pero no podemos menos de expresar
nuestro asombro cuando vemos que incluye en ese grupo al francés, lengua que lleva
a su extremo la síncopa de los proparoxítonos (cierto que Schürr procura justificarse,
Diphtongaison, pág. 216 y § 100). La idea del «acento descendente», de Schürr, nos parece útil (véase más abajo, págs. 57 y 59); pero creemos que como base de dicha diptongación resulta muy poco cómoda.

[82]   *Diphtongaison*. pág. 116.

misma metafonía, la *á* se hace *ę̇*. Todo esto lo mismo en sílaba libre que en trabada.

Fenómenos semejantes a éstos se habrían desarrollado en toda la Romania en época antiquísima, preliteraria. Luego, en muchos sitios se habrían producido una serie de fenómenos que habrían enturbiado esa situación antigua: unas veces, una serie de monoptongaciones habría ocultado la diptongación antes existente (así en portugués); en otras lenguas, una serie de generalizaciones habría ampliado los diptongos nacidos de la metafonía a las *ę* y *ǫ* no sometidas a metafonía, unas veces regularizándolos sólo en el caso de sílaba libre (así en francés), otras veces también en el de trabada (así en castellano o rumano).

La teoría de Schürr, considerada en su conjunto, es de tal naturaleza que no se puede, *a priori*, tener por «inadmisible», ni yo la tengo por tal [83]. En efecto, en lingüística románica se encuentran una vez y otra los más estupendos y a primera vista contradictorios fenómenos: una *ǫ* latina pudo diptongar en francés antiguo en *ué* y luego monoptongarse en *ö*; en dialectos italianos del N. de Apulia ocurre que la *ę* por influjo metafónico de *-i*, se hace *i*; pero esta nueva *i* diptonga lo mismo que la procedente de *ī* latina; así, el plural de 'mes' dió por metafonía **misi*, pero por la diptongación de la tónica se tiene hoy en algunos sitios de Apulia, ya *meisə*, ya *moisə*, etcétera [84]. Afortunadamente, en este caso podemos estar seguros de que existió ese **misi* por la comparación de una enorme cantidad de datos que poseemos. Vemos, pues, que no hay, *a priori*, objeción posible a la suposición de que en una época preliteraria hayan podido ocurrir las cosas más asombrosas [85]: por todas partes en la Romania ha podido haber una antiquísima diptongación, que la lengua habría ya abandonado en el primer momento de su fijación escrita.

La misma pregunta, que se nos puede ocurrir, de si en esos siglos preliterarios, hubo tiempo para tanta mutación, ha de ser contestada afirmativamente: se trata de muchos siglos ágrafos para el protorromance; y los cambios fonéticos unas veces son muy lentos, pero otras muy rápidos. Estrictamente, no podemos menos de admitir la posibilidad de que, p. ej., el portugués haya tenido una diptongación que luego desapareció, antes de los primeros textos escritos.

---

[83] Contra lo que cree SCHÜRR, *VR*, XVII (1958), pág. 265.

[84] ROHLFS, *It. Gramm.*, § 61.

[85] Para explicar, p. ej., cómo en catalán la *ę* etimológica haya dado en general *ę*, se ha supuesto alguna vez una diptongación de la *ę* con una monoptongación subsiguiente (LAUSBERG, *Rom. Sprachwissenschaft*, § 171). Y muchos creemos que casos como cat. *llit* < l ĕ c t u se han producido a través de una diptongación de la que no queda evidencia.

Pero Schürr no se limita a proponer su teoría, que así enunciada no tenemos base ni para rechazar ni para admitir; sino que pretende «demostrarla» por todas y cada una de las ramas y ramillas de la Romania. Pongamos algún ejemplo.

Se encuentra, primero, con el italiano (hablando, precisamente, de esta lengua había ya esbozado Schuchardt en 1885, una teoría que en el fondo coincide con la de Schürr). Pero ocurre que precisamente el italiano parece responder con dura negativa a toda explicación metafónica, con su -o (nada de -u), con su -i que no produce efecto metafónico: *petto, petti, lieve, lievi; nero, neri, nera, nere*; en fin, con su distinción de la sílaba libre *(lieve, petto)*. Nada más distinto del cuadro de influjos de -u e -i (o de sólo esta última), que tantas regiones italianas nos dan. Necesitaba, pues, acomodar el toscano a su teoría: y para ello Schürr, basado en los casos antiguos de vacilación (ę y ǫ conservadas bastantes veces en antiguos poetas, Dante, etcétera) y en desajustes del toscano popular, imaginó, primero, que la diptongación toscana habría sido importada del Sur, de zona donde hubiera metafonía.

Por desgracia, Aebischer [86] probó después, documentalmente, que los diptongos existían en toscano en fecha tan temprana como los finales del siglo X, época en la que en las zonas de donde, según la dicha teoría, habrían sido importados a Toscana, a saber, el Lacio y la Campania, no se rastrea diptongación. Viendo desmoronada su hipótesis, Schürr no se arredró: si los diptongos no entraron por el Sur, habrían entrado por el Norte, a lo largo de la costa, o por la Lunigiana o la Garfagnana [87]. Pero ocurre que la Lunigiana precisamente no tiene hoy diptongos de ę y ǫ, sino ẹ y ọ, que aunque sean restos de un diptongo antiguo, tienen lugar no sólo en sílaba libre, sino también ante palatal y ante -i. Una situación muy distinta de la que existe y ha existido en Toscana. Si vamos a buscar la zona de origen de la diptongación toscana, más al N., a Liguria, no encontraremos sino parecidas dificultades [88].

Hemos elegido, casi al azar, este ejemplo de los enormes obstáculos que la teoría de Schürr encuentra por todas partes y en cualquier lengua o dialecto románico. Schürr amontona las hipótesis (en algunas ocasiones poco convincentes), que unas líneas más abajo se han convertido ya en «rea-

---

[86]	*ZRPh*, LXIV, págs. 364-370.
[87]	*Diphtongaison*, §§ 23-24.
[88]	Es cierto que ROHLFS busca también un origen extratoscano a la diptongación toscana. Pero trata de buscarlo allí donde se encuentre una diferenciación entre libre y trabada. «Como territorio de donde pudo ser importada la diptongación [toscana], difícilmente se puede pensar en el Sur (que sólo conoce la originada por metafonía)

lidades», sobre las que en seguida se basan nuevas teorías. El complicadísimo edificio se cuartea a cada instante por todos lados.

La teoría de Schürr aplicada al portugués y al gallego. Observaciones

9. Lo mismo ocurre en las explicaciones referentes a nuestra península. Para el portugués, Schürr parte de un hecho evidente: la sensibilidad de las vocales tónicas (*é* y *ó*) portuguesas para la influencia de *-i* y *-u*. Por desgracia emplea siempre la expresión «galicien-portugais». Como hemos dicho y hemos de decir aún más tarde, el gallego plantea muy especiales problemas: hay en él, en general, menos intervalo entre las *e* y *o* abiertas y las cerradas, que en el portugués normal (aunque mayor que en castellano, y suficiente para oposiciones fonológicas), lo cual ha sido probablemente una de las causas que han influído en que no se haya hecho una recogida escrupulosa de materiales de la lengua hablada. Sucede, además, que en gallego, la *-o* no suena *-u* como en portugués o en asturiano, sino meramente *-ǫ*. Schürr habla de «*u* conservé comme tel en galicien-portugais», lo cual es totalmente inexacto por lo que toca al gallego. Todas estas premisas hay que tenerlas en cuenta cuando se hable de metafonía galaica. Lo más urgente sería un estudio serio de la situación actual: la inflexión vocálica en los verbos de la 2.ª y la 3.ª conjugación no ofrece duda [89]; tampoco la ofrece, a nuestro juicio, la existencia de cierta metafonía nominal, pero ya hemos dicho más arriba que las condiciones son confusísimas (haría falta una rigurosa y sistemática exploración por regiones [90], y empezar por las más aisladas y conservadoras).

Ya se ve cuán inseguramente se podía construir sobre un conocimiento tan imperfecto (y no es mucho mejor el que existe de tantas otras zonas de la Romania). Las ambiciosas teorías deberían, por lo menos, esquivar o tratar sólo en términos generales, estos territorios tan inseguros [91].

---

sino el Norte donde (p. ej., en Liguria), está acreditada en fecha temprana la diptongación en sílaba libre» *(It. Gramm.,* I, pág. 157). Como no se trata de una diptongación de origen metafónico, este problema no nos puede ocupar ahora.

[89] En el gallego exterior de los Oscos existe la metafonía en el verbo (2.ª y 3.ª conjugación) pero apenas algún dudoso indicio en el nombre.

[90] Véase más arriba, págs. 16 y siguientes.

[91] Sería de desear también una mayor exactitud por parte de Schürr en otros pormenores (para los que sí existen accesibles fuentes de conocimiento) antes de lan-

Schürr cree que en portugués hubo una verdadera diptongación metafónica; las ę́ y ǫ́ portuguesas, que todos consideramos resultado de la inflexión de ę́ y ǫ́, no serían sino los productos últimos de unos antiguos
diptongos ié, uó. Y es verdad que una monoptongación de este tipo ocurre en
partes de Italia.

Para apoyar su teoría, echa Schürr mano de la conocida y curiosísima
diptongación existente en una amplia zona portuguesa desde Oporto, con
Guimarães, Póvoa de Varzim, Barcelos y Ponte do Lima. Lo más notable de esta diptongación es que existe en casos de ę́ y ǫ́ etimológicas (mie-
nos, buoca) y también en otros de ę́ y ǫ́ etimológicas (quiero, tierra, puorto),
y, como se ve en esos mismos ejemplos, afecta tanto a la sílaba libre como
a la trabada, y no hay en ella huella visible de haberse debido a efecto metafónico.

Tratemos de ver la situación en Oporto: para comprenderla es necesario
abandonar todo criterio etimológico y partir sencillamente del vocalismo
normal portugués: a toda ę́ u ǫ́ normal portuguesa corresponde, en principio, en Oporto, un diptongo ié o uó, lo mismo cuando el matiz cerrado era
etimológico (cuodia, port. côdea < *cŭtĭna, iele[92]), que cuando procedió de metafonía (puorto) o de otra causa (siempre, fuonte).

La teoría que, basada en esa diptongación norteña, construye Schürr es
ciertamente ingeniosa: en Portugal habría habido una diptongación (claro
que metafónica) de ę y ǫ, en *ié y *uó; estos diptongos, al S. de Oporto
se habrían monoptongado luego en ę y ǫ (como ha ocurrido a veces en zonas
italianas). La permanencia de esos diptongos en el N. habría llevado a una
especie de reajuste entre el portugués normal y el norteño: el hablante
del Norte, en una como autoafirmación, y basado en que a port. del N. ié
y uó correspondía port. ę y ǫ, habría sustituído toda ę y ǫ del portugués
por ié y uó. De esta forma, en el Norte se habría venido a producir una gran
ampliación de diptongos: 1.°) los originales, metafónicos (de ę́ y ǫ́); 2.°) los

zarse a la aplicación de su teoría. Por ej., en el primer párrafo natural del § 72, hay
toda una serie de inexactitudes. Cita port. sisso; debe en realidad decir siso. Explica
bico por metafonía; pero bico y pico designan prácticamente lo mismo y es casi seguro
que pico influyó sobre el otro nombre. Port. racimo (y no razimo como escribe Schürr)
es mal ejemplo de metafonía porque tiene al lado nada menos que esp. racimo, cat.
raïm, prov. razim, etc.; en fin, véase REW 6984; y ahora, además, la explicación
definitiva de COROMINAS (DCEC, III, pág. 972). Schürr asegura que la tónica de -ǫso
fué restablecida según el fem. -ǫsa (aunque más adelante en el mismo § 72 se contradice, esta vez con razón); la verdad es que el femenino es -ǫsa, y que así era ya en el
siglo XVI (WILLIAMS, 126, 88), etc.

[92] Es el pron. 'él'. LEITE DE VASCONCELOS, atento a la ortografía, hoy anti-
cuada, transcribe esta voz con -ll-. Opúsc., II, 1, pág. 130.

producidos por reacción ante la lengua oficial. Observemos que las *ę* y *ǫ* del portugués tendrían ya, en esta teoría, dos procedencias principales: 1) la de la monoptongación de **ié* y **uó;* 2) la de todos los otros orígenes (*ę* y *ǫ* etimológicas o producidas por diversas causas: cerrazón por nasal, etcétera). Pero hay algunos puntos en esa zona N. (p. ej., Póvoa de Varzim) donde también diptongan las vocales portuguesas *ę* y *ǫ (tįerra, Rųosa)*, lo cual según Schürr se podría explicar por una generalización posterior de la prótesis de **j** y **w**.

Larga cadena de hipótesis [93]. Ocurre, ante todo, que no hay seguridad ninguna de que esa diptongación del N. sea conservadora; puede, por el contrario, ser una innovación bastante reciente. Choca el carácter fugitivo, apenas insinuado, de **j** y **w**: es como un ligerísimo apoyo sobre la otra vocal. Así lo hemos observado nosotros mismos en algunos sujetos de esa zona, con quienes hemos podido hablar [94]. Las notaciones más aproximadas serían *pʷorto, cʷódia*, etc. Se diría un diptongo en estado naciente. Otro rasgo de modernidad es que, como hemos visto, en las condiciones prevalentes en Oporto, p. ej. toda *ę* u *ǫ* portuguesa resulta afectada sea cual sea su etimología; es decir, se han tenido que producir primero todos los efectos de cierre por otro sonido (*sęmpre*, etc.); después de todo eso se ha producido la diptongación.

Impresiona, además, el gran número de casos en que la diptongación *ųó* se ha producido detrás de labial o de velar. Oporto: *pųorto, cųodia, cųonde, pųonte, fųonte, mųonte, descųonto, pųois*. Los casos en que no se trata de labial o velar, son en comparación muy pocos [95]. Pero ocurre —y Schürr no lo tiene en cuenta— que fuera de la zona también señala Leite de Vasconcelos diptongación en Valfrades (Tras-os-montes) y, también muy al sur de Portugal, casi en la frontera de Algarve: en Mértola. Curiosamente,

---

[93]   En el artículo de JOSEPH M. PIEL, *Considerações sobre a metafonia portuguesa* (en *Biblos*, XVIII, 1942, pág. 368) se concede cierta aquiescencia a la teoría de Schürr respecto a una diptongación portuguesa. El gran lusitanista me ha dicho, en conversación, que hace tiempo abandonó esas opiniones.

[94]   Así también repetidas veces LEITE DE VASCONCELOS, *Opúsculos*, II, 1, págs. 61, 69, 131, n. 4, 174. Véase asimismo M. PIDAL, *Orígenes*, 3.ª ed., pág. 122, n. 2.

[95]   Schürr, claro está, considera que ese hecho es precisamente prueba de que se trata de los últimos restos de una antigua diptongación. Para ello se apoya en el dialecto de Ferrara (§ 35) y en zonas del rumano (*Diphtongaison*, § 46-48). Pero ocurre que en el rumano se ha considerado todo lo contrario (Puşcariu, citado en *Diphtongaison*, § 46). Esa diptongación rumana tras labial cuando se produce, es lo mismo en antigua *ŏ* que en *ō* (*puom* < p ō m u lo mismo que *puort* < p ŏ r t u). Nada prueba tampoco la antigüedad de los del ferrarense (muy distintos: en sílaba libre).

en ambos sitios, la diptongación se produce tras labial. En Alandroal (al SO. de Elvas, es decir, por bajo del paralelo de Badajoz), según el mismo autor, existe diptongación de *ẹ́* y *ę́* pero sólo detrás de guturales. Resulta, pues, que la diptongación de entre Duero y Miño aparece en otros sitios de Portugal. Todo habla a favor de una diptongación condicionada, o por lo menos grandemente favorecida por la precedencia de determinadas consonantes; lo más probable es que se trate de una diptongación relativamente moderna, cuyas primitivas condiciones han sido generalizadas algo en el Norte.

Mucho nos mueve también a dudar de la teoría de Schürr la evidente falta de una conciencia dialectal. La autoafirmación que lleva a hipercorrecciones puede producirse entre el siciliano y el italiano, o entre el gallego y el asturiano. Pero en el N. de Portugal falta totalmente una conciencia idiomática, opositiva con relación al resto del país. Además, la pretendida oposición entre N. y S. cae por su base desde el momento en que aparecen esos ejemplos alentejanos mencionados por Leite de Vasconcelos. Sea lo que fuere de la época de esa diptongación (aunque los indicios, repito, son de modernidad) nos parece poquísimo probable la ingeniosa teoría de Schürr.

El fenómeno de la diptongación portuguesa entre Duero y Miño y en otras zonas del país, está muy imperfectamente estudiado. Las transcripciones de Leite de Vasconcelos, aunque fluctuantes, casi siempre dan un resultado *iẹ́*, *uọ́* cuando se corresponde con *ẹ́* y *ọ́* portuguesas; y unos diptongos con *ẹ́* y *ọ́* (notaciones variables, pero siempre más abiertas), cuando lo que corresponde en portugués normal es *ę́* y *ǫ́* [96]. Ahora bien: esa duplicidad de resultados contradice el razonamiento de Schürr basado en el proceso *ẹ́ > iẹ́ > iẹ́ > ę́*, y *ọ́ > uọ́ > uọ́ > ǫ́*. La aparición de esos diptongos correspondientes al portugués *ę* y *ǫ*, en los que la *ę* y la *ǫ* no son cerradas, indica un proceso distinto para la diptongación de las vocales abiertas. En fin, la teoría de Schürr, por lo que toca a Portugal, aunque ingeniosamente establecida, choca con enormes dificultades por todos lados. En todo lo que antecede hemos prescindido (por su carácter extracientífico) del argumento de sentido común: una diptongación general que en el N. habría producido efectos de reacción tan tardíos, parece que debería habernos dejado alguna otra huella de su paso.

Por desgracia, la aplicación que hace Schürr de su teoría al castellano es aún menos convincente, y menos segura en lo que toca a exposición.

Después de hacer notar que M. Pidal piensa que en la Toledo visigótica habría vacilaciones entre las formas vulgares *uó*, *uá*, *ué* y formas sin dip-

[96] LEITE DE VASCONCELOS, *Opúsculos*, II, 1, págs. 174, 276 y 454; *Esquisse*, páginas 90 y 94.

tongo impuestas por las gentes cortesanas, y que el habla de Toledo influiría luego en la corte asturleonesa, Schürr se ofrece a explicarnos el porqué de esa situación.

Primera cadena de hipótesis. Los diptongos metafónicos «del noroeste», es decir, **-iellu, -ęllos, -ęlla, -ęllas; *muortu, mǫrtos, mǫrta, mǫrtas*, se habrían visto en frente de las intactas *ę* y *ǫ* de las otras regiones. En la zona fronteriza las gentes de las regiones centrales que poseían ya los diptongos ante yod *(viel'o, uol'o, fuol'a, nuoite...)* habrían imitado ahora los diptongos metafónicos del NO. *(*-iellu, *muortu)*, y habrían comenzado a extenderlos al plural y al femenino (es decir, **-iella, *-iellos, *-iellas, *muorta, *muortos, *muortas)*. Al terminarse las vacilaciones entre *-u* y *-o* en favor de *-o*, este mismo hecho habría contribuído a generalizar el diptongo en todas las posiciones [97].

Todo esto es hipotético, es aventurado. ¿Cómo podría ser de otra manera si la base son los hipotéticos diptongos metafónicos del gallego-portugués? Pero tan hipotéticas como ellos son las *ę* y *ǫ* intactas del centro, y lo mismo la supuesta imitación del NO. por el centro (¿por qué esa dirección, un poco rara en la historia peninsular?); hipótesis es también aunque ésta razonable, las formas centrales *viel'o*, etc.; hipótesis la propagación, en zonas centrales, del supuesto **muortu*, al femenino y al plural, etc., etc.

Segunda cadena de hipótesis. Nueva hipótesis para explicar las formas castellanas, *lecho, hoy, ojo, poyo*, etc., en que *ǫ > ó* y *ę > é*. El castellano habría tenido una diptongación preliteraria ante yod, en los tiempos en que Castilla era «un pequeño rincón»; pero esos diptongos ante yod se habrían monoptongado después en *ę* y *ǫ*. Es entonces cuando el castellano inicia su marcha hacia el Sur: lleva consigo sus *ę* y *ǫ* (resultado de la monoptongación ante yod) y también sus antiguas *ę* y *ǫ*. Ahora el castellano se mueve con sus conquistas: penetra por la región entre el alto Ebro y Burgos [98], tierras que (según la 1.ª cadena de hipótesis) han generalizado ya

---

[97] Los argumentos a favor de *-u* y *-o* distinguidos en documentos en los que casi siempre hay una voluntad de escribir latín nos parecen dudosísimos. Es probable, sin embargo, aunque no haya pruebas seguras, una larga época de vacilación.

[98] *Diphtongaison*, pág. 209. A esto debería el castellano el haber conservado algunas formas diptongadas ante yod. Cita el esp. *viejo*, pero olvida port. *vęlho* (sin atender ahora a la pronunciación de Lisboa), gall. *vèllo* (VALLADARES) y *bęlo* en todos mis interrogatorios del gallego berciano y del extremo oeste de Asturias; júntese además cat. *vell*. Hay varias opiniones que pueden verse en *DCEC*; lo que no se puede es creer que *viejo* es un problema que se resuelve dentro del castellano. Cita también *lueñe*, que es, como *vergüeña*, otro caso distinto (véase *DCEC*); como también lo es *euero*, citado aún a continuación, por Schürr.

los diptongos: esto le permite al castellano trocar (con toda comodidad)
sus $ę$ y $ǫ$ por $ię$ y $uǫ́$, pudiendo conservar intactas sus $ẹ$ y $ọ$.

La teoría de Schürr, por lo que toca a las lenguas peninsulares, fué ya
certeramente controvertida, primero por Amado Alonso, y luego por Diego
Catalán y Alvaro Galmés en su artículo *La Diptongación en leonés* [99].

Después de esa crítica, Schürr ha modificado ligeramente su posición
(respecto a la región en que se habría originado la mezcla de que, según él,
salió el vocalismo castellano).

Vamos a prescindir ahora de entrar en una crítica pormenorizada: ese
complicado andamiaje de hipótesis se desmorona por sí solo. Señalemos, sí,
que en su avance hacia el Sur, el castellano va imponiendo sus normas lingüísticas por todas partes, hacia el Sur, hacia el E. y hacia el O.: es lo que
se comprueba a cada paso en cuanto existen datos. Pero el castellano,
según Schürr, habría dejado sus $ę́$ y $ǫ́$ para recoger los $ię́$ y $uǫ́$ de los países
que empezaba a visitar. ¿Y por qué razón se sentiría movido a dejar $ę́$ para
tomar $ię́$? Además, ¿y cómo sabemos que era $ię́$ lo que pronunciaban y no
$iẹ́$? Precisamente el señor Schürr basa toda su explicación de los hechos
portugueses en la producción de este diptongo $iẹ́ < ię́$; también el castellano,
por su parte, habría tenido su $iẹ́$ correspondiente (ante yod) en fecha anterior [99 bis].

Detrás de cada solución cuidadosamente elaborada se amontonan nuevos enredijos, cuya solución exigiría nuevas cadenas de hipótesis.

EL PROBLEMA DE LA DIPTONGACIÓN ROMÁNICA

10. Porque sigue siendo un problema. Las teorías generales que la
quieren explicar son sumamente meritorias y nos han producido grandes
ventajas: en primer lugar nos han mostrado cuán insondable es este mis-
terio. En segundo lugar, el talento e ingenio de estos grandes romanistas,
el registro que han hecho de tantos rincones de la Romania para justificar
su teoría, han hecho enriquecer nuestros conocimientos.

Creo que el defecto mayor de la teoría de Wartburg (con la que en buena
parte estoy conforme) es su desatención a lo que haya de unitivo en la
diptongación de $ę́$ (repetimos: esp. *miel;* fr. *miel;* it. *miele;* rum. *miere*).
Esa coincidencia difícilmente podrá ser totalmente fortuita. También en
la diferencia entre sílaba libre y sílaba trabada debía haber algo de común
en los países a que afecta; que la pronunciación de francos y longobardos

---

[99]   Véase *RFH*, III, 1941, págs. 75-76; y *Archivum*, IV, 1954, págs. 99-102 y
115-117.

[99 bis]   *Diphtongaison*, pág. 209.

pudo exagerar y fijar esas diferencias, con las que seguramente en líneas generales coincidía, me parece sumamente probable.

Considero un error el empeño de Schürr de dar, como dicen Catalán y Galmés, una explicación demasiado simplista, válida para toda la Romania. Aun así, en la teoría de Schürr hay elementos muy valiosos y muy aprovechables: lo más fértil me parece su doctrina de las generalizaciones de los hechos fonéticos: un hecho fonético que se produce con dependencia de una condición, si ocurre con suficiente frecuencia, tiende a independizarse de la condición que le dió origen: esto, creo se puede aplicar, como a veces lo hace Schürr, a la aclaración entre las relaciones entre diptongación en sílaba libre y diptongación en trabada, o a la generalización de la diptongación inicialmente metafónica, o condicionada de otro modo cualquiera.

Opino, en cambio (con Catalán y Galmés), que es un error pensar que la metafonía que actúa sobre las tónicas $ǫ$ y $ę$ tiene por fuerza que originar una diptongación. De lo que ocurre en el caso de $ę$ tenemos ejemplos evidentes en *vine*, *hice*, y sus hermanos del occidente románico. Ahora bien, en el caso de $ę$ y $ǫ$ no hay que pensar una mecánica distinta: los sonidos palatales como -*i*, -*u* o yod real o hipotética, tienden por un efecto anticipador a cerrar la $ę$ y la $ǫ$: el cierre puede producirse total o parcialmente (es decir, afectando a la total emisión de la vocal o sólo a una parte). Ocurre lo primero en portugués *pǫrto* frente a *pǫrta*, etc. Cuando el cierre es parcial afecta a la primera parte de la vocal: *v'ęntu*, ital. merid. *vientu*, *viantu*, etc. Después pueden producirse monoptongaciones; pero no admitiremos como tales sino las que traigan pruebas fehacientes.

Naturalmente que la diptongación condicionada puede estar, más o menos en parte, en la base de algunas diptongaciones generalizadas después. Pero creemos también en la posibilidad de diptongaciones espontáneas, que la misma naturaleza de la vocal abierta algo más larga y, en algunos sistemas, muy larga [100], no hace sino favorecer. Creemos en la producción espontánea de bimatizaciones (frecuentísima en lenguaje afectivo, y que pueden generalizarse en el popular, de afectividad normalmente exacerbada); una vocal bimatizada es ya un diptongo inicial, y la afirmación de su antigua parte expresiva no hace sino completar el proceso [101]. Pero hay otras muchas causas que pueden actuar solas o combinarse con otras. Emilio Alarcos Llorach piensa en la posibilidad de una población indígena hispana con una sola e y con una sola o, que al tratar de reproducir con un poco de precisión la $ę$ y la $ǫ$ abiertas del latín vulgar, comenzara a

---

[100] Así, frecuentemente en el granadino, y en otras zonas de la Andalucía oriental.
[101] *Orígenes del español*, § 24₄.

articularlas con su *e* y su *o* vernáculas, corrigiéndose, por decirlo así, durante la emisión, con lo que resultaría algo como $^e\acute{e}$ y $^o\acute{o}$, de donde se originaría con toda facilidad el diptongo [102]. Tal teoría no es sino muy razonable: eso mismo —abrir más el final— hace el hablante español de hoy cuando quiere pronunciar una *e* bien abierta, ajena a su vernáculo sistema fonológico.

En las líneas anteriores creo que queda claro que somos enemigos de las explicaciones a base de una sola linterna iluminadora. La naturaleza es múltiple, varia, y en ella todo se enlaza y entrelaza; todo es posible, y probablemente en algunos sitios han sido muchas las fuerzas distintas que han colaborado: metafonía por *-i* y *-u*, diptongación ante yod, diptongación favorecida por preceder ciertas consonantes (port. de Oporto, p^u *orto*, $c^u\underset{.}{o}dia$), diptongación cuando traba la sílaba otras consonantes (*-r*, en retorrománico y en otros sitios), diptongación provocada o favorecida o regularizada por sustrato (como el que apunta Alarcos Llorach) o superestrato (como el germánico, según Wartburg) y en fin, también diptongación espontánea, originada sólo por un énfasis o una prolongación generalizados como moda, etc. En unos sitios habrá operado con más actividad o quizá exclusivamente, alguna de estas causas. Creemos, además, en la tendencia a la generalización de los fenómenos condicionados y a su homogeneización. Así se puede explicar la casi perfecta regularidad de las lenguas de cultura. Pero hay situaciones confusas, en muchos dialectos, en los que no se ha llegado a la homogeneización generalizadora.

Se nos reprochará tal vez haber comenzado pidiendo una explicación unitaria para esp. *miel;* fr. *miel;* it. *miele;* rum. *miere*, y terminar por admitir toda una serie de causas de posible diptongación y aun admitiendo que varias de ellas hayan colaborado en generalizar, más o menos, los diptongos en determinadas partes de la Romania.

No existe contradicción. Una cuerda se rompe siempre por lo más delgado, pero las causas de la rotura pueden ser muy variadas.

Ocurre que cuando hablamos de vocales abiertas o cerradas manejamos unos conceptos que pueden corresponder a realidades estáticas, no a la realidad de las vocales, criaturas que fluyen en un tiempo, aunque breve, que cambian y se realizan cambiando, en ese tiempo. Necesitaríamos un conocimiento más exacto, cinético, y no una falsa imagen estática, de la realidad física de una ę o una ǫ. Un conocimiento mucho más profundo y pormenorizado de la realidad fisiológica de la articulación vocálica debería ser base de cualquier teoría de la diptongación románica.

---

[102] *Quelques précisions sur la diphtongaison espagnole*, en *Omagiu lui Iorgu Iordan*, Academia Republicii Populare Romîne, 1958, tirada aparte.

Esperamos, pues, una iluminación del lado experimental. Mientras tanto, creemos, provisionalmente, que toda vocal lleva en sí el germen de una bimatización, que, sobre todo en sílaba libre, sólo necesita alguno o algunos estímulos para exagerarse y convertirse en un verdadero diptongo. Estos estímulos, en el caso de la $\acute{e}$ y la $\acute{o}$ románicas, han podido ser muy variados, y aun haberse sumado varios en algunas ocasiones. Pero, en algunos sitios, en el español, por ejemplo, en determinadas condiciones, la vocal en sílaba trabada fue movida también a diptongar; tantos casos de diptongación acabaron por imponer totalmente el fenómeno, y lo hicieron general lo mismo para la sílaba libre que para la trabada.

3.—SOBRE LA -S FINAL DE SILABA EN EL MUNDO HISPANICO

1. La Romania occidental conservó la -s del latín, mientras que la oriental la perdió. D ŏ r m i s dió en Oriente, rum. *dormi;* it. *dormi.* En Occidente, prov. *dormes, dors;* fr. *dors;* cat. *dorms;* esp. *duermes;* portugués *dormes.*

Los restos de -s que quedan en la Italia septentrional [103] hacen indudable que en toda esa zona la -s se conservó también en lo antiguo. Este fenómeno de pérdida o conservación de -s dividió, pues, netamente la Romania oriental y la occidental. Parece que es imposible no atribuirlo a la época del latín vulgar [104].

La historia de -s final en latín es la de una larga lucha: los rústicos de las mismas regiones cercanas a Roma no la pronunciaban desde antiguo; pero las infiltraciones de esa costumbre en la lengua literaria fueron siempre rechazadas —testigo, Cicerón— por influjo culto [105]. Sin embargo, a la larga, en la Italia peninsular y en Oriente, la victoria sería de la pronunciación popular, como se ve por el italiano y el rumano [106].

Wartburg cree que el influjo de la escuela sería lo que habría conse-

---

[103]   WARTBURG, *Frag.*, págs. 41-46; ROHLFS, *Hist. Gramm. Ital. Spr.*, § 308.

[104]   De otro modo piensa ROHLFS, lugar citado, quien cree que los restos de -s que tienen la Italia del N. (principalmente en la flexión verbal) y la del Sur (en ésta, una zona lucano-calabresa, en el presente *kándəsə* 'cantas'), son suficientes para suponer que no se trata de un fenómeno del latín vulgar. Comp. LAUSBERG, *Die Mundarten Südlukaniens*, § 313. Contrario a esa tesis es también ROBERT L. POLITZER, *Final -s in the Romania*, en *Romanic Review*, XXXVIII, 1947, págs. 159-166; Politzer piensa sobre todo en causas morfológicas para explicar la caída o conservación de -s en los pueblos románicos.

[105]   NIEDERMANN, *Phonét. hist. du latin*, § 48. Muchos ejemplos pueden verse en L. HAVET, *L's latin caduc*, en *Et. romanes déd. à G. Paris*, París 1891, págs. 302-329. Véase C. PROSKAUER, *Das auslautende -s auf den lateinischen Inschriften*, Estrasburgo, 1909.

[106]   MEILLET, *Esquisse d'une histoire de la langue latine*, 4.ª ed. Paris 1938, páginas 211-212 y 222.

guido mantener la -s final en el occidente de la Romania [107]. Ocurre preguntar por qué entonces no se impidió en Occidente la sonorización de las consonantes sordas intervocálicas, del latín, o la vocalización del primer elemento del grupo -kt-, etc. Habría que suponer que el freno cultural no pudo actuar en estos últimos casos porque estaba en abierta contradicción con las costumbres fonéticas de los naturales de Occidente y que en cambio habría podido obrar eficazmente en el caso de la -s, si los pueblos de Occidente tenían -s como una de sus posibilidades articulatorias. Pero es cuestión dudosa: parece que los mismos celtas de la Galia estaban perdiendo su -s [108].

La -s final conservada, como hemos visto, primariamente en el Occidente románico, se ha perdido luego, en épocas distintas, en una buena parte de ese territorio [109]. Conviene, para la exposición que va a seguir, hablar ahora, no ya de -s final de palabra, sino de s final de sílaba. Entre ambas categorías suele haber gran concordancia. Hablar de s final de sílaba, es casi lo mismo que hablar del grupo s + consonante, porque tal grupo existe: a) en interior de palabra; b) cuando a la -s final de palabra sigue, sin pausa, otra voz que empiece por consonante. En esas condiciones es como se han originado los fenómenos que llevan hacia la pérdida de s, propagados luego a la -s final de palabra ante pausa, y, en grado mucho menor, ante voz que empiece por vocal. El punto de partida ha sido siempre una debilitación de la tensión articulatoria de la -s que cierra sílaba.

2. La atención de los romanistas se ha dirigido principalmente a la pérdida de s final de sílaba, que ocurre en francés. Ronjat ha reunido y comentado los fenómenos de este tipo que hay en el provenzal [110]. Existe un inmenso campo hispánico en donde se encuentran también, y aunque van

---

[107]   WARTBURG, Frag., págs. 35-37.

[108]   Hay muchos nombres propios con -s en inscripciones galas pero muchos también sin -s; WARTBURG, basado en la pérdida temprana de -s en el céltico insular, cree que «el mismo galo estaba a punto de perder su s cuando los romanos conquistaron el país» (Frag., pág. 37). Véase J. PIRSON, La langue des inscriptions de la Gaule, Bruselas, 1901, pág. 104.

[109]   Por lo que toca a -s final de sílaba interior, hay hasta casos castellanos y gallego-portugueses de asimilación: en esp. callámonos < callamos + nos, etc.; en gallego y portugués hay pérdida en la conjugación ante n o l (port. damo-lo 'lo damos', sentemo-nos 'sentémonos', gall. non mate-lo porco 'no mates el cerdo'). La pérdida de la -s de primera pers. de plural, sólo ocurre en castellano ante nos: ha cooperado, parece, una especie de disimilación (-mos, nos).

[110]   Grammaire istorique des parlers provençaux..., Montpellier, 1932, §§ 321-328 (s + consonante), §§ 374-481 (para -s final de palabra).

abundando las descripciones más o menos localizadas, no son siempre suficientemente exactas y aun algunas veces están en contradicción[111].

La pérdida se produjo en francés durante la Edad Media. Debió de empezar por los grupos interiores formados por *s* + consonante; más tarde se propagó a final de palabra cuando tras la *s* seguía, sin pausa, una voz que comenzaba por consonante; y bastante más tarde se dejó de pronunciar la -*s* ante pausa. El francés moderno la articula aún hoy, sonorizada, en los casos de estrecha unión con una palabra siguiente que empiece por vocal. La ortografía mantuvo la *s* perdida en interior de palabra, hasta 1740; mantiene aún la -*s* final, que en una gran mayoría de casos es importante signo morfológico[112] (plurales y conjugación). Restos de -*s* final de sílaba, en algunas zonas dialectales, muestran que no se puede considerar completo ese proceso en el territorio lingüístico francés.

En provenzal antiguo hubo una debilitación de la *s* ante consonante sonora, que llevó unas veces a *i*, otras a «cero»: *aine, ane*, al lado de *asne* < a s i n u [113]; pero hay abundantes alteraciones más recientes, que se producen en un área extensa, de las que aún hablaremos.

En la Valonia se conserva la *s* ante las oclusivas (c a s t e l l u > val. *tchestê*, val. *hisdeûs*, fr. *hideux*, comp. fr. ant. *hisde*); pero -*sk*- > *h*; hay ejemplos antiguos de *h* cuando la *s* va ante l o n (val. ant. *ahnesse*, fr. *ânesse)* [114].

3. En el mundo hispánico, la aspiración (o pérdida) de la -*s* final de sílaba, ocupa, en primer lugar, una gran área de territorio español. La aspiración o pérdida se considera característica de Andalucía: en realidad su límite norte rebasa enormemente la frontera andaluza, sobre todo en el O.: existe ya este fenómeno en la Ribera (NO. de Salamanca), en Cáceres, en la parte S. de las provincias de Avila y de Madrid. La capital parece estar en zona antigua de aspiración; pues en Alcobendas, al N. de Madrid, se pronuncia *ahko, mohka*. Rozando un poco de la provincia de Cuenca [115], la línea, que ahora va a buscar el Mediterráneo, deja al mediodía Albacete y Mur-

---

[111] Véase bibliografía, más abajo, notas 118 y 119.

[112] Por lo que toca a la mera ortografía; sólo con valor fonético en los casos de «liaison».

[113] J. RONJAT, *Grammaire istorique*, § 323.

[114] LOUIS REMACLE, *Les variations de l'H secondaire en Ardenne liégeoise*, Lieja, 1944, págs. 88-90. Prescindimos de otros casos como el del bergamasco (ROHLFS, *Ital. Spr.* §§ 266 y 269) donde se convierte en aspiración la *s* lo mismo ante consonante sorda que ante sonora.

[115] Faltan datos exactos. Hay algo de aspiración de *s* en puntos de la zona manchega, de la provincia de Cuenca.

cia [116]. Claro es que la aspiración (o pérdida) en las diferentes regiones ocurre con infinitas variaciones de pormenor y muchas veces con resultados secundarios.

A este extenso territorio peninsular hay que agregar las Islas Canarias y casi toda la América Española, salvo las zonas andinas en la América del Sur y la altiplanicie mejicana. Es notable ese contraste entre la costa de Perú, Ecuador y Colombia y la costa del Golfo de Méjico, que todas aspiran, y las tierras altas de estos mismos países, que conservan la s final de sílaba. En algunos sitios, por influjo de las grandes ciudades (como, por ejemplo, en la zona del litoral argentino a causa de Buenos Aires) el fenómeno se frena o la s se repone [117].

[116] Los primeros que prestaron atención científica a estos fenómenos fueron SCHUCHARDT (1881) y F. WULFF (1889). Véase ahora LLORENTE MALDONADO DE GUEVARA, A. *Estudio sobre el habla de la Ribera*, Salamanca, 1947, pág. 66; KRÜGER, F. *Studien zur Lautgeschichte westspanischer Mundarten*, Hamburgo, 1914, §§ 381-390 y 397-410; ESPINOSA, A. M. *Arcaísmos dialectales*, Madrid, 1935, págs. 158-159; ZAMORA VICENTE, A. *Estudio del habla albaceteña*, en *RFE*, XXVII, 1943, págs. 237-238; GARCÍA SORIANO, *Vocabulario del dialecto murciano*, Madrid, 1932, págs. LXXVIII-LXXIX. Un estudio muy pormenorizado de las condiciones actuales cerca de Valdepeñas (Ciudad Real) y Alcaraz (Albacete) y en una zona de Almería (junto a Granada) puede verse en ALTHER, A. *Beiträge zur Lautlehre südspanischer Mundarten*, Aarau, 1935, §§ 34-61. Sobre estos fenómenos en Andalucía véase a más del citado estudio de Alther, RODRÍGUEZ-CASTELLANO, L. y PALACIO, A. *El habla de Cabra*, en *RDTP*, IV, 1948, págs. 44-48; ALONSO, D., ZAMORA VICENTE, A. y CANELLADA, M. J., *Vocales andaluzas*, en *NRFH*, IV, 1950, págs. 209-230; ALVAR, M., *Las encuestas del «Atlas lingüístico de Andalucía»*, Granada, 1955, págs. 17-19; ALONSO, D. *En la Andalucía de la E*, Madrid, 1956. Para el avance del fenómeno, SALVADOR, G., *Fonética masculina y fonética femenina en el habla de Vertientes y Tarifa (Granada)*, en *Orbis*, I, 1952, págs. 19-24. Este último autor dice acertadamente: «el límite entre aspiración y no aspiración de la s implosiva podría servir para señalar la frontera de las que pudiéramos llamar... hablas meridionales de la Península Ibérica». (Pág. 19). Y se lamenta de que no conozcamos la exacta distribución geográfica del fenómeno.

[117] CUERVO, R. J. *Apuntaciones críticas sobre el lenguaje bogotano*, Obras, I, Bogotá, 1954, pág. 724 (Cuervo señala el fenómeno en la costa septentrional de Colombia; pasaje que ha sido varias veces mal entendido); ESPINOSA, A. M. *Estudios sobre el español de Nuevo Méjico*, notas por A. Alonso y A. Rosenblat, B. Aires, 1930, páginas 188-189 (bibliografía); TISCORNIA, E. F. *La lengua de Martín Fierro*, B. Aires, 1930, págs. 46-49; LENZ, R. *El español en Chile*, notas de A. Alonso y R. Lida, en *BDH*, I, VI, 1940, págs. 125-134 (pág. 127, n. 2: se reproduce una extensa explicación de Sievers); HENRÍQUEZ UREÑA, P. *El español en Santo Domingo*, B. Aires, 1940, pág. 147; *El español en Méjico, los EE. UU. y la América central*, *BDH*, IV, págs. 77-78 y 356; VIDAL DE BATTINI, B. E. *El habla rural de San Luis*, Buenos Aires, 1949, págs. 41-44; MATLUCK, J. *La pronunciación en el Valle de Méjico*, Méjico, 1951, págs. 74-78 (texto y notas); NAVARRO, T. *El español en Puerto Rico*, Río Piedras, 1948, págs. 71-73.

En este inmenso y variado mundo de la aspiración hispánica de *s* final de sílaba hay muchas diferencias, según nivel social, según la posición ya interior, ya final de palabra, etc. En muchos sitios, y así frecuentemente en el sur de España, la aspiración es caediza. En fin de palabra muchas veces no se oye; pero en ligazón sintáctica con otra voz que empiece por vocal se oye unas veces la aspiración *(loʰótro* 'los otros') o simplemente una neta separación de las dos vocales *(loˈotro)*. La aspiración se suele oír más, como tal aspiración, ante las oclusivas sordas, especialmente ante *k*, y toma un matiz velar, prepalatoalveolar o labial, según se trate de *k, t* o *p (aʰko, eʰto, aʰpa)* [118]. Cuando sigue fricativa o sonora ese proceso de asimilación (que sólo se insinúa ante *p, t, k,* en cuanto al punto de articulación) es mucho más intenso, y a veces se puede llegar a la asimilación completa *(mimmo, fófforo, fóforo)* [119].

Los hechos actuales en el mundo hispánico, parecen corresponderse bastante bien con la interpretación generalmente dada a los datos históricos de la pérdida de *s* final de sílaba en francés. Basándose en los préstamos de esa lengua al inglés, se ha pensado que hacia 1066 (fecha de la batalla de Hastings) se habría perdido ya [120] la *s* ante consonante sonora (inglés *to blame;* fr. ant. *blasmer;* ing. *isle,* **ail,** fr. ant. *isle)*, mientras que persistiría aún entonces ante oclusiva sorda (ing. *tempest;* fr. ant. *tempeste;* ing. *feast;* fr. ant. *feste)*. Muchos y concordantes testimonios nos

---

[118] Creo muy dudosas la mayor parte de las transcripciones del tipo *eˈto*. Sin negar que entre la inmensa extensión donde se producen estos fenómenos haya lugares o sujetos donde se dé la asimilación total de *s* a sorda *(eˈto)* creo de validez general la observación que para Puerto Rico hace Tomás Navarro: «Sería exagerado decir que vocablos como *abispa, cresta, casco* se convierten en *abippa, cretta, cacco*. En realidad se percibe siempre cierto resto de la aspiración entre la vocal acentuada y la oclusiva siguiente». *(El español en Puerto Rico,* pág. 71). La implosiva es una aspiración que termina en la oclusión correspondiente *(p, t* o *k)*. Alther trascribe frecuentemente **lo ʰᵖpạˈtoręʰ** y aún con más complicación **lo ʰˣᵗtrabesạ̃ṇo**: eso no puede interpretarse sino como aproximada indicación del matiz palatoalveolar, bilabial, o en su caso, velar, que puede tomar la aspiración.

[119] Ante fricativa sonora la asimilación muchas veces (en España y en América) ensordece la fricativa *(eᵠφará(r)* 'resbalar', **lọφáŋkọ** 'los bancos'): hay que pensar que en estos casos ha precedido una aspiración sorda. Como es sabido, en *-sb-, -sm-,* etcétera, la *s* se sonoriza por asimilación a la sonora. Al ocurrir la aspiración de *s,* si la consonante que sigue es oclusiva sonora, el movimiento asimilatorio continúa siendo progresivo (es decir, *mismo,* al ocurrir la aspiración, tiende hacia *mimmo)*; en cambio, si la consonante que sigue es fricativa sonora, la aspiración se ensordece y termina ensordeciendo a la consonante siguiente *(los bancos,* al ocurrir la aspiración, tiende hacia **loᵠφáŋko⁽ʰ⁾**).

[120] Más exacto sería decir que estaría en trance de perderse, pero en un estado vacilante, como las grafías anglonormandas *idle,* etc. prueban, frente a los ejemplos *blame,* etcétera, citados en el texto.

comprueban que en la pérdida de la s ante consonante sorda, que ocurriría
en francés durante el siglo XII, se pasó primero por una simple aspiración.
Pero ante sonora se habría producido pronto una asimilación parcial: es
lo que revelan las grafías anglonormandas *medler, idle* (por *mesler, isle,*
comp. inglés *meddle)* [121]. Es decir, en el francés de los siglos XI y XII, la s
ante sonora tendió en seguida a una asimilación a la sonora; en cambio,
ante sorda persistió algún tiempo como aspiración, para caer más tarde.
Es lo que hemos visto en el mundo hispánico: tendencia hacia una asimilación casi total ante sonora; permanencia de la aspiración ante sorda.
Pero hay que advertir que en el ámbito hispánico esa aspiración, en algunos sitios, cae, y donde tal ocurre se llega a algo parecido a lo que es hoy
general en el francés. En el prov. ant. la pérdida de s ante sonora se da un
poco por todas partes *(aine* y *ane,* junto a *asne*[122]); la alteración antigua
de la s ante sorda sólo afecta a hablas de la parte N. del dominio [123]. Las
alteraciones recientes del provenzal se han producido primero en los casos
de s + sonora, y «sensiblement plus tard» en los de s + sorda [124]. En este
último caso la s se ha convertido en aspiración; en el primero, hay, a veces,
también aspiración, otras veces asimilación a la sonora (*-sl- > -hl-* o *-ll-*) ;
la zona donde ocurren estas alteraciones es muy grande (centro y occidente).
El doble proceso (ante sonora y ante sorda) se cumplió totalmente (salvo
restos dialectales) en francés; en provenzal, aunque ante sonora se inició,
como hemos dicho, ya en época antigua, está mucho más retrasado, pero
el orden es el mismo. También en castellano, donde el fenómeno está en
un grado de avance bastante parecido a esa zona central y occidental del
provenzal, una vez iniciado el fenómeno se llega a resultados más radicales
ante sonora. El carácter oscilante y caedizo de la aspiración en la extensión
inmensa del mundo hispánico, con sus muy diversos resultados secundarios
posibles, es uno de los peligros que acechan al español si un día se aflojan los
vínculos que tienden a mantener la cohesión idiomática.

4. Los fenómenos que afectan a s final de sílaba, frecuentemente afectan también con más o menos exactitud, a la -s final de palabra, unas veces
dentro de sintagma, y otras veces casi generalizados (como en francés). Los
casos del mundo hispánico tienden también (aunque hay muchas diferen-

---

[121] Otro resultado posible era *r:* el fr. ant. *vaslet* (de donde fr. *valet)* tiene forma
divergente *varlet.* Divergencias semejantes son bien conocidas en el mundo hispánico
(en España y en América). Véase el mapa 16 *(desnudo)* en *El español en Puerto Rico*
de TOMÁS NAVARRO: además de por la aspiración, sorda o sonora, la s puede estar
representada por *r, l,* o *n.*

[122] RONJAT, *Grammaire istorique,* § 323.

[123] RONJAT, *Grammaire istorique,* § 324.

[124] RONJAT, *Grammaire istorique,* § 325.

cias particulares) a esta igualación de s final de sílaba y s final de palabra. Pero en otras lenguas se rompe toda correlación. Así el sardo conserva, con pocas excepciones, la s final de sílaba interior (M.-L. WAGNER, *Historische Lautlehre des Sardischen*, §§ 280-284 y § 335); en cambio, se asimila en hablas rústicas campidanesas ante otra s o f, o las sonoras g, d, b, v, l, m, n (is *télas; i ggátus; i fférrus*, y también iš *šérrus*); en logudorés hay asimilación ante s, r, l, m, n (sa *mmános*), pero conversión en r ante b, g, d, v, f (sar *gúlas*). Aquí mismo, pues, la s se mantiene ante las sordas oclusivas (p, t, k), se asimila más o menos ante las fricativas s y f, y ante las sonoras (b, g, d, v, m, n, l, r) (WAGNER, *Ibid.*, §§ 332-336).

5. La historia se ha repetido muchas veces, porque hechos semejantes a los descritos han ocurrido también en otras lenguas, por ejemplo, en el mismo latín [125]. Hemos mencionado ya la tendencia en el latín de Italia, a lo largo de su desarrollo histórico, a la pérdida de la s final de palabra; pero en la época de constitución del idioma se había perdido ya también la s en los grupos en que antecedía a consonante sonora (lat. *canus* < I. E. *casnos*; *omen*, lat. ant. *osmen*; *tredecim* < *tres* + *decem*; *dis-*, ante consonante sonora > *di-*, *diligo* < *dis-lego*). Al latín le quedaba, pues, sólo la combinación s + consonante sorda, pero claro es que en el sintagma surgían otra vez los grupos -s (final de palabra) + consonante sonora. Los poetas antiguos medían muchas veces como breve la última sílaba de palabra terminada en una -s que fuera precedida por vocal breve, aunque la palabra siguiente empezara por consonante —*contentŭ(s)*, *beatus*— pero lo curioso es que hacían lo mismo ante consonante sonora y sorda —*rationi(s) potestas*. Choca que midieran lo mismo ante sonora que ante sorda. ¿Es que el fenómeno que tenía lugar ante sonora lo generalizaban, como libertad, ante sorda? ¿O es que el proceso estaba afectando también —como ocurrió en francés o en el mundo hispánico— a la s ante sorda? Desde la época de Cicerón (m. en 43 a. de C.) se restablece el valor de -s en la medida.

Pero, ¿se restableció acaso en la pronunciación popular? Wartburg, como dijimos al principio, cree que no, y que este uso fué el que prevaleció en la Italia central y meridional y en Rumanía (y nos parece lo más probable). Rohlfs y Lausberg creen que hay que contar con una -s restablecida. La pérdida de -s en italiano y rumano no continuaría, según ellos, la antigua pérdida latina.

[125] Fuera del latín, el *visarga (h)*, sustituye a -s, con determinadas condiciones, en sánscrito; también se pierde la -s al pasar del I. E. al antiguo eslavo: CHLUMSKY, J., *La -s andaluza y la suerte del -s indoeuropeo en eslavo* [traducción de *Slavia*, VII, 1929]. Publicaciones del «Atlas lingüístico de Andalucía», III, 2, Granada, 1956.

4.—SOBRE LAS SOLUCIONES PENINSULARES DE LOS ESDRUJULOS LATINOS

1. Toda la Romania occidental participa en mayor o menor grado en la pérdida de las vocales postónicas (síncopa de proparoxítonos) frente a la Romania oriental, que salvo en los casos de síncopa muy temprana (d o m n u > rum. *domn*, it. *donno)* mantiene la postónica (a n ĭ m a > rum. *inimă*, it. *anima;* en cambio, fr. *âme*, prov. *anma*, esp., port. *alma).*

Pero el proceso no tiene en todas partes la misma generalidad, y aún hay otras posibilidades, además de esa de la síncopa, para la reducción a paroxítonos de los proparoxítonos. Veamos cómo y hasta qué punto participa el español en estos procesos.

El francés es de todas estas lenguas aquella en la que este fenómeno se verifica con más generalidad, pues todas las postónicas se pierden, incluso la *a*: l ĕ p ŏ r e > *lièvre*, f r a x ĭ n u > *frêne*, *c a n n ă p u > chanvre*. El español no pierde la *a*: *liebre*, *fresno*, pero *cáñamo*.

También parece que, correspondientemente, el francés tomó con decisión el camino de la síncopa, antes que el castellano, pues es frecuente que no hayan sonorizado en francés en los proparoxítonos latinos, consonantes que en castellano lo han hecho: s ē m ĭ t a > fr. *sente*, esp. *senda;* d ŏ m ĭ t u > fr. *dompte*, esp. *duendo;* *n a t ĭ c a > fr. *nache*, esp. *nalga;* c ŏ l l ŏ c a t > fr. *couche*, esp. *cuelga*. En casos como éstos hay que concluir que en castellano la sonorización de consonantes intervocálicas precedió a la síncopa.

2. El portugués presenta hechos que no pueden interpretarse sino suponiendo que en una época tardía ha aumentado grandemente el acento de intensidad, que en los primeros tiempos debió de ser menor que en castellano.

Consideremos algunos casos de conservación de la postónica en ambas lenguas. No cabe duda de que, en las dos, al caer las sonoras *-d-* o *-g-* que seguían a una vocal postónica *i*, en toda una serie de proparoxítonos, dicha postónica se pronunciaba aún: l ĭ m p ĭ d u > port. *limpo;* cast. *limpio;* t ĕ p ĭ d u > port. *tíbio* (ant. *tibo);* cast. *tibio;* s ū c ĭ d u > port. *sujo;* castellano *sucio;* l ī t ĭ g a t > port. *lida;* cast. *lidia.* Vemos que al ponerse en contacto la vocal postónica con la final se desarrolla una yod; ésta persiste en castellano, pero en portugués suele desaparecer[126], alguna vez después de haber modificado una palatalización *(sujo).* En portugués se producen muchos más casos, parecidos a éstos, por la característica caída de *-n-* y *-l-*: d ū r ă c ĭ n u > port. *durázio;* cast. *durazno;* f ē m ĭ n a > portugués *fêmea* (**fẹ́mja**); cast. *hembra;* f r a x ĭ n u > port. *freixo;* cast. *fresno;* a n g ĕ l u > *anjo;* y también, h ŏ m ĭ n e s > port. ant. *homẽes* > port. moderno *homens;* cast. *hombres;* p ŏ p ŭ l u > port. ant. *povoo;* port. moderno *povo;* cast. *pueblo.* En portugués, asimismo, en algunas ocasiones, el proparoxítono se convierte en paroxítono por caída de la *-n-* o la *-l-* que antecede a la postónica: a n ă t e > port. *adem;* esp. *ánade;* p ĕ l ă g u > port. *pego;* esp. *piélago.* Es evidente que también en estos últimos ejemplos, la postónica existía cuando cayeron *-n-* y *-l-.* Quedan, en fin, una serie de voces que se sincoparon en castellano y no lo habían hecho en portugués antes de la fijación por la escritura: c ŭ b ĭ t u > port. *côvado;* español *codo;* d ĕ c ĭ m u > port. *dízimo;* esp. *diezmo;* b ĭ f ĕ r a > portugués *bêbera;* esp. *breva;* d ŭ b ĭ t a > port. *dúvida;* esp. *duda*[127]; -a b i l e > port. *-ável;* esp. *-able;* -a t ĭ c u > port. *-ádego;* esp. *-azgo;* etc.

Pero la lengua portuguesa experimenta tardíamente un aumento del acento de intensidad, que produce una debilitación o caída de las postónicas (de cualquier origen) que quedaban: **sẹ́klu, áspru, sábdu, bẹ́bre** *(século, áspero, sábado, bêbera)*[128]. Presenta, pues, en esto, el portugués un como

---

[126] Como, por otra parte, suele suceder en portugués con otros elementos yod: v i n d ē m i a > port. *vindima,* esp. *vendimia;* v ĭ t r e u > port. *vidro,* esp. *vidrio.*

[127] Sobre el posible carácter culto de *duda,* v. COROMINAS, *DCEC.* Otro problema plantean con sus tónicas *u, i,* y con su *i* postónica las voces portuguesas *dúvida* (esp. *duda), dívida* < d ē b ĭ t a (esp. *deuda), dízimo* (esp. *diezmo), lídimo* < l ē g ĭ t ĭ m u (esp. *lindo),* pues no pueden considerarse cultas. De una época de vacilaciones pudieron surgir restablecimientos de vocal postónica, y no sería rara la asimilación de la postónica a la tónica (comp. M. PIDAL, *Orígenes,* § 32-4). Pero el caso es que en estas voces la tónica se ha cerrado un grado (y en *dízimo* < d ĕ c ĭ m u, dos). Lo único que parece seguro es que se ha establecido una correlación entre tónica y postónica. Si la tónica era ẹ u o, y la penúltima ĭ, la tónica se hizo *i* ó *u (dívida* < d ē b ĭ t a, *dúvida* < d ŭ b ĭ t a) ; también la ẹ tónica se hace, en condiciones semejantes, *i (dízimu* < d ĕ c ĭ m u, *pírtiga* < p ĕ r t ĭ c a). Si la penúltima se ha hecho *e,* las tónicas ẹ y ẹ han dado ẹ *(bêvedo* < b ĭ b ĭ t u; *lévedo* < l ĕ v ĭ t u). Comp. WILLIAMS, *From Latin to Portuguese,* §§ 34, 3; 35, 5; 38,3.

[128] Habrá que tener en cuenta los matices del brasileño carioca, estudiados con extraordinario pormenor por A. HOUAISS, *Tentativa de descrição do sistema vocálico do português culto na área dita carioca,* en los *Anais do primeiro congresso brasileiro*

cambio de velocidad, ajeno al castellano: en época medieval antes de la documentación escrita, el portugués parece ir más lento en el sincopar los proparoxítonos; pero luego generaliza una caída de postónicas, ya no registrada por la escritura, que no se produce en castellano, pues en esta última lengua en los proparoxítonos que hoy tiene (por cultismo, por ejemplo, *áspero, paroxítono;* o por otras causas, p. ej., *sábado, cógelo*) no deja de articularse la postónica ni aun en la pronunciación más veloz o descuidada.

3. Otra posibilidad de conversión en paroxítonos de los proparoxítonos latinos, posee el español: en algunas palabras ha caído la vocal final manteniéndose la postónica: c a r c ĕ r e > *cárcel;* j ŭ v ĕ n e > *joven;* h ŏ s- p ĭ t e > *huésped;* c a e s p ĭ t e > *césped,* o r d ĭ n e > *orden;* a r b ŏ r e > *árbol;* m a r g ĭ n e > *marcen, margen.* En este caso el portugués, en las condiciones que refleja la escritura, mantuvo también tanto la postónica como la final *(cárcere,* etc., pero téngase en cuenta lo dicho más arriba sobre síncopa tardía) salvo cuando la última consonante era *n (orden,* etc. V. WILLIAMS, § 124, 4 B). Estos pocos casos castellanos de pérdida de final y conservación de postónica son el extremo alcance occidental de un modo de conversión de proparoxítonos frecuente en aragonés, en catalán, en gascón [129], en provenzal, en francoprovenzal, en retorrománico y en gran parte de Italia del N. [130]. En efecto: las dos posibilidades principales [131] de la conver

---

de língua falada no teatro, Río de Janeiro, 1958, págs. 217-320. Véanse los §§ 5.4, 6.4, 8.4, 9.4, 10.4, 12.4, 13.4. En las capas populares de lengua más espontánea existe también la tendencia al paroxitonismo.

[129] ROHLFS cree que ésta es la solución más frecuente de los proparoxítonos en gascón. Véase su larga lista y su comparación con el arag. y el esp., *Le Gascon,* §§ 396-398.

[130] Para ROHLFS (§ 138) el fenómeno, en Italia superior, es característico de Lombardía *(ázen < * a s ĭ n u) ; pero la Emilia y la Romaña sincoparían. Schürr cree que casi todo el N. de Italia y la Retorromania tienen (salvo en las voces con *-a,* en las que se suele producir síncopa) la conservación de la postónica y caída de la final, *dódas < * d o d ĕ c ĭ m , etc. El fenómeno no se produce en genovés, que sincopa, ni en veneciano, que suele conservar postónica y final. En el romañolo una segunda pérdida de vocal se habría llevado la final *(SCHÜRR, Akzent und Synkope in der Galloromania,* en *Homenaje a Krüger,* II, pág. 124).

[131] Una tercera posibilidad es que el acento cambie de sílaba, como puede ocurrir en provenzal *(lampeza < * l a m p ă d a , y otros en *-a).* A este grupo podría agregarse, aunque la causa sea distinta, la conversión en paroxítonos de todos los verbos cultos que tenían originalmente esdrújulas las formas fuertes. Este cambio de acento ocurre lo mismo en francés que en catalán, castellano y portugués: cat., esp., port., *altera,* tercera pers. de *alterar;* frente a la acentuación etimológica *(àltera)* del italiano. Este cambio —que suele ser poco mencionado— tiene una gran importancia pues

sión de paroxítonos en graves son: la síncopa (que es la predominante en castellano) o la conservación de la postónica con pérdida de la final [132]. El provenzal tiene abundantemente las dos posibilidades, a veces en una misma palabra: a s i n u > prov. *azen, aze, asne, aine* (las dos primeras formas, con mantenimiento de postónica y pérdida de final, y las dos últimas con síncopa). La pérdida de la final (que es frecuentemente *-e* pero también *-u)* se produce muchas veces tras *l* y *r*, también tras *n* y *d* (pero la *d*, finalizada, cae, y la *n* suele caer o hacerse *r*): a p o s t ŏ l e > prov. *apostol;* * c o c ĕ r e > prov. *cozer;* c a r c ĕ r e > prov. *carcer;* j u v ĕ n e > prov. *joven, jove;* t e p ĭ d u > prov. *tebe;* R h o d ă n u > prov. *Rozer.* En el catalán también se puede conservar la postónica y perder la final, principalmente cuando entre ambas había *n, l, r;* pero la *r* finalizada, no suena en la mayor parte del dominio (cat. *correr,* cat. or. kǫr̄ə) y la *n* se pierde: f r a x i n u > *freixe,* a s ĭ n u > *aze,* p i s ŭ l u > *pésol* [133]. La *-a* final, con su permanencia, favorece en muchos sitios la síncopa (p. ej., grisonés ŷuven, ŷuƒna, 'joven', m. y f., respectivamente).

4. Este fenómeno de la conservación de la postónica y pérdida de la final es, pues, un hecho importante, que se extiende por una zona extensa y compacta de la Romania Occidental. Y que llega al francés *(rance* < r a n c ĭ d u, *marge* < m a r g ĭ n e, etc.). Muchas voces que en francés conservan así la postónica son cultas *(page* < p a g ĭ n a, *vierge* < v i r g ĭ n e, etc.; esp. *página, virgen).* Meyer-Lübke consideraba que todo el grupo era puro cultismo: pero el panorama románico impide una visión tan simplista. Se ha expresado varias veces esta explicación también para los casos del castellano: una «presión culta» habría mantenido la postónica hasta el momento de caída de la final. Pero aún entre las pocas voces castellanas afectadas por este fenómeno las hay que no pueden ser sospechosas de cultismo *(árbol, margen* y *marcen,* etc.). Y si miramos en la Península hacia Oriente, vemos que estas palabras castellanas son el extremo, en punta, de algo que tiene enorme importancia: estas pocas palabras castellanas se continúan con las muchas aragonesas, gasconas, catalanas, provenzales, etcétera, que siguen la misma solución. La caída de la postónica pudo

contribuye a caracterizar las lenguas románicas occidentales frente al italiano. Este proparoxitonismo ha sido, sin duda, producido por analogía verbal, y tiene límites distintos en cada lengua (así francés *étrangle,* con síncopa; frente a cat. *estrangola,* español, port. *estrangula,* con acento descolocado; y frente a it. *stràngola,* con acentuación etimológica).

[132] Hay también (como hemos dicho, *supra,* n. 132) algunas pocas zonas donde se puede encontrar al mismo tiempo, en la misma voz, pérdida de postónica y de final.

[133] BADÍA, *GHC,* § 62, II y III; MOLL, *GHC,* §§ 81-84.

frenarse por el cultismo (esp. *cáliz, virgen, ángel)* o por evitar que se for-
mara un grupo de difícil resolución (p l a n g ĕ r e > cat. *plànyer;* esp. *margen, marcen);* pero tales dificultades fueron superadas en otras muchas
síncopas. Es un enorme bloque románico el territorio por donde con más
o menos decisión se encuentra esta solución de los esdrújulos latinos: abarca
el E. de nuestra Península, el S. y en parte el E. de Francia, el retorrománico, la mayor parte del N. de Italia. En el español y en el francés se trata,
en ambos casos, de un grupo reducido de voces, y varias con sospecha de
cultismo: pero no podemos separar estos casos del gran bloque del que
son como orillas, o, más bien, flecos. Es probable que en este bloque románico de fenómenos similares actuaran una serie de causas, cultismos unas
veces, otras, conveniencia del mantenimiento de la vocal para impedir
la formación de un grupo complicado, también es indudable que en el
fondo habrá la lucha de dos posibilidades articulatorias, un acento descendente (´ `–) al lado del predominante en la Romania (´ – ´).

¿A qué se debe ese acento descendente? ¿Sustrato? ¿Superestrato? Para
Schürr[134], ambas cosas: sustrato galo y superestrato franco, los dos como
refuerzo de un antiguo acento espiratorio latino nunca extinguido del todo
(fuera de las normas de la prosodia clásica).

Problemas demasiado intrincados para que nos pongamos ahora a
querer resolverlos.

---

[134]   Art. mencionado.

5.—VOCALES FINALES

1. El italiano mantiene las vocales finales; el francés moderno las pierde, fonéticamente, todas; el provenzal moderno mantiene como *-o*, *-a* o *-e* (según las distintas regiones) la *-a* latina, y pierde las demás vocales, salvo cuando por ser necesario un apoyo vocálico, tras un grupo de consonantes, las mantiene, lo mismo que fueran de la serie anterior que de la posterior, en forma de *-e*. Por lo que toca al estado medieval de la lengua, la diferencia principal, en materia de finales, entre el francés y el provenzal es que éste conservaba la *-a* y aquél la hacía *-e*. Al dejarse de pronunciar en francés la *-e* (lo mismo la procedente de *-a*, que la de apoyo, procedente ya de *-e*, ya de *-o)* llegó esta lengua a situarse en el extremo de la pérdida de vocales finales en la Romania.

Digamos, desde ahora, que el catalán va en esto decididamente con el provenzal del que apenas le separan pormenores (en catalán la *-a* ha dado *-ə*, *-ę* o *-a*, en catalán oriental, leridano y valenciano, respectivamente) [135].

El castellano (y luego veremos que con ligera diferencia también el portugués) tomó una posición distinta. En esa gradación que va de conservación a máxima pérdida, *a)* italiano, *b)* provenzal con catalán, *c)* francés, el castellano vino a insertarse entre el italiano y el provenzal. A diferencia de las lenguas románicas orientales, el castellano confunde en *-e* la *-i* original, con lo que, inutilizado el nominativo plural (que usan el italiano y el rumano), tiene que emplear la *-s* del acusativo para expresar los plurales. Comparado con el italiano, el castellano no sólo confunde, sino que pierde: cae la vocal de la serie anterior tras θ, *d*, *l*, *n*, *r*, *s*, *y (coz, ciudad, sol, pan, dar, mes, hoy)*, a no ser que la consonante vaya inmediatamente precedida por otra o por semivocal *(arce, cauce, humilde, laude, doble, baile, carne, peine, octubre, nombre, aire, forense, Orense)* o en la conjugación *(tiene, pide, diere,* etc.). La *-o*, en cambio, se conserva siempre [136]. El portugués y el cas-

---

[135] BADÍA, *GHC*, § 63, donde se indican muchos más matices; MOLL, *GHC*, § 87.
[136] Salvo en unos pocos casos de trabazón sintáctica, limitados a algunos pocos adjetivos o numerales *(el primer día, algún muchacho; cien* se usa también aislado,

tellano forman aquí un neto grupo [137] frente al que constituyen el proven-
zal-catalán y francés.

Pero, si consideramos ahora el dialecto aragonés, encontramos hoy, aquí
y allá, en sus zonas pirenaicas de mejor conservación, estados intermedios
entre el catalán y el castellano: la -e se pierde, en condiciones en que el
castellano la conserva (-nte, -nde) en voces como dién, fren, chen, 'gente',
fuen, glan; y también nuet, 'noche'; let, 'leche'; y lo mismo ocurre en plurales señals, labradors, pinás, 'pinares'; esquillons, mons, 'montes', o en
formas verbales como bians, 'vienes'. La -o, conservada siempre en castellano, cae en blan, 'blando'; tabán, 'tábano', y con más frecuencia en
los sufijos -an(o), -az(o), -et(o), -in(o), -uz(o); asimismo en plurales di-
ners, dinés, 'dineros', calders. Concuerda totalmente la toponimia, y nos da
ejemplos aún más violentos (Esporret, Tierz, Monclús), y los datos antiguos
de la misma nos proporcionan otros (Nociet, s. XI; Mont Accut, s. XII: hoy
Nocito, Huesca; Montagudo [138], Navarra). Lo mismo resulta de los antro-
pónimos y del léxico en general (gener, binater) [139], tal como aparece en los
antiguos documentos aragoneses. No cabe duda de que, por lo que toca a la
pérdida de -e y -o, la posición intermedia, entre el castellano y el catalán,
del aragonés, revelada por los actuales restos, existía en los tiempos antiguos y aún con más tendencia hacia los rasgos que hoy consideramos catalanes [140].

2. Lo notable es que una serie de hechos esparcidos por la Península
coinciden, en algunos aspectos, con lo que acabamos de ver en Aragón. La
lengua de los mozárabes, por lo que nos dejan atisbar sus antiguos restos,
perdía la -o en casos como -et(o) < -ittu, -et < -etu, -in(o), -air <
-ariu, -án(o), -iz(o), y en otros aún más violentos (aržént, kokómir,
imblíg 'ombligo') [141].

Es evidente que en Aragón y Navarra, la proximidad catalana y gas-

mientras que ciento, sólo aislado). En el período medieval, aun antes del influjo gali-
cista, de que luego hablaremos, había más casos, sobre todo en nombres de pila (Lope
Garsea, Ferdinande Alvarez, en donde la -e, muestra la caída o gran debilitación de -o),
de los que alguno (Lope) se generalizó. Véase R. LAPESA, La apócope de la vocal en
castellano antiguo, EMP, II, pág. 194.

[137] Véase, más abajo, § 4.
[138] M. PIDAL, Orígenes, § 36-3; ALVAR, Dial. arag., § 33-c.
[139] ALVAR, Ibid.
[140] M. PIDAL, Orígenes del español, § 36-3; A. KUHN, Der hocharagonesische Dialekt,
§§ 24, 58-59, 63, 75, 77, 82, 83, 84, 99, 102, y 104; M. ALVAR, El dialecto aragonés, §§ 33,
35, 80, 100 y 106.
[141] Orígenes del español, § 36-4. En kokómir, plural kokómroš, piensa Pidal que la
i es una especie de vocal de apoyo. Al mismo tiempo existía entre los mozárabes una

cona, la afluencia medieval de peregrinos y la población franca que existía en varias ciudades, han tenido que aumentar la tendencia a la pérdida de -e, -o. Y es imaginable que la pérdida de las vocales desinenciales entre los moros españoles pudiera producir un efecto análogo sobre la población mozárabe. El retraso de la reconquista aragonesa podría haber colaborado en la mayor abundancia de los casos de pérdida de la vocal final en esa región.

Choca cómo la pérdida de -o, por ejemplo, suele afectar a los mismos sufijos en altoaragonés moderno y en la antigua mozarabía peninsular[142] y en general la concordancia de muchos casos de pérdida de -o en el romance de tierra de moros y en los reinos cristianos, en especial en Aragón. Más curioso es que, al Occid. de Castilla, se repite la pérdida en algunos de estos sufijos: -ín en leonés y en gall. oriental, -én en leonés occidental y en gallegoleonés. También, pero en general con valor de diminutivo, -in es común al castellano. En cuanto a -ĕllu y -ŏlu, resultados de los tipos apocopados -iel, -el y -uel, -ol, llenan la toponimia de prácticamente todas las zonas peninsulares. Parece, pues, que hay que pensar en una causa unitaria para explicar tantos hechos particulares, todos coincidentes en sentido: hay que suponer que en las hablas peninsulares hubo una tendencia general y antiquísima a la pérdida de -e y -o ; esa tendencia era más fuerte en Oriente que en el Centro y Occidente. En el Centro y en Occidente, hasta llegar por algún punto a Oriente (Valencia) hubo una tendencia opuesta, es decir, conservadora de -e y -o.

Estas dos corrientes contrapuestas pudieron muy bien convivir en un mismo territorio. Obsérvese lo que ocurre en el día de hoy con -aðo, -aᵈo, -áo, -ạo, -áu. Todas estas formas conviven en el castellano peninsular[143] (in-

---

indudable veta de -o conservada. Véase Sanchis Guarner, *Introducción a la Historia Lingüística de Valencia*, Valencia, s. a., págs. 115-19, y A. Galmés, *El mozárabe levantino en los... Repartimientos de Mallorca y Valencia*, en *NRFH*, IV, págs. 326-330; los testimonios respecto a los moriscos valencianos y mallorquines resultan dudosos: pueden sacarse argumentos lo mismo en favor de la conservación de -o que de su pérdida.

[142] Será muy difícil explicar por cruce de sufijos la pérdida de -o en -ariu, -anu, -inu, -ēnu, -aceu, -iceu, -ittu, -ētu, -ĕllu, -ŏlu, etc. Véase, sin embargo, M. Pidal, *Gram. hist.*, § 83-4. Que la pérdida de -o, en unas zonas u otras, en unos tiempos u otros, se produzca precisamente de un modo más frecuente en sufijos, no tiene nada de particular: es en los sufijos donde se aceleran tendencias fonéticas refrenadas: recuérdese la historia de -atu, -atis, -abatis en español (esp. -aᵈo y -áo, -ais, -abais) frente a la general conservación de -d- < -t-.

[143] Prescindiendo de las complicaciones que traería el considerar los hechos hispanoamericanos. En la Argentina conviven -ado, con una -d- muy firme, y -áo. Lo primero es la pronunciación culta de Buenos Aires (al conferenciante español se le suele repro-

cluyendo los muy castellanizados aragonés y leonés). El filólogo que escriba dentro de mil años, ¿dirá que en castellano se perdía la -d- de -ado? ¿Que se mantenía? Si fuera a juzgar por la grafía, creería que la -d- se conservaba en la mayor parte de los casos. Ahora que la verdad es precisamente lo contrario. No olvidemos que lo que tenemos de la Edad Media son meras costumbres ortográficas, sin que apenas haya nada que nos pueda dar otros puntos de vista. Cuando la norma ortográfica es el latín no cabe duda de que lo único verdaderamente revelador es la grafía netamente opuesta a esa norma (es decir, en este caso, la apócope). Los casos tempranos (anteriores a 1175), de apócope gráfica, aunque sean relativamente pocos, tienen enorme valor de prueba. En fin creemos en esa tendencia original a la apócope, oculta las más veces por el latinismo completo o aproximado, y que fué favorecida por el arabismo en la mozarabía y por la influencia gala en el siglo XII. El influjo galo sería de léxico, y fomentaría las tendencias nativas a la apócope. Si formas como *kem*, *nol*, etc., salen a luz entonces, es a favor de esa tendencia, no porque no fueran autóctonas. Aunque sea testimonio tardío, no podemos menos de creer al Arcipreste de Hita que considera especialmente características del lenguaje más rústico de sus serranas las formas como *diót*, *dan* ('dame'), *sin* ('si me'), etc. Formas tan evolucionadas (la -*m* > -*n*, como es ley castellana) no se encuentran en los documentos.

3.   Parece, pues, lo más razonable, pensar en una muy antigua tendencia medieval a la pérdida de -*e* y -*o*, tendencia más fuerte en el E. peninsular, y, en contra, una tendencia al mantenimiento de -*e* y -*o* más intensa en el O.

Si se tiene en cuenta la posición intermedia del aragonés, no cabe duda que el castellano no está en neta oposición al tratamiento de las vocales finales que caracteriza al catalán, al provenzal y al francés: llegan a Castilla y también a Portugal como las últimas oleadas de un movimiento que tiene su punto de máxima intensidad y regularidad en el N. de la Galia (y que también se extiende por el E., por el retorrománico y el N. de Italia). Esta penetración lingüística del NE. que, por los datos anteriores, ha debido ocurrir primeramente en época muy antigua, ocurre de nuevo, digamos, ante nuestros ojos, en época histórica, desde fines del s. XI a mediados del XIII: son motivos culturales los que traen ahora un poderoso influjo

---

char —a mí me ha ocurrido— sus -*áos*). Pero en ese -*ado* porteño es posible que se crucen una preocupación culta y el influjo de la población de origen italiano y de origen gallego. En cambio, la tendencia natural del idioma castellano, se revela otra vez en la provincia argentina donde volvemos a encontrar el -*áo* y -*áu*. Comp. BERTA ELENA VIDAL DE BATTINI, *El habla rural de San Luis*, I, § 44-2b.

gálico, que al caer sobre una lengua como la castellana, que estaba indecisa entre conservación o pérdida de -e, y de modo más limitado, de -o, apoya poderosamente la pérdida. Rafael Lapesa ha historiado de la manera más iluminadora este capítulo de nuestra evolución cultural y lingüística [144]. En el siglo XIII hay un movimiento inverso, que se manifiesta ya débilmente en el reinado de Fernando III y con mucha intensidad en el de Alfonso X. A fines del reinado de éste se puede decir que está fijado el uso moderno; quedan, sin embargo, muchos restos del estado anterior: en el siglo XIV y XV se refugia la apócope en las costumbres ortográficas de zonas retrasadas, y cada vez más mortecinamente.

4. En Occidente, el portugués parece, a primera vista, tener una norma casi igual a la castellana: salvo que conserva la -e tras d (cidade). Sin embargo, en la pronunciación familiar, en Portugal, predomina hoy una pronunciación muy relajada de la vocal final (sobre todo la -e, también la -u = -o ortográfica, y aun la misma -a); la vocal queda muchas veces ensordecida, especialmente tras consonante sorda (pórt^u, fárt^u, Visént^e o Visént, sét^e o sét). En muchos casos se nota cómo las consonantes oclusivas, ante la vocal final desvanecida, se quedan virtualmente implosivas. Este proceso que tiende a la pérdida de la final es paralelo al de la síncopa tardía (no registrada por la ortografía) de vocales pretónicas y postónicas. WILLIAMS, que atiende (§§ 54, 59) a estos últimos, ni siquiera menciona el de la relajación y, a veces, ensordecimiento de la vocal final. La tendencia a la pérdida de vocales pretónicas, postónicas y finales coloca al portugués europeo moderno en una situación parecida a la del francés en el momento de su constitución. Si no fuera porque la cultura literaria las contradice, estas tendencias triunfarían completamente y el portugués europeo se convertiría en una lengua oxítona [145]. En el mundo hispánico no hay un caso de evolución vocálica tan notable: el español popular de Méjico se aproxima a esa situación por la tendencia a gran relajación y aun pérdida de las vocales finales, y, en general, de vocales no acentuadas [146].

Es necesario advertir que en el portugués del Brasil los hechos son bastante distintos: no existe esa extrema relajación y toda -e final se hace -i [147].

---

[144] R. LAPESA, La apócope de la vocal, EMP, II, págs. 185-226.

[145] Todo esto se exagera en la pronunciación más popular. Véase M. L. WAGNER, Portugiesische Umgangsprache und Calão, en VKR, X, págs. 5-6.

[146] Véase HENRÍQUEZ UREÑA, BDH, IV, 336; MATLUCK, NRFH, VI, 1952, 112-113; BOYD-BOWMAN, NRFH, VI, 138-139, y D. ALONSO, Unidad y defensa del idioma, en «Memorias del II Congreso de Academias de la Lengua», págs. 37-38.

[147] Véase I. S. RÉVAH, L'évolution de la prononciation au Portugal et au Brésil du XVIᵉ siècle à nos jours, en Anais do... Congresso... de língua falada no teatro, Río de Janeiro, 1958, págs. 391 y 392, y ANTÔNIO HOUAISS, art. cit., §§ 5.5, 9.5 y 13.5.

5. En cambio, el portugués popular de varias zonas conserva también -*e* (o -*i*) detrás de *l* y de *r*. Detrás de *r* lo hemos oído a veces a personas de formación cultural. Esta tendencia conservadora, del Occidente, resulta aún más clara en leonés; el uso varía de unas zonas a otras, y el matiz de la vocal, en algunos casos llega a -*i*: en Aller (Asturias) se conserva -*e* tras -*r*, -*l*, -*s*, -θ (*señor^e, árbole, tose, duce*) [148]; en ast. occidental *árbole, sede, tose, cumer^e* [149]; en Babia (León), *señore, parede* [150]; en la Cabrera Alta, *sed^e, muñir^e*, y también tras *l* y θ [151]; en San Ciprián (Sanabria) tras *r, d* y, en esdrújulos, *l* [152]. Sobre la pérdida de -*o* en sufijos como -*in(o)*, -*en(o)*, véase lo dicho más arriba.

----

[148] RODRÍGUEZ CASTELLANO, *La variedad dialectal del Alto Aller*, §§ 29-30.
[149] RODRÍGUEZ CASTELLANO, *Aspectos del Bable Occidental* § 37.
[150] GUZMÁN ALVAREZ, *El habla de Babia y Laciana*, págs. 213-214.
[151] MARÍA CONCEPCIÓN CASADO LOBATO, *El habla de la Cabrera Alta*, pág. 51.
[152] FR. KRÜGER, *El dialecto de San Ciprián de Sanabria*, págs. 61-62.

6.—RESULTADOS DE -KT-

1. En toda la Romania Occidental se ha producido el proceso *-kt-* > *-i̯t-*, atribuído por muchos lingüistas a sustrato céltico, cosa que otros niegan [153]. A nuestro juicio, la tesis céltica es la más aceptable.

El grado *-i̯t-* ha sido superado [154] en muchas zonas de la Romania Occidental. El proceso es, en su base, siempre el mismo: se produce una variación en el punto articulatorio de la *t* que la aproxima al de la semivocal *i̯*; al palatalizarse la *t*, se hace africada, y embebe en sí misma la *i̯* (pero no siempre): n ŏ c t e > *noi̯te* > esp. *noche*. Pero esta palatal, que en castellano es africada sorda š̑, puede ser, como vamos a ver, bastante variada:

En dialectos italianos del N. se encuentra a veces una medio palatal africada sorda ŷ̥; p. ej., **láŷ̥** < l a c t e, Valsesia, Piamonte; pero es mucho más frecuente el grado š̑; así, **lèš̑**, en la mayor parte de Lombardía, y en otros muchos sitios [155].

En hablas provenzales modernas, unas veces, š̑ (Marsella **fáš̑o** < f a c t a), otras veces la fricativa correspondiente (Mens **fáš̑o**), otras veces una africada alveolar sorda (Aviñón **fáš̑o**) [156]. Notable es también la frecuencia con que delante de la palatal se ha conservado (o destacado) la semivocal *i̯*: por ejemplo, en puntos del S. de Tarn, *drèicho* < d i r e c t a [157]. Este fenó-

---

[153] No son partidarios del celtismo de esta evolución, entre los críticos más recientes, ROHLFS, *Hist. Gramm. It. Spr.*, § 258 (aunque hace concesiones, pág. 427, n. 2) y LAUSBERG, *Romanische Sprachwissenschaft*, §§ 430-435. Partidario del celtismo es WARTBURG, *Frag.*, págs. 50-51.

[154] En el desarrollo de *-kt-* ya el grado *-i̯t-* es una palatalización; en lo que sigue, sin embargo, uso el nombre de palatalización para los procesos ulteriores que de *-i̯t-* llevan a resultados como el š̑ castellano y otros.

[155] ROHLFS, *Hist. Gramm. It. Spr.*, § 258.

[156] RONJAT, *Grammaire istorique*, § 51.

[157] RONJAT, *Grammaire istorique*, § 311.

meno se encuentra también, aquí y allá, en leonés: Babia **péį̑šu, pruƀéį̑šu** [158], ast. occid. (Bandujo, Quintanal, etc.) **ŝéįş̂ę** < l a c t e [159]; existen, asimismo, grafías medievales como *ejchado, eicho,* 1219 [160]. ¿Se trata, en realidad, de la antigua *į* del grupo *-įt-* que ha quedado sin embeberse en el nuevo fonema? Es curioso que lo mismo en territorio provenzal que en asturiano, estos casos de aparente conservación de *į* se den casi siempre en zonas fronterizas entre *-įt-* conservado o proceso de palatalización continuado: lo mismo podemos ver en la *į* un grado ligeramente retrasado (la *į* no se ha embebido aún) que simplemente el cruce entre la forma con *-it-* y la palatalizada.

También en el retorrománico grisonés se encuentran palatalizaciones variadas: en los dialectos renanos: **nǫ̑š, nǫŷ** y **nueŝ**; pero ya Engadina, y lo mismo Tirol y Friul se mantienen en *-t-* [161].

En Asturias, en algunos Concejos cerca de la zona donde *-kt-* > *-įt-* (Teberga, Quirós), o, esporádicamente, dentro de ella, se encuentra como resultado de *-kt-* un sonido que R. Castellano (que es quien lo ha observado por primera vez) describe como postalveolar africado sordo y representa por **ş̂** (su nota diferencial es el reforzamiento de la oclusión y una peculiar fricación silbante): Quintanal (Teberga) **nuéş̂ę** [162]. En zonas andaluzas, **ŝ** > **š** (Granada **léše**).

2. Hemos mencionado algunos de los sitios donde *-it-* ha llegado a dar una consonante palatal (o más exactamente, con puntos de articulación entre alveolares y mediopalatales). En otros muchos lugares no ha ocurrido así, sino que, o bien se ha conservado *-it-* (turinés *noit*) o bien se ha perdido la *į*, como en ligurés *nöte,* en engadino *nǫt* [163], etc.

Estas dos posibilidades básicas (*-it-* o palatalización) se encuentran también en la Península Hispánica: el castellano desde el primer momento representa la segunda. La palatalización castellana existía, por lo menos, desde el s. XI. Pero las grafías más antiguas *(g* o *gg, fregas* < f r a c t a s ,

---

[158]   G. ALVAREZ, *El habla de Babia y Laciana,* pág. 226.

[159]   RODRÍGUEZ CASTELLANO, *Aspectos del Bable occidental,* pág. 156.

[160]   M. PIDAL, *Orígenes,* § 51, 2.

[161]   Sin embargo, Lutta, apoyado por Wartburg, cree descubrir pruebas de que la palatalización alcanzó también a Engadina; también hasta el Adige habría huellas de un desarrollo *-it-.* Pero ya no al E. del río, ni en veneciano, *Frag.,* pág. 51. Los enemigos de la tesis céltica, citan textos en veneciano ant. con *-it-* (ROHLFS, *Hist. Gramm. It. Spr.,* I, pág. 428; LAUSBERG, *Romanische Sprachwissenschaft,* § 435). Comp. GARTNER, *obra cit.,* págs. 160-161.

[162]   R. CASTELLANO, *Aspectos del Bable Occidental,* §§ 18 y 63, 2.

[163]   Pero véase la opinión de Lutta y Wartburg, más arriba, nota 161.

1096, *Cadreggas* < c a t a r a c t a s , 1082; o *i, proueio* < p r o f e c t u , Madrid, 1202) [164] no permiten saber el exacto punto de articulación; lo más probable es que hubiera varias articulaciones palatales distintas, como hoy en el norte de Italia y también en zonas dialectales españolas; si así era, la articulación š las cubrió luego, en Castilla, a todas (véase más abajo, páginas 70-71).

La conquista castellana lleva su š hacia el Sur, y la ensancha hacia el E., en territorio navarro y aragonés, que en la Edad Media tenían *-(i)t-*, como hoy en el alto aragonés, y algo también hacia el O.; aunque aquí piensa M. Pidal que el retroceso de *-it-* no ha debido ser muy grande (el Oriente leonés debió de tener siempre palatalización); el leonés central tuvo primero *-it-* y fué ganado por el avance de la palatalización [165]. Hoy se encuentra *-it-* (según R. Castellano) en los Concejos asturianos de Luarca, la mayor parte de Tineo, parte de Salas, de Belmonte, y de Pola de Somiedo [166]. Estos Concejos forman, pues, el extremo oriental de la zona de *-it-*. Penetrando en León, tienen aún *-it-* Babia y Laciana [167]. Algo más al S. no tenemos datos continuos: al N. de Ponferrada tienen *-it-* Sancedo y Ocero (habla leonesa); al S., Pombriego, Benuza y Silván (habla leonesa) [168]. Más al S. hay *-it-* en Cabrera Alta [169]; y quedan algunos restos en la región de Sanabria: en S. Ciprián y en pueblos bien al E. de la Puebla, como Escuredo, Doney de la Requejada y Santiago de la Requejada [107]. De ahí al S. no hay noticia de *-it-* leonesa.

Al E. de Castilla, en Aragón, la š castellana suplanta desde fines de la Edad Media a la antigua *-it-*, que queda hoy reducida a la región pirenaica (Torla, Aineto, Aragüés, Ayerbe, Bielsa, etc.), y llega por el O. hasta Ansó, Hecho, Embrún, Loarre y Bolea [171]. La pérdida o combinación de *i* que existe a veces en los documentos medievales, se encuentra también en ocasiones, en lo moderno: *dreto*, Ansó, y es muy frecuente, más al E., en Bielsa *(feto* < f a c t u , *let* < l a c t e , *cueto* < c ŏ c t u , *nuet* < n ŏ c t e , *dreto* < d i r e c t u , *estret* < s t r ĭ c t u), por

---

[164] M. PIDAL, *Orígenes*, § 15, 3 y 51.
[165] Ibidem, § 51, 1-3.
[166] RODRÍGUEZ CASTELLANO, *Aspectos del Bable Occidental*, pág. 151.
[167] G. ALVAREZ, *El habla de Babia y Laciana*, pág. 226. Pero alternando, como hemos dicho, con -iš-.
[168] De interrogatorios nuestros, hechos en 1953, en los pueblos mencionados.
[169] CASADO LOBATO, *El habla de la Cabrera Alta*, § 34.
[170] KRÜGER, *El dialecto de San Ciprián*, § 57, texto y n. 1.
[171] M. PIDAL, *Orígenes*, § 51, 1; KUHN, *Hocharag. Dialekt*, § 2; ALVAR, *Dial. arag.*, §§ 40, 3 *d* y 93.

tanto, en el caso de *a* y *ẹ* con resultados semejantes a los del catalán [172].

Desde el Occidente leonés donde hay -*it*-, hacia el O., se penetra en el gallego y en su caso en el portugués donde continúa -*it*-. Pero también la *i* se pierde en gallego-portugués en muchas ocasiones: en el gallego-asturiano de los Oscos, tras *e*, *derẹto* < d i r ē c t u , *pẹto* < p ĕ c t u [173]; en gallego, al lado de *troita* < t r ŭ c t a , hay en diversas zonas *truita*, *trutia* (E. de Lugo, cerca de Ponferrada) [174], *truta* (Viana, Orense [175]). También en portugués, *truta*.

En catalán y en sus dialectos, asimismo, -*kt*- > -*it*-: también aquí, como hemos dicho, la *ị* se ha combinado con *a* anterior: *feta* <f a c t a ; y desaparece tras *ẹ*: *dreta* < d i r ē c t a [176].

3. El resultado de -*kt*- muestra, pues, una clara distribución en la Península: el núcleo castellano con su š, se ha desarrollado hasta el extremo sur (el territorio mozárabe, según M. Pidal, tenía también -*it*- [177]) y ha disminuído, sin eliminarlos del todo, los territorios de -*it*- leoneses por el O., y aragoneses por el E. Más al O. el gallego-portugués, y el catalán por el E., prolongan las zonas de -*it*- (a veces -*t*-, -*tj*-).

Volviendo los ojos ahora al S. de Francia (prescindiendo, claro, del catalán Rosellón), encontramos [178] una zona formada por todo el gascón y los departamentos de Haute-Garonne, Ariège y Aude, en donde -*kt*- > -*it*-: esta zona prolonga, pues, la de -*it*- del alto aragonés y del catalán.

Hay todavía otra zona de -*it*- en provenzal, al E. y al N., pero está separada de la primera por una gran faja continua de palatalización.

Considerando en conjunto Francia y la Península Hispánica, por lo que toca a los desarrollos de -*kt*-, vemos que los dos resultados básicos (-*it*- y palatalización) están alternados, se diría, que casi a franjas: una, de -*it*- montada sobre los Pirineos, se extiende de O. a E. por el extremo meridional de Francia, y en contacto con ésta, otra, al S. de la frontera francesa, corre en territorio español desde el alto aragonés al catalán, para en-

---

[172] BADÍA MARGARIT, *El habla del Valle de Bielsa*, Barcelona, 1950, § 52, y «Vocabulario».

[173] De interrogatorios nuestros en la región.

[174] De interrogatorios nuestros en la región.

[175] M. GARCÍA PAZ, *IV Melodia*, Orense, 1935, págs. 49 y 108; y, ahora, L. PRIETO, *Contos Vianeses*, Vigo, 1958, pág. 14.

[176] BADÍA MARGARIT, *GHC*, § 84; MOLL, *GHC*, § 151.

[177] *Orígenes*, § 51, 4. Las pocas grafías son dudosas. Pidal las transcribe en nuestros caracteres: -*gt*-, -*xt*-, -*ht*-, -*yt*-. Las primeras parecen representar un grado muy arcaico de la evolución -*kt*- > -*it*-.

[178] RONJAT, *Grammaire istorique*, § 311; ROHLFS, *Le Gascon*, § 373. Véase más bibliografía en BALDINGER, *Sprachräume*, pág. 7.

sancharse hacia el S. por todo el dominio catalán: ahora al O. (y en dirección de N. a S.) se extiende la ancha faja castellana con su š, y al Occidente
de ella, la gallego-portuguesa (y occidental leonesa) de -it-. Volviendo a
Francia, después de la faja desde el O. al E., de -it-, hay, al N. dentro del
territorio provenzal, una de palatalización; más al N. aún, otra de -it-, que
ya empalma con el francés del N. [179].

---

[179] Véase la descripción pormenorizada en RONJAT, § 311, y un mapa, con las zonas en territorio provenzal, en KUHN, *Hocharag. Dial.*, frente a la pág. 14.

7.—SOBRE LA Ü ROMANICA

EXTENSIÓN DE ü < u

1. En la mayor parte de la Romania occidental *u* > *ü*. Hay que exceptuar, en el dominio lingüístico italiano, algunos valles del Tesino y todo el Véneto; también la llanura de la Emilia (desde Parma) con la Romaña, pero en la línea correspondiente de los Apeninos hay *ü* hasta la altura de Bolonia e indicios o restos hasta el Adriático [180]. En el dominio retorrománico tienen *ü* el grisonés y, en parte, el tirolés, frente a la *u* del friulés [181]. En el dominio francés no tiene *ü* la Valonia oriental; tampoco la tiene el francoprovenzal del alto Valais [182]. A estos territorios de *u* habría que agregar ahora en bloque la Península Ibérica (con el Rosellón), si no fuera porque unas zonas de Portugal tienen también *ü*. Ocurre así en una vasta región que, según Leite de Vasconcelos, se extiende por lo menos desde Fundão y Sertã (Beira Baixa) hasta Portalegre (Alto-Alentejo); y también en Alvaiázere (Beira-Litoral) y Paialvo (Ribatejo); y, en el extremo sur, en Lagos

---

[180] Véase la acertada exposición de WARTBURG en *Frag.*, págs. 62-66.

[181] TH. GARTNER, *Handbuch der rätoromanischen Sprache und Literatur*, págs. 140-142. En gran parte de los Grisones se ha completado un proceso *u* > *ü* > *i* (d ū r u > *dir*) que se encuentra también en otras zonas románicas (en puntos ligures, también *dir* 'duro', ROHLFS, *Hist. Gramm. It. Spr.*, § 36). En puntos de la Engadina la *i* así resultante tiene las mismas diptongaciones de la *i* latina *(deïr*, y en fin, *dekr*, con diptongo «endurecido»). Hay en la costa adriática una serie de puntos (en el S. de las Marcas, en Abruzos y en Apulia) donde *ū* > *i* (ROHLFS, *Hist. Gramm. It. Spr.*, §§ 36 y 39). Rohlfs supone muy razonablemente que esa *i* debe proceder de un proceso de diptongación (quizá a través de *iu*). Al otro lado del Adriático, en el dálmata de Vedia se encuentra *šol* < c ū l u , para el que se suele suponer una etapa previa *kūlu*, es decir, que la palatalización de *u* en *ü* habría originado la de *k-*. Pero si se tiene en cuenta que el dálmata diptonga todas las vocales, lo más razonable parece pensar que en este caso hubo también una diptongación de tipo *iu*. Es lo que parece indicar *yoin* < ū n u , *yoiva* < ū v a ; en *šol* el elemento *i* se habría embebido tras palatalizar la *k-*.

[182] H. HAFNER, *Grundzüge einer Lautlehre des Altfrankoprovenzalischen*, Berna, 1955, página 57.

y Vila-do-Bispo y en Sagres (Algarbe) [183]. Según Hammarström, hay una tendencia a esta vocal en todo el occidente del Algarbe [184]. Asimismo existe *ü* en
la isla de Madeira y en la de San Miguel, ésta del Archipiélago de las Azores [185].

En lo que antecede, hemos representado por *ü* dos sonidos próximos,
pero evidentemente distintos: uno, la *ü* francesa o alemana, vocal palatal
por lo que respecta a la posición de la lengua, pero pronunciada con redondeamiento de los labios; otro, la vocal sueca y noruega, que Hammarström
designa como «labial» y da para ella distinta notación. Es, según él, la
fuerte labialización lo que da a la vocal noruega, sueca y algarbeña su carácter anterior; la lengua, relativamente poco tensa, juega menor papel.
Bien se ve, aun a través de lo poco preciso de estas definiciones, que para
Hammarström la diferencia entre la *ü* francesa, alemana o sueca (pues en
Suecia existen las dos) y este otro sonido sueco y noruego consiste en que
en la *ü* predomina la posición lingual y en el otro la labial. Nosotros vamos
a prescindir de estos matices: es evidente que siempre hay un adelantamiento de la posición lingual y una labialización; la mayor o menor predominancia de uno de estos dos rasgos puede dar como resultado toda una serie de matices.

En las muchas discusiones sobre la antigüedad de la $ü < u$ y sobre sus
causas, sólo recientemente se han comenzado a citar estos curiosos casos
portugueses [186]. Es notable en ellos su apartamiento con relación a la zona
principal de *ü* [187]. Por lo demás, la *ü* románica es un gran manchón continuo que ocupa toda Francia, salvo el Rosellón, penetra en Bélgica y en
Suiza y ocupa el norte de Italia, en las proporciones que hemos visto.

---

[183] LEITE DE VASCONCELOS, *Esquisse d'une dialectologie portugaise*, págs. 95-96,
102 y 155-156; véase también H. MESSERSCHMIDT, *Haus und Wirtschaft in der Serra
da Estrêla*, en *VKR*, IV, 1931, pág. 76.

[184] GÖRAN HAMMARSTRÖM, *Étude de phonétique auditive sur les parlers de l'Algarve*. Uppsala, 1953, págs. 146-152.

[185] FRANCIS MILLET ROGERS, *Insular Portuguese Pronunciation: Madeira*, en *Hisp.
Rev.*, XIV, 1946, págs. 239 y 241-242; del mismo: *Insular Portuguese Pronunciation:
Porto Santo and Eastern Azores*, en *Hisp. Rev.*, XVI, 1948, págs. 13-15.

[186] MARTINET ha elegido como ejemplo la situación del vocalismo en la isla de San
Miguel, de las Azores, en su artículo *Function, Structure and Sound Change*, en *Word*,
VIII, 1952, págs. 1-32, texto que reproduce en *Économie des changements phonétiques*,
Berna, 1955, § 2.18, donde ahora considera también los fenómenos del Algarbe,
§ 2.19.

[187] La comparación con la *ü* noruega ya en LEITE DE VASCONCELOS, *Esquisse*, página 81, y con la sueca en GONÇALVES VIANA respecto a Madeira, *Essai de Phonétique...*,
reprod. en *BdF*, VII, 1940-44, pág. 170 n. 1, y respecto a San Miguel en *RLu*, I, 224;
pero explica la articulación como de escasa protracción y más dental que labial,« permaneciendo os labios descerrados».

OPINIONES SOBRE LA ANTIGÜEDAD DE ü < u

2. La *ü* < *u*, ¿qué antigüedad tiene? Son muchos los filólogos que la creen relativamente tardía. Hace mucho que Meyer-Lübke disparó su andanada de argumentos en contra de una gran antigüedad; para él se trata de un fenómeno sumamente invasor, tanto que en su avance salta las lindes románicas y se mete en el Valais alemán, en valles del Tirol y en un dialecto vasco [188]. Correspondientemente, no se comprueba su existencia, sino tardíamente, siglos XIII o XIV en el francoprovenzal, en el lorenés, en el borgoñón, en el provenzal, ni en el francés del NE., en cuyo extremo último no ha penetrado aún hoy [189]. Rohlfs, por lo que toca al norte de Italia, lo considera también relativamente tardío [190]. Todo esto vendría a ser apoyado por las observaciones personales de Hammarström: el hecho de no ser estable la «calidad anterior» («se diría una evolución no acabada»), y ser los jóvenes los que pronuncian más anterior la vocal, lleva a Hammarström a pensar en un fenómeno reciente, que excluiría toda idea de «sustrato» [191].

De modo contrario opinan, no sólo los que, como Wartburg, creen que el fenómeno está enraizado en el sustrato galo [192], sino quien, como E. Richter, a base de argumentos de cronología relativa, lo cree originado en el siglo VIII (aunque no completado hasta el X) [193]. Para estructuralistas como Lausberg, sería aún más temprano, del siglo IV, del momento en que el sistema vocálico cuantitativo latino fué sustituído por el cualitativo: a causa del poco espacio que la región velar daba para la distinción de *ǫ*, *ọ* y *u*, esta última

---

[188] *Introducción a la lingüistica románica*, Madrid, 1926, §§ 233-236; *Das Katalanische*, Heidelberg, 1925, § 3.

[189] V. bibliografía en E. RICHTER, *Beitr. zur Gesch. der Romanismen*, pág. 255, en H. HAFNER, *Grundzüge einer Lautlehre des Altfrankoprovenzalischen*, págs. 57-58 y en general, para el tema, en HAUDRICOURT y JUILLAND, *Essai pour une histoire structurale du phonétisme français*, París, 1949, págs. 101-102, notas.

[190] *Hist. Gramm. It. Spr.*, § 35.

[191] Obra cit., pág. 148. La poca estabilidad puede ser por crecimiento, pero también por retroceso: por de pronto hace unos sesenta años el fenómeno fué observado en Lagos, antes de 1901, por LEITE DE VASCONCELOS (*Esquisse*, págs. 95-96); ahora HAMMARSTRÖM (pág. 59) apenas encuentra en Lagos y sólo en dos casos, una ligera calidad anterior de la *u* (para la que ni siquiera se atreve a emplear su notación de la *u* «labial»). Más parece retroceso que avance. Obsérvese que la nueva generación puede reflejar el lenguaje tradicional de la madre (D. ALONSO, *En la Andalucia de la E*, págs. 33-34; M. ALVAR contradice ahora mi interpretación en un artículo en prensa). Estas observaciones no pretenden zanjar la cuestión, sino sólo mostrar que no es tan sencillo distinguir entre avance y retroceso.

[192] *Frag.*, 52-69.

[193] Obra cit., pág. 256.

vocal habría pasado a tener un punto de articulación palatal conservando el redondeamiento de labios. No niega Lausberg la posibilidad de influjo galo; cree, sí, que el fenómeno originado en la Galia se habría extendido a sus límites actuales más tarde, durante el imperio carolingio [194].

CRÍTICA DE ESAS OPINIONES

3. La explicación estructural de Lausberg, expuesta también independientemente por Haudricourt y Juilland [195], está basada en la observación ya hecha repetidas veces antes de ahora, de la existencia de toda una serie de cambios vocálicos que suelen acompañar al de $u > \ddot{u}$. Tal explicación, sin embargo, no aclara mucho las cosas: ¿Por qué había de resultar intolerable en unas zonas la coexistencia de ρ, ρ y u, que otras zonas (Toscana, Cataluña [196] y, salvo excepciones, Portugal) toleraron perfectamente? Pero es que, además, hay sistemas en los que ocurren desdoblamientos ρ/ρ casi ante nuestros ojos, sin que en esos sistemas se altere la u. De un sistema como el castellano, donde no hay diferencia fonológica entre ρ y ρ, procede el andaluz oriental, donde la distinción de ρ y ρ es neta y tiene un importante valor oposicional (sing. *tonto*, plur. *tonto*); y sin embargo, la u no ha sido perturbada. Pues ¿cómo, si hubiera una verdadera dificultad fisiológica para la coexistencia de ρ, ρ y u, la propia fisiología humana había de crear tal triplicidad en un sistema que antes sólo tenía o y u? [197].

Choca también que, si se trata de la expansión de un fenómeno originado en una zona limitada, dicha expansión haya ido a recubrir casi exactamente el territorio de más fuerte base céltica de la Romania, y que se haya

---

[194] *Zum romanischen Vokalismus*, en *RF*, LX, 1947, págs. 298-301.

[195] *Essai pour une histoire structurale du phonétisme français*, París, 1949.

[196] No se puede decir, como escriben HAUDRICOURT y JUILLAND, que «le catalan, ou tout au moins certains de ses dialectes, tend à confondre les deux degrés moyens d'aperture» *(Essai*, pág. 109). El catalán, que ha tenido profundos cambios en las vocales *e*, mantiene precisamente las vocales *o* con los mismos matices del latín vulgar: ρ y ρ; y junto a ellos persiste una *u* que no ha sido perturbada. Sólo en el Rosellón la ρ ha dado una *o* media, mientras que la ρ se cerraba en *u*; cosa curiosa, la $u < \ddot{u}$ no ha sido afectada tampoco, contra lo que harían esperar las explicaciones estructuralistas. (Comp. BADÍA, *GHC*, §§ 51-52). Para Capcir (Rosellón), véase lo que se dice en el texto.

[197] D. ALONSO, A. ZAMORA y M. J. CANELLADA, *Vocales Andaluzas*, pág. 215. F. SCHÜRR *(Zum Wandel $\ddot{u} > \ddot{u}$ im Französischen*; en *EMP*, V, págs. 134-136) ha hecho notar que la lengua, generalmente, para salir de un apuro se suele limitar a utilizar elementos ya existentes: es decir, es lo más probable que hubiera alguna causa exterior al sistema, que llevaba hacia $\ddot{u}$.

parado, por ejemplo, en el N. de Italia, en el punto en donde cesa el sustrato céltico frente al véneto, y, en fin, nos choca que cuando aislados en el extremo S. O. aparecen unos manchones de *ü*, sea en partes del O. de la Península Hispánica. Aunque la distribución de los celtas en nuestra Península es materia no aclarada del todo, una cosa parece indudable: la predominancia céltica en el O. peninsular.

ENTRE U Y Ü, SITIOS DE Ö

4. La separación de la Península Ibérica (con el Rosellón), con relación a la Galorromania, en lo que toca a la *ü*, no es neta. Hay en el NO. del Rosellón una pequeñita zona (Capcir)[198] en donde la *u* > *ö*; correspondientemente, del lado provenzal, en una zona que va desde Aguas Muertas hasta la frontera catalana, hay una *ö* < *u*; pero esta zona está separada de la de Capcir por otra que tiene *ü*[199]. Es interesante, a este respecto, comparar con lo que ocurre en el E. de Lombardía, al O. del lago de Garda y de Mantua (al E. queda la *u* véneta). También ahí, en ese extremo de Lombardía, hay una zona de *ö*, y esa zona se prolonga también hacia el SE., es decir, frente a la *u* emiliana[200]. Estos casos de *ö* que vemos aparecer en regiones distintas, en sitios donde hay un límite *u/ü* ¿han de interpretarse como etapa intermedia de una evolución hacia *ü*? ¿o, por el contrario, como comienzos de despalatalización de una *ü* anterior?

ZONAS DE U > Ü SÓLO EN DETERMINADAS CONDICIONES

5. También en zonas extremas del gran manchón románico que hoy tiene *ü*, ésta no se ha producido en todas las circunstancias: en buena parte de la Valonia *ū* + nasal > *ó*, e inmediatamente al E. de esa zona, como hemos dicho, toda *ū* > *u*. También en el francoprovenzal hay una gran zona donde *ū* + nasal > *ó*. Más interesante es aún para nosotros el hecho de que en algunos dialectos franceses del E., y también en francoprovenzal[201], el cambio *u* > *ü* se encuentra sólo en posición acentuada; esta misma, según

---

[198] Sobre el Capcir y su habla, v. A. GRIERA, *El dialecte de Capcir*, en *BDC*, III, 1915, págs. 115-136.

[199] RONJAT, *Grammaire istorique*, I, pág. 129, opina que esta *ö* < *u* del provenzal mediterráneo es un hecho reciente, porque los textos escritos no toman en cuenta este fenómeno sino en época muy cercana a nosotros.

[200] Véase en el AIS, 183 y WARTBURG, *Frag.*, págs. 64-65.

[201] HAFNER, obra cit., pág. 57.

Rogers, es también la situación en las islas portuguesas de Madera y San Miguel [202], y, según Hammarström, en el Algarbe [203].

CONSIDERACIONES FINALES

6. He aquí, pues, una serie de hechos que todos vienen a coincidir esencialmente en lo mismo: la incompleta instalación de *ü* en zonas limítrofes o extremas. Unas veces aparece $\breve{o} < \bar{u}$, otras, $\bar{u}$ + nasal > $\tilde{o}$, otras, toda $\bar{u} > u$ (y no *ü*), otras veces, sólo la $\acute{u} > \ddot{u}$ (mientras la no acentuada > *u*). Parece, pues, que en esas zonas, o bien se trata de una invasión de *ü* procedente de regiones próximas [204], o bien de un nacimiento autóctono de *ü* que no encontró terreno tan favorable para su desarrollo, o bien de zonas en donde el fenómeno está en retroceso. En favor de la tesis de la «invasión» parece hablar la entrada de *ü* en zonas limítrofes no románicas, como en el vasco suletino.

Por otra parte, la casi exacta [205] coincidencia del gran manchón de *ü* y la Romania céltica, así como la no existencia de *ü* en las zonas no célticas o menos célticas de la Península Hispánica, y su reaparición, aunque esporádica, en ciertos territorios del O. céltico de la misma [206], son hechos

---

[202]   ROGERS, lo mismo para Madera que para San Miguel insiste en que la *ü* procede siempre de *ū* acentuada *(Hisp. Rev.* XIV, págs. 239 y 242; ibid., XVI, págs. 13 y 14). GONÇALVES VIANA y LEITE DE VASCONCELOS creían que en San Miguel toda *ū* (acentuada o no) se convertía en *ü*; frente a ellos *(Hisp. Rev.* XVI, pág. 15), Rogers sostiene que sólo ocurre así cuando la *ū* es acentuada.

[203]   Obra cit., págs. 51-53.

[204]   V. MEYER-LÜBKE, *Das Katalanische*, pág. 10.

[205]   Algunos desajustes entre la extensión actual de *ü* y la del sustrato galo fueron señalados por MEYER-LÜBKE, *ILR*, § 234. Véanse las contestaciones de WARTBURG, *Frag.*, págs. 62-66 (si bien el argumento respecto a Misox, pág. 62, no es válido: hay una serie de puntos en Italia, Galicia y Portugal donde toda *á* tónica se cambia en *e* si en la sílaba precedente hay o ha habido *i* o *u*, véase más abajo, págs. 149 y ss.). Estos desajustes, creemos, no tienen la menor importancia, sobre todo cuando se producen en los bordes de un manchón de sustrato: son, precisamente, lo esperable.

[206]   Ya LEITE DE VASCONCELOS señalaba *(Esquisse,* pág. 96, n. 1) la posibilidad de utilizar la *ü* de zonas portuguesas como argumento a favor de una acción de sustrato céltico; pero rechazaba la idea por no haberse originado *ü* en el N. donde también hubo celtas. Naturalmente que todas las zonas centrales y meridionales de Portugal, donde hay *ü*, son a consecuencia de la Reconquista tierras de colonización lingüística y étnica. Los indudables elementos célticos del O. peninsular hubieron de ser, con esos movimientos étnicos, perfectamente entremezclados. Siempre será muy curioso que la Europa románica tenga el gran manchón de *ü* en tierras célticas y unas pequeñas manchitas de *ü* en el más extremo SO. céltico.

que parecen hablar en favor de la tesis del sustrato. Los argumentos estructuralistas y la correlación de cambios como $u > ü$ junto a $\rho > u$, señalada también fuera de las lenguas románicas, no dejan tampoco de tener interés. Pero, inicialmente, el fenómeno ¿se produjo dentro del sistema, o por causas exteriores al sistema? ¿Es que ρ llegaba a los dominios de u, y entonces u, para diferenciarse bien, tendió hacia $ü$? ¿O bien que, por causas ajenas al sistema, la población pronunciaba la u con un matiz palatal que llegó a $ü$, y entonces la ρ pudo diferenciarse mejor aún de ϱ, pasando en algunas lenguas a ocupar el espacio vacío u? O, dentro de la pura consideración estructuralista, cuando como en el Algarbe [207] $ei > \varrho$, y ϱ tiende hacia ϱ, ϱ hacia a, a hacia ϱ, ϱ hacia u, u hacia $ü$, es evidente que todos estos hechos están relacionados; pero ¿dónde se originó el movimiento? No cabe duda de que puede haberse iniciado en cualquier eslabón de la cadena. Y a primera vista parecería que el elemento perturbador puede ser la $\varrho < ei$, y así ha sido explicado a veces [208]; en ese caso la producción de $ü < u$ sería un efecto rebotado. Sea de esto lo que fuere, la perspectiva estructural viene, sí, a plantear problemas muy interesantes, pero problemas de cuya solución estamos muy lejos [209].

Ante tanta explicación contrastada, cada una a base de indicios notables y ninguna con fuerza resolutoria, la única posición posible es la de una prudente reserva. Aunque admitamos el sustrato céltico, es evidente que en los extremos del territorio, por lo menos, han ocurrido avances de la $ü$, y también han podido ocurrir retrocesos. La tesis estructuralista no nos explica por sí sola por qué en ciertas zonas donde hay ϱ, ϱ y u, no se ha producido la palatalización de esta última vocal, y por qué siguen naciendo desdoblamientos de ϱ y ϱ sin que se perturbe u. ¿Por qué no han de haber podido combinarse dos o más causas principales para el desarrollo de la $ü$? La tesis del sustrato no se opone a la de la propagación: es posible que determinadas regiones célticas pronunciaran la u con un corrimiento del punto de articulación más netamente palatal que otras, y en esto pudo haber muchos grados. Y ninguna de estas dos tesis se opone a la del estado de molestia relativa creado por la coexistencia de ϱ y u; pero hay otras perturbaciones del sistema vocálico que, como efecto rebotado, han podido crecer o exacerbar esa molestia. Lo único que sería absurdo sería imaginar que $u > ü$ ha sido un fenómeno tardío, producido autóctonamente en multitud de puntos inconexos, que, luego, por una especie de milagrosa coalescencia, habrían ido a producir ese gran manchón, coincidente —nueva

---

[207] HAMMARSTRÖM, págs. 160-162.

[208] Véase JUNGEMANN, en *Word*, XI, 1955, pág. 317 (donde remite a *Word*, VIII, 1952, pág. 17).

[209] Nos resulta extraña la seguridad con que MARTINET habla de «la solution structurale de ce problème» (*Economie*, pág. 52, n. 21).

maravilla— con la Romania céltica. Tampoco se puede pensar en un nacimiento en una pequeña región que luego se hubiera prolongado a esa inmensa mancha: eso ocurre con una Castilla, que va imponiendo con su imperio su propio dialecto; pero nada hay ni remotamente semejante para el territorio de *ü*, ni siquiera en el imperio carolingio, el cual pudo, desde luego, influir algo en la homogeneización geográfica del fenómeno.

Lo único seguro, a nuestro juicio, es que ese gran manchón tiene que tener una explicación fundamentalmente unitaria y basada en hechos antiguos.

8.—RESULTADOS DE -LJ-, -KL-, -GL-

1. Toda la Península Hispánica participó en el proceso *-lj-* > *-ļ-*. Este fué común no sólo a la Romania Occidental sino también a la Oriental: m ŭ l i ĕ r e > arrum. *muļare*, menglenorrum. *muļari*, it. ant. *mogliera*, engad. sobreselv. *muglier*, franc. ant. *moillier*, prov. *molher*, cat. *muller*, gall. *muller*, port. *mulher*. Pero el sonido *-ļ-* resultó sumamente inestable. Por toda la Romania brotó, con más o menos crecimiento y difusión, el mismo fenómeno, a saber, la deslateralización de *-ļ-*, que en muchos casos ha llegado a nosotros como yeísmo (hay hasta una lengua literaria, el francés, cuya deslateralización, salvo en zonas dialectales, es total, pero que sigue aferrada a la vieja ortografía): m ŭ l i ĕ r e , p a l e a , f ŏ l i a > rum. *muiere*, It. N. *paya*, retorr. tirol. *fŏya*, *feia*, fr. *feuille* fŏy, *paille* páy, prov. rodan. *payo*, *muyé*, cat. orient. muyę [210], ast. *muyer*, gall.-ast. *muyer*. De otros tipos de deslateralización hablamos más abajo.

Hay otros grupos de sonidos cuya historia confluye con la de *-lj-*, pero sólo en la Romania Occidental: son los del latín vulgar *-kl-* y *-gl-*: ŏ c ŭ l u > engad. *ŏgl*, sobreselv. *egl*, fr. *oeil*, prov. *uelh*, cat. *ull*, arag. *uello*, port. *olho;* r ē g ŭ l a fr. ant. *reille*, prov. *relha*, cat. *rella*, gall. *rella*, port. *relha*. La pronunciación, unas veces es *-ļ-* y otras veces no es lateral, como ocurría con los resultados de *-lj-*: el fr. *cailler* < c o a g ŭ l ā r e se pronuncia kayę, y en parte del prov. mod. *calhar* se pronuncia kayá, etc.

También en la Península Hispánica estos dos resultados (*-ļ-* y *-y-*) se reparten, salvo excepciones, los territorios del E. y del O. En el centro, Castilla ha propagado su muy especial *j* (pronunciada x): *mujer*, *ojo*, *reja*.

Dada la coincidencia absoluta en el románico occidental, trataremos de las tres procedencias (*-lj-*, *-kl-* [211] y *-gl-*) a la vez.

En la Península persiste actualmente la *-ļ-* < *-lj-*, *-kl-* y *-gl-*, en parte del catalán (en el occidental, con la ciudad de Barcelona, el valenciano y

---

[210] El catalán y el provenzal tienen zonas de pronunciación ļ y zonas de pronunciación y. El catalán mantiene en todo caso la ortografía *-ll-;* en provenzal el uso es vacilante entre *-lh-* y *-i-*. Comp. RONJAT, *Grammaire istorique*, § 53.

[211] Con *-kl-* confluye *-t'l-* (v e t ŭ l u > *vetlu* > *veklu*).

el rosellonés) [212] y en los restos que el altoaragonés conserva del antiguo dialecto [213] (en las otras regiones de Aragón ha triunfado la pronunciación castellana) [214]. En occidente, esta -ḷ- es general en el dominio gallego-portugués. En el gallego hablado en el O. de Asturias triunfa hoy la -y- [215]. La pronunciación antigua en leonés era -ḷ-, según lo acreditan las grafías ll, si bien ya en el siglo XIII, en zona centralmente leonesa, se encuentra alguna vez y [216]; y -y- es hoy la pronunciación general en leonés. Sin embargo, en los últimos tiempos se han ido conociendo bastantes reductos de esta -ḷ- en el leonés occidental; así ocurre en las hablas que orillan el límite del gallego berciano: en el valle de la Fornela (Peranzanes, etc.), al N. de la prov. de León, debajo del límite con Asturias; por el curso del Cúa, más al S., en San Pedro de Paradela y Bárcena de la Abadía; todavía más al S. en Ocero y Sancedo, al N. de Ponferrada [217]. Al S. de Ponferrada tienen -ḷ- pueblos de Cabrera Baja (Benuza, Pombriego) [218]. Según Alonso Garrote, en la Maragatería quedan restos de esta -ḷ-, aunque es mucho más abundante el uso de -y- [219]. Todavía más al S. se oye -ḷ- en Sanabria, aunque ya cuando la visitó Krüger mostraba la invasión de castellanismos con x [220].

En varias de las zonas yeístas de la Península la -y- se pierde a veces, sobre todo tras i: ast. y leon. *fiu*, cat. balear *fiə* 'hija', cat. menorquín *fi*, *fiə* 'hijo, -a'. Lo mismo pasa en otras zonas yeístas de la Romania: rum. *fiu*,

---

[212] Pormenores y bibliografía pueden verse en BADÍA MARGARIT, *GHC*, 87, IV. Al N. mismo de Barcelona empieza la -y-, p. ej., en Tarrasa. Para el provenzal, véase más arriba, nota 212.

[213] KUHN, *Hocharagonesische Dialekt*, *RLiR*, XI, 1935, § 5; ALVAR, *Dial. aragonés*, § 95.

[214] En los documentos de Zaragoza se ve la lucha entre la *l* aragonesa y la pronunciación castellana, desde fines del siglo XII a principios del XIV. Véase F. LÁZARO, *Formas castellanas en documentos zaragozanos de los siglos XV y XVI*, en *Argensola*, número 5, 1951, pág. 49.

[215] En San Martín de Oscos domina -y- casi completamente, pero se trata de una invasión reciente: algunas familias siguen pronunciando -ḷ-. A corta distancia, más cerca de la raya gallega predomina la -ḷ-.

[216] M. PIDAL, *Orígenes*, § 50, 3.

[217] Combino datos de interrogatorios hechos por mí en las propias localidades (Peranzanes, Ocero, Sancedo) con otros de una investigación por correspondencia (*Límites de palatales en el Alto León*) publicada por el «Seminario M. PIDAL», *Trabajos sobre el dominio románico leonés*, I, Madrid, 1957, pág. 40.

[218] Interrogatorios efectuados por mí en ambos lugares, 1953. Convendría comprobar lo que respecta a Silván; en el interrogatorio que hice en Benuza, un vecino de Silván, presente, pronunciaba *oubella*: dato que no casa con los publicados en *Trabajos sobre el dominio románico leonés*, I, pág. 94.

[219] ALONSO GARROTE, *El dialecto vulgar leonés hablado en Maragatería y tierra de Astorga*, 2.ª ed., Madrid 1947, págs. 62-63.

[220] KRÜGER, *El dialecto de San Ciprián*, § 61.

fie, piam. *fia*, venec. *fio*. A veces también se pierde en otras posiciones: asturiano occidental (Taborcías) *fwéa*, en cat. de Menorca (y otros sitios) *füə* < f ŏ l i a ; comp. en Italia, bergam. *foe* 'hojas' [221].

Es importante tener en cuenta que el yeísmo procedente de ḷ < -*lj*-, -*kl*- y -*gl*- no afecta, en general, ni en el E. ni en el O. de la Península a la ḷ < -*ll*- y *l*-. Así en cat. oriental əbéyə < a p ĭ c ŭ l a , páyə < p a l e a , gəlínə < g a l l i n a , ḷúnə < l ū n a ; en ast. y leonés, muyér < m ŭ - l i ĕ r e , junto a ḷóbu < l ŭ p u , gáḷu < g a l l u . Sin embargo, en una pequeña zona gallego-asturiana, a orillas del Navia (Concejos de Coaña y Navia), se produce también el yeísmo en los resultados de *l*- y -*ll*-: Téifaros (Navia) *muyer, gayu, yobu* [222].

Hay, aparte Castilla, una zona de la Península donde los resultados no son ni -ḷ- ni -*y*-. Ocurre así, en el asturiano occidental, en zonas de la misma región en la que *l*- > ŝ-. Allí, en un pequeño territorio, limitando con el gallego-asturiano (O. del Concejo de Luarca y rincones SE. del de Navia y NE. del de Villayón), se oye como resultado de -*lj*-, -*kl*- y -*gl*-, un fonema, extraño en nuestra Península, que ha sido descrito con pormenor por Rodríguez Castellano: es una mediopalatal africada, casi sorda, que él transcribe con un signo especial [223]. Resultados parecidos, que se describen como mediopalatales y africados se encuentran en distintas zonas dialectales italianas [224]. Hay aún en asturiano occidental otro resultado que ocupa un territorio bastante más extenso de la misma región asturiana donde *l*- > ŝ-; se trata de la prepalatal africada sorda, ŝ, de modo que en estos puntos f ŏ l i a > *fweŝa*. La ŝ- < *l*- atraviesa el límite asturiano-leonés y penetra en León por Babia y Laciana; del mismo modo penetra en León esta -ŝ- < -*lj*-, -*kl*- y -*gl*-, que por el O. va a limitar con la antes mencionada zona del río Cúa, que tiene -ḷ-, y por el S. con zona de -*y*- [225].

2. La deslateralización más importante fué la de Castilla, lo mismo si se atiende al territorio por donde había de extenderse que a las mismas

[221] R. CASTELLANO, *Aspectos del bable occidental*, pág. 175; *DCVB*; ROHLFS, *Hist. Gramm. It. Spr.*, § 280.

[222] M. PIDAL, *Dial. leon.*, pág. 158; R. CASTELLANO, *Palatalización de l inicial...*, separata del núm. 4 del *BIEA*, 1948, págs. 4-5 y 14-17.

[223] R. CASTELLANO, *Aspectos*, § 79. He encontrado el mismo sonido en La Rebollosa (caserío a 6 kms. de Anleo, Navia) y en Busmente, que fué uno de los puntos donde también lo oyó R. Castellano. La descripción de éste me parece acertada.

[224] V. ROHLFS, *Hist. Gramm. It. Spr.*, §§ 248, 250 y 280.

[225] RODRÍGUEZ CASTELLANO, *Aspectos*, § 79 y *La variedad dialectal del Alto Aller*, § 68. G. ALVAREZ, *Habla de Babia y Laciana*, págs. 228-229; NEIRA MARTÍNEZ, *El habla de Lena*, §§ 21, 1 y 11, 2; Seminario M. Pidal, *Trabajos sobre el dominio románico leonés*, I, pág. 30.

inesperadas consecuencias fonéticas. El fonema -ļ- anterior a la deslateralización, aparece recordado en grafías como *li* y *lli* (s. x) y *lg* (s. xi); han de
interpretarse como arcaísmos, quizá meramente ortográficos. Pronto se
encuentran grafías que indican la deslateralización: *g, gg, i, j, ih*, etc. [226]. Pero
es muy difícil interpretar cuál era el verdadero valor fonético de estos
signos (empleados con gran confusión) [227]. El sonido fué en Castilla -ž- o -ž̌-,
en todo caso debió llegar a -ž-. Pero, supuesto que existió un grado primitivo ļ, ¿cómo se pasó de ļ a ž? Se ha supuesto que por medio de un simple
yeísmo rehilado; más o menos como en la Argentina la ļ < -ll-. La dificultad suscitada por Bourciez es que en la Argentina el rehilamiento
arrastra hacia ž lo mismo a *caballo* que a *mayo (caβažo, mažo)*, pero en
Castilla la -y- de *mayo* no fué afectada y sólo lo fué la supuesta *y* < ļ < -lj-,
-kl- y -gl-.

Amado Alonso valorizó un dato que parece podía resolver la dificultad:
en las partes serranas del Ecuador se dice *caβažo* pero *mayo*, y lo mismo
pasa en Santiago del Estero [228]. Pero ocurren complicaciones: el fenómeno
tanto en la región argentina como en la sierra del Ecuador se da en una
población en gran parte bilingüe, y la ž ha pasado también a la pronunciación de los que sólo hablan quichua. ¿Influjo del español sobre el quichua, que normalmente tiene ļ? ¿o viceversa? Cuestión que no puedo resolver. Aunque hubiera causas especiales, no deja de ser interesante que haya
hispánicos que digan *yema amariža*. Transportada la discusión al campo que
nos interesa, quiere decir que pudo también haber causas desconocidas
que, en lejana época, mantuvieron la -y- de *mayo* mientras se operaba la
serie *muller* > *muyer* > *mužer*. Es posible que la -y- de *mayo* y la del castellano prelit. *muyer* no hayan sido siempre iguales; es posible que la
-y- < -ļ- < -lj-, etc., tuviera desde el principio algún rehilamiento. Hay
aquí, como siempre, en los lingüistas, una tendencia a sentenciar. La verdad
es que no sabemos. No sabemos siquiera si la pluralidad de grafías del
castellano primitivo *(g, gg, i, j, ih*, etc.), cubría un solo sonido o una serie
de palatales distintas, de las que todas sucumbieron menos ž. La pluralidad
de resultados de no laterales en dialectología italiana y aun en la de la Península Hispánica debería hacernos más cautos. Lo cierto es que el castellano llegó a ž, y que esta ž, ensordecida, pasó junto con š a una profunda
articulación velar fricativa y sorda que es la *j* castellana de *mujer, viejo*
y *reja* (que vino así a juntarse con la de *dije* < *dixe* < d i x i).

---

[226] *Orígenes*, §§ 7 y 50.
[227] Se encuentran también como grafía de š, *Orígenes*, § 8.
[228] A. ALONSO, *Estudios lingüísticos, Temas hispanoamericanos*, Madrid, 1953,
BRH, ed. Gredos, págs. 230-231, 235, 237-238, 258-259.

9.—ENSORDECIMIENTO EN EL NORTE PENINSULAR DE ALVEOLARES Y PALATALES FRICATIVAS

EL ENSORDECIMIENTO EN CASTELLANO

1. Uno de los rasgos que más netamente separan el castellano del portugués y del catalán, y al mismo tiempo relacionan estas dos últimas lenguas entre sí y con las otras de la Romania occidental, es el del ensordecimiento que en castellano moderno han sufrido las antiguas sonoras -z-, -ẑ- y -ž- (o -ẑ-) [229] (cast. ant. **róza, beẑíno** [230], **mužér, žugár**), que dieron, respectivamente, -s-, -θ- y -š- (o š-). Este último sonido ha originado el moderno -x- (y x-). La comparación peninsular es fácil por lo que toca a los resultados actuales de -z- y -ẑ-

lat.	port.	cast.	cat.
r o s a	*rosa* [-z-]	*rosa* [-s-]	*rosa* [-z-]
v i c i n u	*vizinho* [-z-]	*vecino* [-θ-]	*veí*, capcirés **bǝzí**

En la evolución catalana la -k^{e, i}- latina se palatalizó y sonorizó también en -ẑ-, de donde por pérdida del elemento oclusivo se produjo -z-, conservado hoy, como hemos visto, en el rosellonés de Capcir; pero en el resto del territorio catalán el resultado fué «cero» *(veí)* [231].

---

[229] Hay vacilación entre si debemos atribuir al cast. ant. -ž- o -ẑ-. Sea lo que fuere de la historia antigua del sonido, no creo pueda caber duda de que pronto se tuvo que alcanzar el grado fricativo -ž-, si bien el africado pudo persistir en posición inicial cuando no hubiera intervocalización sintáctica. El catalán tiene hoy regiones de ẑ (así en valenciano) y de ž (así en catalán oriental), lo mismo inicial *(jove)* que entre vocales *(fugir)*. (Mantiene el catalán un sonido ẑ de otra procedencia: *jutge, formatge*).

[230] Por lo que toca a **b-**, véase más abajo, págs. 162 y ss.

[231] No cabe duda que esta -z- que dió «cero» tenía que tener un matiz diferencial con relación a la -z- < -s- que se conserva. Hay, sin embargo, también algunos casos de pérdida de -z- < -s-. Comp. BADÍA, *GHC*, §§ 70, II y 71, II, y MOLL, *GHC*, §§ 112 y 114.

También es fácil comparar los resultados de ž- en la Península.

lat.	port.	cast.	cat.
j o c a r e	*jogar* [ž-]	*jugar* [x-]	*jugar* [ž-] [232]

No resultan, en cambio, cómodamente comparables en posición intervocálica, el ensordecimiento de la -ž- del castellano antiguo y el mantenimiento de la sonoridad en el mismo sonido del catalán y el portugués, por ser las bases etimológicas distintas, salvo en voces cultas, como *original*, etcétera [233]. La -ž- del castellano antiguo procede de *-lj-, -kl-* o *-gl-* *(mujer, ojo, reja)* mientras que en portugués y catalán esas procedencias dan -ḷ- (port. *mulher, olho, relha;* cat. *muller, ull, rella),* y en cambio, en ambas lenguas laterales -ž- (que mantiene en ellas su sonoridad hasta hoy) [234] viene de *-i-* [-y-] latina (port. *jejuar,* cat. *dejunar),* mientras que *-i-* latina se conserva como -y- en castellano *(ayunar).* Prescindiendo de la procedencia etimológica, hay que observar que -ž- se ensordeció también en castellano, lo mismo que ž- (o ẑ-), y que ambos sonidos, a través de š, han terminado dando en castellano moderno x: *mujer* [-x-] < m u l i e r e , *jugar* [x-] < j o c a r e [235].

Este fenómeno del ensordecimiento de -z-, -ẑ- y -ž- o -ẑ-, no sólo separa al castellano de las otras grandes lenguas peninsulares, sino del resto de la Romania occidental: prov. *rosa* [-z-], *vezin* [-z-], *jogar* [ž-], *jejunar* [-ž-]; fr. *rose* [-z-], *voisin* [-z-], *jouer* [ž-], *dejeuner* [-ž-]; para el N. de Italia, véase Rohlfs, *It. Gramm.* §§ 211, 214, 158 y 220.

EL ENSORDECIMIENTO EN OTRAS ZONAS PENINSULARES

2. En cuanto miramos las cosas más de cerca vemos que hay muchos hechos que perturban esa que hemos supuesto aparente regularidad peninsular: a un lado el castellano, con sus sonidos ensordecidos (-s-, -θ-, š > x);

---

[232] En cat. occid. ẑ-; y en valenciano «apitxat» š-.

[233] Las procedencias de -ž- en voces cultas pueden ser *-i-* o *-gᵉˑⁱ-* latinas. Comp. M. PIDAL, *Gram. hist.,* pág. 132, n. 2.

[234] En catalán dialectal hay -ž- y -i̯ž-, o -š-. Comp. BADÍA, *GHC,* § 72, II.

[235] Este proceso š > x sí que aísla al castellano dentro de las lenguas peninsulares. El gallego, el leonés, el aragonés y el valenciano «apitxat», que como vamos a decir en el texto, ensordecen —lo mismo que el castellano— ž (o ẑ), conservan, en cambio, el punto de articulación prepalatal: el gallego y el leonés tienen hoy š (< ž): gall. *xiar* [š-], *queixo* [-š-], ast. *xelar.* En el E. hay que partir de ẑ: el aragonés tiene ŝ o š: *chelar, šoben, šugo,* según las localidades; el apitxat, ŝ : ŝobe.

y al otro, las lenguas laterales, portugués y catalán, con sus sonoras conservadas (-z- y -ž- o ž-).

En efecto: por de pronto, hay algunas regiones leonesas y de penetración leonesa (puntos de Salamanca y —en mucha mayor proporción— de Cáceres) que conservan hasta hoy una -đ- como resultado del latín -$k^{e,\,i}$-, y una -z- como representante del latín -s-: beđínu 'vecino', káza 'casa' [236]. También en la provincia de Valencia unos cuantos pueblos de habla aragonesa (pero muy cerca del límite lingüístico valenciano) tienen una -z- y una -ẓ- (de -s- y -$k^{e,\,i}$- latinas, respectivamente) [237].

Si, como vemos, hay zonas fuera del portugués y del catalán que conservan las sonoras de que tratamos, más notable es aún el caso inverso: extensos territorios del dominio gallego-portugués y del catalán las han desonorizado.

En efecto: en el dominio gallego-portugués hay que separar todo el gallego (el hablado en Galicia y los dialectos gallegos exteriores, del occidente de Asturias, del Bierzo y del Oeste de Zamora); en esa gran zona ha habido desonorización como en castellano: gall. *rosa* [-s-], *veciño* [-θ-], *xexuar* [-š-]. Correspondientemente, en el territorio de lengua catalana hay una amplia zona donde se ha producido el ensordecimiento: es la del valenciano llamado «apitxat», que comprende, de modo aproximado, el centro del reino de Valencia, desde el límite N. de la provincia del mismo nombre, hasta el río Júcar; aquí se dice *rosa* [-s-], *juar* [š-], *dejunar, dijunar* [-š-]. En otra zona más al N., dentro de la prov. de Castellón (Onda, al S. del río Mijares) sólo se ensordece el sonido ẓ [238].

Resumamos y completemos algo estos datos. La desonorización existe: 1) en el castellano; 2) en el leonés (salvo restos de z y de đ < ẓ en Salamanca y más, en Cáceres); 3) en gallego (salvo algunos puntos limítrofes con Portugal) [239]; 4) en el aragonés; 5) en dos zonas del dominio catalán (una en

---

[236] Véase el libro de AURELIO M. ESPINOSA, hijo, *Arcaísmos dialectales. La conservación de «s» y «z» sonoras en Cáceres y Salamanca*. Madrid, 1935. También M. PIDAL, *Dial. leon.*, págs. 163-165; F. KRÜGER, *Westspanischen Mundarten*, Hamburgo, 1914, páginas 266, 270, 258-361.

[237] Pero en ẓ han venido a confluir no sólo como se esperaría ẑ (< -$k^{e,\,i}$-) sino también ŝ. Los pueblos son Énguera, Navarrés y Anna. Véase M. PIDAL, *Gram. Hist.*, página 115, n. 1.

[238] Véase el estudio de M. SANCHIS GUARNER, *Extensión y vitalidad del dialecto valenciano «apitxat»*, en *RFE*, XXIII, 1936, págs. 45-62; especialmente los mapas de las páginas 47 y 48.

[239] LEITE de VASCONCELOS, *Opúsculos*, IV, págs. 598-619; KRÜGER, *Mezcla de dialectos*, 25-26 y 63, en *HMP*; FINK, *Studien über die Mundarten der Sierra de Gata*, Hamburgo, 1929, §§ 10 y 21; H. SCHNEIDER, *Studien zum Galizischen des Limiabeckens*, en *VKR*, XI, 1938, §§ 9-10.

la prov. de Valencia y otra en Castellón: las dos limitan por occidente con zonas de penetración castellana). En otros muchos puntos de lengua catalana se encuentra el ensordecimiento de ẓ; ocurre esto tanto en zonas limítrofes occidentales como en muchas otras interiores [240].

UN ARTÍCULO DE A. MARTINET

3. No hace muchos años el ilustre estructuralista A. Martinet ha publicado su artículo *Structures en contact*: *Le dévoisement des sifflantes en espagnol* [241]. En él leemos, no sin un poco de asombro: «... une confusion de phonèmes sonores et sourds qui ne se limite pas à la finale de mot est un phénomène assez extraordinaire en roman. Hors du castillan, il semble n'être connu que de quelques dialectes de la France méridionale qui partagent avec cette langue certains autres traits...» [242].

Nosotros acabamos de ver que la confusión de z y s, de ẑ y ŝ y de ž y š, lejos de ser exclusiva del castellano afecta igualmente a partes sustanciales de las otras lenguas de la Península.

Todo el artículo de Martinet tiene una tesis tan clara como contundente: los rasgos del consonantismo castellano serían inicialmente vascos y se habrían producido al N. de Castilla la Vieja, a saber:

a) f > h (Martinet, págs. 304-311.) *b)* La confusión de b y v en un solo fonema que tiene una posibilidad oclusiva y otra fricativa, sería de origen vasco. El vasco sólo tiene una bilabial con las mismas variaciones combinatorias del castellano y hay que suponer algo semejante para el vasco antiguo. (Págs. 311-315.) *c)* Esa confusión de b y v sería sólo un aspecto de la confusión de las dos series castellanas b-d-g y v-đ-ǥ. El vasco tiene también đ y ǥ como variante de đ y g con una repartición análoga a la del español moderno; hay que suponer que en el vasco primitivo ocurriría lo mismo. (Página 315.) *d)* El vasco actual no tiene sibilantes sonoras, sino sólo las fricativas s, ŝ y š y las africadas ŝ, ŝ y š. El castellano antiguo poseía ŝ y ẑ, ŝ y ż, š y ž y ŝ y ẑ. Los «sujets euskariens» no tenían, pues, dificultad ninguna en pronunciar las sordas (pues existían en su propio sistema), pero las sonoras que les eran extrañas las ensordecían al tratar de imitarlas. Estas debían ser, pues, las condiciones en el N. de Castilla, que se habrían generalizado sólo tardíamente, en los siglos XVI y XVII. (Páginas 316-323.) *e)* En fin, el paso final š > x y ŝ > θ, sería ya una mera corrección de un sistema que tenía demasiada concentración en el terreno de las sibilantes. Se había llegado a

---

[240] SANCHIS GUARNER, *Extensión y vitalidad*, págs. 49-50.
[241] En su libro *Economie des changements phonétiques*, Berna, 1955. Es una versión «condensada y revisada» de su trabajo *The Unvoicing of Old Spanish Sibilants*, en *Rom Phil*, V, 1951-52, págs. 133-156.
[242] *Economie*, pág. 298.

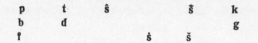

Hay que suponer que en grandes zonas de Andalucía y América se produjo la confusión de s y ś en ŝ; en cambio, en castellano, ŝ terminó en θ, es decir, llegó a ser la contrapartida fricativa de las dentales t y d. En cuanto a š, trató de diferenciarse de ś y eso la llevó a x, es decir, a ser la contrapartida fricativa de las velares k y g. (Págs. 232-325.)

En la ingeniosa teoría de Martinet, que acabamos de resumir, hay muchos elementos valiosos [243]. La competencia y agudeza del autor son grandes; pero por desgracia muchos datos en que se basa son muy discutibles —ante todo la cronología atribuída a los fenómenos fonéticos—. Lo único prudente es decir que no sabemos con exactitud nada. Y comprender que nuestras hipótesis son meras perspectivas para el trabajo. Es un error lógico pensar que los fenómenos señalados como incorrecciones por los tratadistas del siglo XVI por fuerza tuvieran que estar recién nacidos; se olvida que también acababan de nacer los «tratadistas». Los indicios que poseemos parecen hablar —como vamos a ver— en favor de que la desonorización sea una historia de varios siglos antes del XVI; una historia que, ciertamente, no había llegado aún a su última página.

Pero hay otra falla más concreta y evidente —que envuelve también a la anterior—: no comprendemos cómo Martinet haya podido especular a base de una desonorización exclusivamente castellana [244]. Lejos de ser así, la desonorización además del castellano, el leonés y el aragonés, abarca parcialmente las otras dos grandes lenguas peninsulares, catalán y gallego-portugués, y se extiende ininterrumpidamente desde la costa mediterránea hasta el último rincón de la costa del NO. Estos hechos no se pueden ignorar. Para tratar de la desonorización castellana, sin embargo, es indispensable tenerlos en cuenta.

ENSORDECIMIENTO MEDIEVAL EN GALICIA Y ARAGÓN

4. ¿Cómo se puede explicar esa manera de distribuirse por la Península la desonorización de z, ẑ y ž? No cabe duda de que entre la desonoriza-

---

[243] Son interesantes, p. ej., las ideas de Martinet acerca del nacimiento de x. Este hecho por ser exclusivamente castellano se puede intentar explicarlo, como hace Martinet, dentro del sistema castellano.

[244] Véase, más arriba, pág. 88, su afirmación. En todo el artículo de Martinet no se menciona sino la desonorización castellana.

ción castellana, leonesa, gallega, aragonesa y valenciana debe de existir
alguna relación. ¿Qué clase de relación?

Entre las varias explicaciones posibles [245] parece que las dignas de tenerse
en cuenta serían: *A*) Que la desonorización se deba a un influjo castellano.
B) Que se trate de evoluciones paralelas, debidas a una misma causa o a
causas semejantes. Claro está que no puede tampoco excluirse que en una
zona o época la causa fuera *A ;* y en otras zonas o épocas, *B*.

La explicación *A* sería muy sencilla, y además vendría a hacer posible la teoría de Martinet: todo se habría desarrollado en Castilla, por influjo
de los «sujets euskariens», luego se habría revertido sobre otras zonas.
Martinet cree que la desonorización (con la confusión de *b* y *v*, y el «sistema
fricativo») se producen en la segunda mitad del siglo XVI y primeras déca-
das del XVII [246]. Imagínese, pues, cuán tardío tendría que ser el influjo
sobre las últimas aldeas de Galicia o los últimos valles de Aragón.

El estudio de los documentos gallegos y aragoneses nos muestra, sin
embargo, que la diferencia entre s y z, entre ŝ y ẑ o entre š y ž estaba anu-
lada en muchos sitios. No se hable de «escribas imperitos». Esos escribas
no confundían sino en rarísimas ocasiones una *t* y una *d*, o una *c* (**k**) y
una *g* (**g**). Mejor dicho: cuando en documentos aragoneses sale una confusión de esta clase *(t* por *d* o viceversa; *c* por *g* o viceversa) el filólogo moderno sabe muy bien a qué se debe tal confusión: es un hecho fonético lo que
se descubre por la rotura [247]. Es proceder con poca lógica pensar que detrás
de las innumerables confusiones —y a lo largo de tres siglos— de *s* y *ss*, de
ç y *z*, de *x* y *j*, no hay más que impericia.

5. Para una acertada interpretación de los datos que siguen ha de tenerse
además en cuenta la menor abundancia de ž en gallego y en aragonés donde

[245]   Mencionaremos sólo la opinión de P. Barnils, según la cual la -s- del «apitxat»
no sería una desonorización de -z- sino una heredera directa de la -s- latina. (*BDC*,
I, 1914, págs. 20-22.)

[246]   Art. cit., pág. 298; la declaración terminante está en el § 12, 2. En un momento
de su exposición (final de § 12,30) Martinet admite que el vulgo de vastas zonas de
Castilla debió de tener desde el siglo XIII la pronunciación que se generalizó en el castellano entre los siglos XVI y XVII. Así lo pensamos también; pero no «de vastas zonas
de Castilla», sino de la mayor parte del N. peninsular, de Galicia a Aragón. Es el tema
del presente artículo.

[247]   Por ej., cuando en los *Documentos lingüísticos del Alto Aragón*, publicados por
T. NAVARRO, Syracuse, N. Y., 1957, encontramos que un escriba alterna entre *capan-
na* y *cabanna* (pág. 93, año 1293), en seguida ponemos este hecho en relación con la
fonética regional conservada hasta hoy; cuando en los mismos documentos se alterna
entre *pontache* y *pontage* (págs. 164 y 166, año 1349), ¿vamos a pensar que eso no
revela sino impericia del escriba?

los muy frecuentes grupos -*lj*-, -*kl*- y -*gl*- dan ḷ (frente a la ž castellana) [248].

En los documentos gallegos que, con cuidadoso criterio paleográfico, publicó Margot Sponer abundan extraordinariamente desde el siglo XIII hasta el XV, las confusiones de *s* y *ss* y de *ç* y *z;* también hay en ellos la confusión de grafías que representan -š- y -ž-. Mencionemos para, de entre una gran masa, citar unos pocos ejemplos, grafías como *luitossa, cassa, guissa, quissier, apressentaran, nosso, sussu, coussa, passar, perdesse*, etcétera, que alternan, algunas veces en el mismo documento, con *luitosa, casa, guisa, quisier, apresentaran, noso, susu, pasamento, mandase*, etc.; *conuzuda, fazer, fazades, dizen, Galliza, prezo, conozenza, oueenza, dezembro*, que alternan con *façer, façades, diçen, Galliça, preço, conozença, oueença, deçembro; puie* y *puge* 'puse', junto a *puysse* 'puse' y *puxera; ajades* 'hayáis', *seja* y *seya* 'sea' frente a *sexa* 'sea', *diso* frente a *dixo*, etc. [249].

Por lo que respecta a Aragón, Manuel Alvar [250] ha señalado antiquísimas grafías que muestran una confusión de sordas y sonoras (1121 *Belgit;* 1122 *Belchit;* 1055 *Sanxo*, 1083 *Sanyo* [251], etc.). Pero esos datos tempranos coinciden plenamente con los que dan documentos de los siglos XIV y XV. Ya antes Rafael Lapesa y Amado Alonso [252] habían llamado la atención sobre los ensordecimientos existentes en aragonés de los siglos XIV y XV, en los *Inventarios* que publicó Serrano y Sanz. Hay que hacer observar aún que tal ensordecimiento existía antes de la castellanización evidente de los documentos a lo largo del siglo XV: *parge* junto a *parche, francha* 'franja', *anclucha* y *enclucheta* (comp. cat. *enclusa*, cat. dial. əŋklúžə) se lee en un inventario zaragozano, de 1406 [253]. Por lo que toca a la posición inicial y tras algunas consonantes, parece no puede caber duda de que hay un ensor-

---

[248]   Pero en gallego y en aragonés se produjeron ž y ẑ de otras procedencias (gall. ant. béḷžo, arag. ant. pontáẑe); procedencias que en castellano daban, a su vez, otros resultados *(beso, pontazgo)*.

[249]   Véase *AORLL*, VII, 1934, págs. 116 y ss., núms. 1-3; págs. 119 y ss., números 1, 2, 4, 5, 6, 9, 12-15, 17, 18, 26, 28, 38, 44, 54; págs. 187 y ss., núms. 2 y 4. Citamos sólo unos cuantos documentos característicos; pero casi todos los de la colección tienen confusiones, y a veces, muy numerosas.

[250]   *El dialecto aragonés*, Madrid, 1953, §§ 15, 16 y 83.

[251]   M. PIDAL, *(Orígenes*, § 8) ha citado muchos ejemplos de vacilación del antropónimo *Sancho* (con -*ng*-, -*ngg*-, -*nz*-, -*ncx*-, etc.). No hay razón para pensar que se trate de un titubeo meramente gráfico. Comp. al lado del *Sanyo* que citamos en el texto, *Conia* 'Concha, topónimo', de Campó, siglo XII, y *ensaniassen* 'ensanchasen', de Villasandino, Burgos, 1228 (M. PIDAL, *Docs. ling.*, I, núm. 182). Es probable que especialmente tras *n* hubiera una vacilación articulatoria, por lo que toca al punto de articulación y a la sonoridad o no sonoridad.

[252]   AMADO ALONSO, *Trueque de sibilantes...*, en *NRFH*, I, 1947, pág. 11, n. 17.

[253]   Comp. *BRAE*, III, 1916, pág. 361.

decimiento tempranísimo de $\check{z}$ que se continúa aún hoy en los valles altoaragoneses [254]. Pero la tendencia al ensordecimiento sin duda afectaba también a la posición intervocálica. A principios del siglo xv a las formas castellanas procedentes de -*lj*-, -*kl*-, -*gl*-, corresponde aún en los documentos
aragoneses *ll* [!]; a fines del siglo en vez de esa -*ll*-, triunfan por todas partes
formas castellanas, pero no con *j* como en castellano, sino con una *x*, grafía del sonido sordo: *muxer*, *viexo*, *vermexo;* ni que decir tiene que, aparte
los castellanismos, también en voces de otras procedencias continúan los
signos de confusión, a veces con notables ultracorrecciones: *jaminera* 'chi-
menea' y *charra* 'jarra' (ya en 1469) y *jaminera, jamelot, jiqua* 'chica' en
documentos de fines del siglo [255]. También el mismo Rafael Lapesa me ha
hecho notar la grafía *x* que en el *Cancionero de Palacio* [256], copiado en Aragón
en la segunda mitad del siglo xv, aparece constantemente lo mismo para
las etimologías que dieron sorda en castellano *(dixo*, etc.), que para las que
dieron sonora (en el *Cancionero*, siempre *oxo, foxa*, etc.). En el mismo *Cancionero* abundan los cambios entre *s* y *ss*, *ç* y *z*.

Lo que nos muestran los inventarios zaragozanos de Serrano y Sanz
y el *Cancionero de Palacio*, se comprueba para otras zonas aragonesas en
la excelente colección de documentos procedentes del Alto Aragón, publicada por Tomás Navarro [Tomás]. La imagen que resulta de su lectura
es muy semejante a la de los documentos gallegos de la colección Sponer:
en estos altoaragoneses, abundan enormemente desde el siglo xiii al xv
las confusiones de *s* y *ss*, *ç* y *z* [257], existen, aunque menos, las de *š* y *ž* (o $\check{z}$):
hay *Sanjeç*, 1281 y *Sanja*, 1306, de tradición tan antigua; hay *pontache*,
al lado de *pontage* y *gico* junto a *chico*, 1349, como en los *Inventarios* [258].

6. No creo que pueda haber duda de que en Aragón existe una desonorización probablemente antiquísima, comprobada para *ž* (o $\check{z}$) desde el
siglo xi, para *z* y *ẑ* desde el xiii, y abundantísima en ese siglo y en el xiv;

---

[254] La pronunciación moderna altoaragonesa es *š*- o *ŝ*- (alguna vez *ŝ*-). La pronunciación antigua debía de ser africada, deduce con acierto M. ALVAR, obra cit., § 83.

[255] Docs. de 1496 y 1497, mencionados por LAPESA y ALONSO, de los *Inventarios* de
Serrano y Sanz. Aparte de los mencionados por A. Alonso en su citado artículo, pueden verse más casos de confusión en ALVAR, *Dial. Arag.*, págs. 165-166.

[256] Barcelona, 1945, ed. de FRANCISCA VENDRELL DE MILLÁS, *passim*.

[257] *Documentos lingüísticos del Alto Aragón*, Syracuse, N. Y., 1957. Véanse, para
citar sólo —de entre una gran cantidad— unos cuantos ejemplos, los docs. núms. 15,
20, 21, 23, 24, 27-29 (de 1270 a 1274); los núms. 98-107 (1317-1337); núms. 117-120
(1357-1360). Son pocos, en este libro, los documentos del siglo xv; véase, sin embargo,
el núm. 149, año 1484.

[258] Ibid. págs. 78, 129 y 164-166.

desonorización que afecta luego a las mismas voces castellanas *(viejo, mujer,* etc.) que vienen durante el xv a sustituir a las genuinas formas aragonesas con *l̦ (viello,* etc.) [259], y toman ahora en Aragón la grafía con *x (viexo,* etc.) [260]. Los documentos gallegos nos comprueban que, desde fecha temprana, también estaba en marcha una desonorización gallega. No se trata de errores de escribas especialmente «imperitos»; son hechos que se repiten una vez y otra vez, a lo largo de tres siglos, y con características muy parecidas. Las normas ortográficas fueron muy fijas en Castilla desde el siglo xiii principalmente por influjo de la cancillería real, y por toda la Península a través de los monasterios. En cuanto faltan esas normas, el escriba se entrega a una especie de titubeante ortografía fonética: no distingue ortográficamente, sencillamente porque no distingue en la pronunciación (como cualquier escriba español de hoy, que trueca la *v* y la *b* y que se come la *h* o la coloca a redropelo, no demuestra sólo impericia sino evidentes hechos fonéticos).

Los datos aragoneses —como hemos visto— aseguran, repetida e inequívocamente, un ensordecimiento temprano, pronto abundante, se diría que bastante generalizado en el siglo xv. Los datos gallegos hablan también en favor de un ensordecimiento, ya existente en el siglo xiii, y que persiste en el xv. Nótese que precisamente no hemos hablado de Castilla. No veo en Castilla la Vieja, repasando los *Documentos lingüísticos,* publicados por Menéndez Pidal, nada que ni remotamente se parezca a esos resultados de Aragón y Galicia, sino sólo algunas confusiones, en general esparcidas, de sordas y sonoras, que pueden indicar desonorización (se adensan algo, a veces, en tempranos documentos norteños, especialmente de Burgos; pero la distinción es casi perfecta desde mediados del siglo xiii [261]). No que-

---

[259] A veces los escribas aragoneses titubeaban entre el castellanismo con *x* y la forma tradicional con *ll:* en un doc. de 1482 que transcribe SERRANO Y SANZ (Gil Morlanes, escultor... *Discursos... R. Acad. de Bellas Artes... de Zaragoza... 28 de Mayo de 1916,* Madrid, 1916, págs. 41-42) se encuentra *concexo, semexant, mexor;* pero al final, dos veces, *concello.* Véase F. LÁZARO, *Formas castellanas en documentos zaragozanos de los siglos XV y XVI,* en *Argensola,* II, 1951, págs. 43-47.

[260] En último rigor, los castellanismos escritos en el siglo xv una y otra vez con *x (concexo, muxer,* etc.) en Aragón, prueban una de estas alternativas: o que en Castilla se había generalizado ya *š < ž;* o que los aragoneses ensordecían la originaria *ž* en su pronunciación. Es curioso encontrar casi constantemente en los castellanismos aragoneses *foxa, oxo,* etc., cuando en Castilla se escribían esas voces con *j;* parece una voluntad de autoafirmación aragonesa. Naturalmente que para los escribas aragoneses era un hecho conocido que los castellanos escribían esas palabras con *j.*

[261] La confusión ocurre desde el primero de Burgos, en los *Docs. lings.* de M. PIDAL, que tiene una mezcla romance y latín, y debe ser de 1100 *(mandasen, trociese, pectasen,* junto a *tornassen,* núm. 147). Y en otros documentos: *quessier, dicir, facien-*

remos deducir de ahí que la desonorización más o menos avanzada, no
continuara; es probable que la formación más rápida de un criterio ortográfico —muy fijo desde la segunda mitad del siglo XIII— es lo que nos vele
la realidad fonética. Pero siempre es curioso que precisamente allí donde se
esperarían más testimonios tempranos —según la teoría del influjo «euskarien»— cesen tan pronto, mientras en Zaragoza se multiplican en los
siglos XIV y XV, y en Galicia abundan del XIII al XV.

UNA TEMPRANA DESONORIZACIÓN CENTROPENINSULAR

7. Pero, siguiendo la Reconquista hacia el Sur, entre los paralelos 40
y 41 y en un centro peninsular que oscila entre Castilla, la dirección hacia
Aragón, y la penetración en el extremo Oeste leonés, encontramos datos interesantes. El Fuero de Alba de Tormes, en la tierra salmantina que mira
hacia Avila, nos da, a fines del siglo XIII [262], el más copioso muestrario de
casos de ensordecimiento de los resultados de -lj-, -k'l- y -g'l-. Omito la indicación de página porque los ejemplos aparecen repetidos por cualquier
lado:
*fixa, -o, *concexo, destaxado, acoxier, rexas, *ouexa, *pelexo, conexo, escoxa,
paxa, paxar, axena, *restroxo, amoxonado, condesixo, etc.
Algunas de estas palabras aparecen con *x* numerosas o numerosísimas
veces (señalo estas últimas con asterisco). Pero casi siempre figuran tam-

---

do, 1200, núm. 155; *ficiestes, facel*, 1211, núm. 162; hay muchos casos de *c* por *z* en
los documentos de Lope, escriba de las Huelgas entre 1220 y 1227, núms. 167-179;
sólo aparece *z* (y *ensaniassen* 'ensanchasen'), 1228 y 1232, núm. 182; las irregularidades de este tipo en los documentos de la región (en el mencionado libro de M. Pidal)
desaparecen casi completamente a partir de 1240. Curiosas son también algunas peculiaridades de la región toledana, según documentos desde mediados del siglo XII, en
los *Docs. lings.*, núms. 259 y ss. y en el *Fuero de Madrid* (véase el comentario de
Lapesa, ed. de Madrid, 1932, págs. 61-63).
[262] *Fueros leoneses*, ed. Castro y Onís, Madrid, 1916, págs. 291-339. Los edito-
res dicen que la letra es de transición entre el siglo XIII y el XIV. Es muy probable
que la fecha auténtica de la letra sea 1279, porque al fin del texto del Fuero figura
de letra distinta un documento en el que se dice que los representantes de Alba fueron a Sevilla al rey Alfonso X a decir que se había perdido el fuero de Alba, y a pedir
que el rey autorizara la validez de «este libro», que era copia del perdido, y el rey lo
hizo así en carta que se transcribe. El rey lo hizo así en Sevilla, era de 1317. El hecho
de que este privilegio y su explicación previa estén en letra distinta de todo el texto
del fuero, hace muy probable que éste, el que se conserva en Alba, sea el mismo ejemplar presentado al rey. Si se tratara de una copia, el copista habría transcrito todo
(fuero y privilegio) de su mano. Mi argumento no defiende sino la probabilidad de
la fecha, no su seguridad.

bién al lado grafías como *fija, filia, conceyo, reya, reia, peleyos, ageno, restroyo, amoyonado*.

El Fuero de Alba, hace, pues, a fines del siglo XIII, algo parecido a lo que encontrábamos en los inventarios aragoneses del XV: allí, la fonética aragonesa cede ante la castellana; se deja la *ll* vernácula, pero el nuevo sonido se interpreta como *x* (y no como *j*). Aquí, más de un siglo antes, pasa algo semejante: se abandona el fonema vernáculo leonés que, a principios del siglo XIII se representaba en el Fuero de Zamora, unas veces por *ll* y otras por *y*, y en los de Salamanca y Ledesma por *y*. Este abandono en el de Alba responde, sin duda, a una castellanización, pero (exactamente como en Aragón había de ocurrir más tarde) se adopta como grafía para el fonema castellanizante, no *j* como en Castilla, sino *x*.

Tenemos que repetir ahora el mismo argumento que empleábamos al hablar de Aragón: los copistas del Fuero de Alba, no podían ignorar que la grafía usual castellana, era *j* (o *i*), y que en castellano *x* corresponde sólo al sonido sordo de *dixo*, etc. Pues en Alba, al castellanizar el Fuero, adoptan las grafías *concexo, fixo*, etc. (en palabras, pues, que en castellano normal tenían *j*, representación de un fonema sonoro), con la misma *x* que los escribas del Fuero de Alba siguen empleando en *dixiere, aduxiere*, etc. Es decir, eligen voluntariamente la confusión de las dos procedencias que el castellano distinguía con *j* (= ž o ẑ, sonoro) y *x* (= š, sordo), y eligen para esa confusión la grafía *x* propia del fonema sordo (š). Así en Alba de Tormes, a fines del siglo XIII; y con curiosa coincidencia, así había de ocurrir en Aragón durante el siglo XV.

Al preguntarse uno por qué pasa tal cosa en el Fuero de Alba, vienen en seguida a la memoria algunos hechos semejantes que por estas fechas estaban acaeciendo también en otros puntos del centro peninsular. En un paralelo ligerísimamente más bajo, en el *Fuero de Madrid* [263] aparecen muy a principios del siglo XIII, curiosas peculiaridades ortográficas, tales que cuando primero se las consideró aisladas, hubieron de interpretarse como meras grafías divergentes de otras habituales, pero sin que la divergencia tuviera valor fonético. Era muy razonable, entonces, hacerlo así. Pero ahora, las particularidades halladas en el Fuero de Alba, y otras que mencionaremos aún, nos obligan a una interpretación muy diferente.

En efecto, el *Fuero de Madrid*, donde la grafía *x* representa siempre sonidos que son sordos en castellano (*exidos*, pág. 39; *dixot*, pág. 36), tiene otro tipo de igualación de palatales sordas y sonoras: la *-i-* representa lo

---

[263] Madrid [1932]; la transcripción es de Millares y el glosario (con una nota preliminar sobre las peculiaridades lingüísticas), de Rafael Lapesa. Cito por el glosario; salvo cuando indico página.

que en castellano medieval es ž o ẑ en *beio* 'viejo', *oueia, coier, moión, iura-do*, etc.; pero la misma grafía representa también lo que en castellano es š, en *sospeia* 'sospecha', *proueio* 'provecho', *eiar* 'echar', *dereio* 'derecho', et-cétera. Particularmente interesantes son voces como *coneio* y *Toia* [264]. La primera (cast. *conejo*) tenía en el castellano normal de la época una sono-ra ž o ẑ; pues bien: en el *Fuero* aparece (como esperaríamos) con la grafía *coneio*; pero, al lado, también con la grafía que representa normalmente a la sorda š, es decir, *conecho*. Por su parte la extraña *Toia* (pág. 39), que es la 'Atocha' de la toponimia menor madrileña, también figura (cual espera-ríamos) como *Tocha* (pág. 39); es decir, con -*i*- y con -*ch*-: con dos grafías diferentes para un solo sonido. ¿Cómo interpretar estos hechos? ¿Una gran vacilación ortográfica? Sí, pero probablemente basada en una gran vaci-lación fonética.

Todas estas irregularidades tienen explicación con la siguiente hipóte-sis: el sonido que en castellano normal era -ẑ- o ž, en el habla de Madrid se pronunciaba ensordecido; probablemente el ensordecimiento partía des-de la africada -ẑ-. Según eso, los madrileños pronunciaban la africada sorda correspondiente **oѣéŝa, konéŝo.** No habían modificado la grafía de las nor-males sonoras, sino que escribían también confundidas, con esa misma gra-fía de las sonoras, las sordas de 'provecho', 'derecho', etc. Había una ra-zón: el empleo abundante en el Fuero de -*ch*- para el sonido -*k*- (*sachar* 'sa-car', *azoche* 'zoco, mercado', *bacherizo* 'vaquerizo', *falchón* 'halcón', *sachen* 'saquen'). Por esto, quizá, para representar š, el escriba a veces se refugia-ba en el latinismo *(directo, pecta)*; otras veces, vacilaba *(Toia* y *Tocha, pe-cho* y *pecta,* y también, en el caso ensordecido, *conecho* junto a *coneio)*; pero más frecuentemente usaba -*i*-, y escribía lo mismo *proueio* 'provecho' que *conceio* 'concejo'.

Si se acepta esta hipótesis, la vacilación ortográfica apenas si existe en unas cuantas palabras (las que nos han servido de guía, 'conejo', 'Atocha'...); lo que nos causa extrañeza, bien mirado, resulta un hecho fonético y no una mera vacilación gráfica: es el ensordecimiento de lo que en castellano normal sería ẑ o ž *(consejo)*.

Hay, en seguida, que poner los hechos del *Fuero de Madrid* en contacto con los del de Alba: allí *conexos* lo mismo que *dixier*, es decir, el ensordeci-miento de ž en š; ahora en Madrid el ensordecimiento de ẑ en š *(conechos* frente a *dixot,* pero coincidiendo con *pecho)*; pero el fuero, que emplea de ordinario -*ch*- para otro fonema, generaliza la grafía -*i*- para el fonema š (lo mismo el de *sospeia, proveio, eiar,* que el producido por desonorización en *oueia, coneio, moión)*.

---

[264] También se encuentra *echaret* (pág. 42), al lado de *eiar.*

Lo mismo en Alba que en Madrid la sonora ẑ, ž se habría ensordecido, en Alba tendremos que interpretar los hechos partiendo de ž; y en Madrid partiendo de ẑ [265].

Inmediatamente recordamos que al copista del *Fuero de Guadalajara* [266] (entre el siglo XIV y principios del XV), se le escapa un *conexos* (13). Y comprendemos por qué en el *Libro de Buen Amor* del alcalaíno Juan Ruiz, Arcipreste de Hita, mediados del siglo XIV, *coneja* (975 *d*) está en rima con *madexa, dexa* y *quexa*; lo mismo que *coxixo* (< -ī c ŭ l u) (947 *a*) en rima con *dixo, lixo* y *rixo*.

A nuestro juicio *conexo* (de Alba), *conecho* (de Madrid), **conexo*, sugerido [267] por rima (de Alcalá o Hita) y *conexo* de Guadalajara, nos establecen una sólida línea centropeninsular, donde entre los paralelos 40 y 41 existía un resultado sordo en el proceso de palatalización de *-lj-, -k'l-* y *-g'l-*. ¿Qué causas lo originaban? Sería difícil contestar a esta pregunta. De una parte, sobre estos territorios habían caído con la Reconquista masas de gentes venidas de zonas distintas del N. peninsular; hay que contar, por otra parte, con la mozarabía, que tanta importancia tuvo en la región de Toledo. No creo que en el estado actual de nuestros conocimientos sea posible achacar a los mozárabes una participación en estos ensordecimientos centropeninsulares, ni tampoco que sea posible el descartar, sin más, su influjo [268]. Menos aún podremos especular sobre si estos ensordecimientos

---

[265] Amado Alonso ha insistido mucho en la persistencia de ẑ; pero él mismo reconoce que junto a ella, en determinadas condiciones, había ž (*Correspondencias arábigoespañolas en ... sibilantes,* en *RFH,* VIII, 1946, pág. 15, n. 1). No hace falta una «condición». La dialectología románica da, por todas partes (de un valle a otro) alternancia de africadas y fricativas. Piénsese en el cast. **mušážo** y la pronunciación de muchas zonas andaluzas **mušážo**, etc. O véase la convivencia de š y š en el N. de Portugal, en PAIVA BOLÉO, *BdF,* XII, 1951, pág. 44, mapas 1, 2 y 3. Para interpretar el pasado es necesario mirar lo que pasa a nuestro alrededor.

[266] Ed. por H. Keniston, París 1934.

[267] Tómese como indicio para valorizarse junto a los otros. La cantidad de rimas asonantes que se mezclan en el *Libro de Buen Amor* es más que suficiente para impedir seguridades.

[268] Hay una serie de problemas de equivalencia (hispanismos en árabe; arabismos en romance), aparte del de los mozarabismos propiamente dichos. La equiparación del ẓ, tanto a ẑ o ž como a ŝ, y a veces a š, plantea una serie de problemas. Véase STEIGER, *Contr. a la fonética del hispano-árabe,* Madrid, 1932, § 26; A. ALONSO, *Las correspondencias arábigo-españolas en los sistemas de sibilantes, RFH,* VIII, 1946, págs. 26-28, 40-41, 54-55 y *passim.* Los muchos casos de trueque de sordas por sonoras y viceversa, en estas correspondencias hispanoárabes merecían un estudio detenido, desde otras perspectivas diferentes. Pero será necesario abandonar el prejuicio de que en la extensión peninsular castellana sólo hubo ẑ, ŝ y š.

centropeninsulares serán creación de esos siglos alrededor del XIII, o representarán, a través de varios siglos de mozarabía, antiquísimas tendencias de esas zonas. Todas estas interrogativas deben quedar abiertas.

Lo que sí será necesario es abandonar el simplismo de creer que en el romance castellano sólo existían las posibilidades prepalatales ž y ž̌, š y š̌. Hoy, gracias a Rodríguez Castellano, sabemos que en una pequeña región del occidente de Asturias [269] conviven como resultado de la -lj- de f o l i a, las siguientes posibilidades: 1) ƒueya, ƒue'ya, ƒuea; 2) ƒueša; 3) otras formas en que lj ha dado un sonido medio palatal fuertemente africado, casi sordo, para el que el autor emplea un signo especial: por tanto, tenemos: 1) una fricativa sonora mediopalatal, precedida o no de i̯; 2) una africada prepalatal sorda; 3) una mediopalatal africada casi sorda; 4) y existe también «cero» como último resultado de -lj-: todo esto en pocos kilómetros. Si ahora tomáramos el mapa dialectal de Italia nos encontraríamos hechos bastante parecidos: la variedad es enorme; véanse en Rohlfs, *It. Gramm.*, § 280, los resultados de *ƒilia* o de *palea* o en § 248 los de *oc'lu*, etc. (la coincidencia de los resultados de -lj- y -k'l- se da sólo en el O. de la Italia Superior).

Naturalmente que si queremos idearnos una imagen probable de las condiciones en el románico medieval de España, tendremos que representarnos algo semejante; pero aquí la palatalización castellana ž o ž̌ se abría paso hacia el S. y el E. y el O., donde encontraba zonas distintas (con l̦, con y, etc.) y produciría en cada sitio reacciones distintas; no hay que descartar zonas de mediopalatales: las confusiones madrileñas de *oueia* y *proueio* probablemente estaban basadas en resultados anormales tanto para -ct- como para -lj- (téngase presente que parte de la zona asturiana donde -lj- da una mediopalatal medio sorda, posee también un raro sonido posalveolar para -ct- [270]). Pero en el N. de Italia, y también en las colonias galoitalianas del S. existe también un sonido mediopalatal (ŷ) como resultado de -kt-. Cosas semejantes han debido de ocurrir localmente en el centro peninsular durante los titubeos medievales al estarse formando la consonante palatal: es muy posible que esa extraña coincidencia *oueia* y *sospeia* oculte en su fondo la existencia madrileña de una mediopalatal sorda ŷ. El ensordecimiento (como en otros puntos de la zona central) nos parece seguro, pero es más problemático decir algo preciso acerca del punto de articulación: vacilamos, para Madrid, entre la explicación (prepalatal

---

[269] *Aspectos del bable occidental*, Oviedo, 1954, §§ 19 y 79, y en especial el mapa frente a la pág. 176.

[270] Al que el autor tiene que dar una especial representación en ortografía fonética. *Aspectos del bable occidental*, §§ 18 y 63.

sorda) dada en las páginas anteriores, o esta otra (mediopalatal sorda) que sugerimos como explicación alternativa.

A todo esto han de sumarse las reacciones respecto al medio lingüístico, entre mozárabes. Las grafías para palatales medievales castellanas son muchas; no pensemos, simplistamente, que son meros titubeos gráficos. Que los había es indudable; pero es lo más razonable pensar que del lado fonético había también mucha vacilación (aun dentro de un mismo lugar) y muchas variaciones de un lugar a otro. No se olvide que las lenguas románicas peninsulares son todas lenguas de colonización: van mezclando y remezclando, hacia el S., elementos nórdicos; remezclándolos y colocándolos como superestrato sobre otros elementos mozárabes cuya verdadera importancia y cuyo efecto reactivo en el superestrato no podemos hoy valorar.

No sería muy difícil mostrar que en las mismas zonas centropeninsulares, donde hemos encontrado la desonorización de $\hat{z}$ (o $\check{z}$) confundido con $\check{s}$ o $\hat{s}$, se encuentra también la igualación de $\hat{z}$ con $\hat{s}$ y de **z** con **s**. Damos sólo unos ejemplos:

En el *Fuero de Madrid*, *vicino*, *vezino* (p. 39), *lanza* (p. 31), *fianza* (p. 32), *uoces* (p. 32), *uozero* (p. 37), *carnicero*, *carnizero* (p. 43), *conzeio* (p. 43), *enzerrar* (p. 57).

En el fuero de Salamanca tenemos tres manuscritos medievales: frecuentemente a la grafía *z* de A (ms. más antiguo) corresponde ç en B o C, o en los dos.

En el fuero de Zamora, el ms. Q (de fines del siglo XIII) contiene bastantes palabras escritas unas veces con -*s*- y otras con -*ss*- (*pasar* 17, -*ss*- 27; *uasalo*, -*ss*- 51; *casa* 45, -*ss*- 44; *cosimiento* 42, -*ss*- 46; *otrosi* 60, -*ss*- 61; *messa* 33).

En fecha más tardía, primeros años del siglo XV, el ms. de Salamanca del *Libro de Buen Amor*, confunde constantemente en estupendo desorden -*ss*- y -*s*- (*rapossa*, -*s*-, 81, 86; *prouechossa*, 320; *mandase*, *diese*, *comiese*, etcétera, *passim*; *cossa*, -*s*-, 90, 3; *ayusso*, 967; *messurada*, 96; *pasaderas*, 105; *cassase*, *cassamiento*, 191, *messa*, 1078; *pessos*, *pessas*, 1221).

En los documentos notariales castellanos cesan pronto las grafías que testimonian la confusión de sordas y sonoras, mejor dicho, cesa la abundancia de esos testimonios que, esparcidos, nunca faltan. Los documentos notariales más corrientes (de léxico relativamente reducido y seguramente escritos con ayuda de formulario) dan una imagen engañosa. Los inventarios (así los aragoneses), de léxico más abundante, son mucho más útiles. Los fueros, con su elemento localista, nos revelan a veces mucho mejor los fenómenos fonéticos en curso. Son, sobre todo, inestimables para ese efecto, los textos literarios, no los grandes textos históricos confiados a escuelas de copistas profesionales, sino los manuscritos de poemas, etc., que participan de un ambiente juglaresco, sin especiales preocupaciones de normas ortográficas.

Los datos de procedencia diversa que hemos aducido parecen asegurar que desde fecha temprana existía a lo largo de la cordillera pirenaica una desonorización de ẑ o ž, ẑ y z. Sus orígenes se perdían en el fondo de la Edad Media; en los siglos XIV y XV debía estar ya muy avanzada, aunque no totalmente generalizada. (Tampoco podemos decir que hoy el yeísmo esté totalmente generalizado, ni que sea la norma, y, sin embargo, la inmensa mayoría de los hispanohablantes son yeístas —con varios tipos de yeísmo—; en la misma España, la mayor parte de los hablantes son yeístas; en Madrid, calculo, grosso modo, que lo es un 90 por 100 de la población). Seguramente que había, no sólo diferencias locales, sino también sociales. Y probablemente, por lo que toca a las palatales, habría no sólo los casos de desonorización que hemos considerado, sino bastante variedad, que no podemos determinar, de puntos de articulación.

Es muy curiosa la fuerte avanzada de desonorización que encontramos en el siglo XIII (hay que pensar que con raíces más hondas), en una ancha zona centropeninsular, desde el leonés al castellano nuevo (Alba de Tormes, Madrid, Guadalajara). No podemos resolver los problemas históricos que plantea: si es sólo un producto de la colonización nórdica y sus mezclas; o si tenía una profunda tradición local (que, claro está, implicaría la participación mozárabe). Ni tampoco precisar qué clase de relación tuvieron estos hechos centropeninsulares en el ulterior triunfo de la desonorización en lengua española; que hubo alguna relación parece lo más razonable.

PROBLEMAS DE LAS SONORAS SEFARDÍES

8. Hay una variedad de la lengua española que ha conservado z y ž hasta el día de hoy: es el habla de los judíos sefardíes, lo mismo de los Balcanes que de Marruecos [271].

---

[271] Por lo que respecta a la lengua de los sefardíes de Oriente, no hay la menor duda. Pero en Marruecos, según BÉNICHOU, *Romances judeo-españoles de Marruecos*, Buenos Aires, 1946 (tirada aparte de *RFH*, VI y VII), págs. 182-183, los antiguos sonidos š y ž estarían casi completamente eliminados del dialecto judeo-español de hoy (salvo cuando no tienen correspondencia con x moderna o cuando la palabra es desconocida o poco usada en el castellano de hoy). Creo que Bénichou —que ha trabajado con hablantes no nacidos en Marruecos, en parte sobre materiales escritos procedentes de Orán, en parte en Orán y en parte en Buenos Aires, donde utilizó los datos

La conservación por los sefardíes de esas antiguas sonoras plantea una evidente dificultad, pues parece en contradicción con todo lo que acabamos de suponer en párrafos anteriores. Los sefardíes sacaron de España, en el año 1492, esos sonidos sonoros z y ž. Los han conservado hasta ahora. Los expulsados procedían de todas las regiones de la corona de Castilla y de la de Aragón; no podemos dudar de que en esa gran mezcla predominaban los que pronunciaban z y ž.

Una más exacta determinación de las procedencias y de los lugares de destino podría tal vez aclarar el problema. Se ha escrito —y parece razonable que fuera así—: «Los que moraban en regiones orientales buscaron asilo en las costas y países de Levante; los que habitaban en el centro de Castilla y en el litoral del Océano, corrieron a implorar la clemencia de los pueblos del norte pidiéndoles amparo y hospedaje» [272].

Es notable —me hace observar Rafael Lapesa— el seseo del judeoespañol: se diría que en las mezclas de pronunciaciones que produjeron respectivamente el hispanoamericano y el judeoespañol, ha predominado en ambos casos el andalucismo. La hipótesis de una procedencia del mediodía peninsular para las hablas de los Balcanes y Marruecos iría bien con nuestra interpretación del ensordecimiento de z y ž como fenómeno peninsular norteño. Hay todavía otra perspectiva interesante, pero poco estudiada: la lengua de los judíos ofrecía rasgos especiales y de considerable arcaísmo con relación al romance general; entre esos arcaísmos nada de particular que los hubiera fonéticos. Pero todo esto son, de un lado, meros indicios, de otro, imprecisas conjeturas. Reconozcámoslo.

SOBRE EL «APITXAT» VALENCIANO

9. Creemos que la desonorización del «apitxat» debe de ser considerada aparte. Barnils observó que desde fines del siglo XIV se encuentran tam-

---

de una familia oriunda de Orán y Tetuán— no ha dado con sujetos que representen bien la mejor tradición fonética. En el viaje que hice a Marruecos, en 1945, en compañía de Emilio Lorenzo Criado, encontramos normalmente š y ž. Tengo en este momento a la vista las transcripciones de unos mismos romances y cuentos que hicimos independientemente Emilio Lorenzo y yo en Larache, y en ellos aparecen de modo corriente š y ž y también en palabras usuales en el español de hoy (aƀášo, díšo, žerinéldo, mužér, ížos, žúntos, kížo 'quiso'; esta última voz Bénichou asegura haberla sólo oído en la forma kíxo). Larache y sobre todo Alcazarquivir fueron los sitios donde encontramos más viva la tradición de la hakitía. También oímos kwérta' puerta', kwéđo 'puedo', etc., y otros rasgos fonéticos que Bénichou no consiguió encontrar.

[272] JOSÉ AMADOR DE LOS RÍOS, *Hist. de los judíos de España y Portugal*, III, Madrid, 1876, pág. 376.

bién en valenciano confusiones de *s* y *ss;* sin embargo, Sanchis Guarner [273] considera esa desonorización mucho más tardía. Y aunque no parece decidirse de un modo claro acerca de las causas lo mismo de -s- < -z- que de š < ž, pensamos que se inclina a considerar estos fenómenos como producidos paralelamente con los semejantes de Castilla, pero no dependientes de ellos. «La pérdida de dichos fonemas [z y ž] en el apitxat» —dice— «puede ser considerada como un resultado en el dominio catalán, del mismo proceso de simplificación fonética observado por el castellano al perder los antiguos sonidos *j, z, s* y *v,* confundirlos con *x, ç, ss* y *b*» [274].

Esta tendencia es la misma que postulamos nosotros para todo el norte peninsular. Sin embargo, sin negar tampoco que ella se haya desarrollado también en el «apitxat» de Valencia, creemos que en esta última habla sí que ha debido ser decisivo el influjo castellano. Basta ver la forma del dominio catalán, de N. a S.: ancho por el N., bastante ancho por el extremo S., se aprieta en estrecha cintura —poco más que una faja junto al mar— entre Onda y Alcira, y en el centro de esa cintura está la ciudad de Valencia. En esa tira donde la penetración hoy más castellana que aragonesa, oprime al valenciano contra el mar, es donde se han producido las desonorizaciones. Sobre ella irradia su influjo Valencia, ciudad donde hoy día, el hablar vernáculo, castellanizadísimo, cada vez se repliega más, pero que ya estaba profundamente castellanizada en el siglo XVI, y que ha dado una serie de nombres importantes a la literatura del Siglo de Oro.

CONSECUENCIAS

10. Como siempre ocurre en historia del lenguaje encontramos multitud de problemas. Sin embargo, en una apreciación de conjunto debemos decir que nos parece muy poco verosímil la explicación de la desonorización gallega y aragonesa como producida predominantemente por influjo castellano (es decir, nuestra explicación *A,* pág. 90), salvo en el «apitxat», donde ese influjo pudo ser la principal causa, aunque no creemos que la única [275]. Habrá, pues, que volverse hacia una explicación de tipo *B*: la desonori-

---

[273]   *Obra cit.,* págs. 58-59.
[274]   Ibid., pág. 62.
[275]   Alarcos Llorach rechaza acertadamente la opinión de quienes piensan que la š del catalán se deba al influjo castellano y atribuyen al mismo influjo la θ del asturiano: «Si se considera [θ] —dice— como de influjo castellano en Asturias, ¿por qué el mismo influjo no fué también capaz de modificar [š] en [x]? En catalán nos parece aún más difícil la influencia de Castilla». *Algunas consideraciones sobre la evolución del consonantismo catalán,* en *Hom. a Martinet,* II, pág. 37.

zación producida en el N. de la Península Ibérica, de Galicia a Aragón, ha debido obedecer a una causa profunda, enraizada en algo que unía a tan extenso territorio, por lo que toca a la articulación ensordecida (o con tendencia al ensordecimiento) de las consonantes tratadas aquí; sin duda, un sustrato común de efecto retardado [276]. Pero buscar esa causa no es tarea que nos hayamos propuesto ahora. Quizá la no existencia de las sonoras de que tratamos, en vasco, no sea sino una manifestación más de esas causas profundas. Lo único que quería señalar es que no se puede explicar la desonorización de una gran parte del N. peninsular por medio de una teoría que interprete sólo hechos castellanos. Nuevos problemas nos plantea la temprana desonorización centropeninsular (siglo XIII), que no podemos decir si sería de origen nórdico o de raigambre local.

Claro está que la teoría del influjo meramente «euskarien» resulta después de lo que hemos dicho, poco favorecida. Nos sigue pareciendo muy probable la tesis de Pidal, que supone ese influjo sobre el castellano naciente y el gascón, para $f > h$. En el caso de $f > h$ se ve bien la irradiación que parte del N. de Castilla. ¡Cuán limitados, sin embargo, sus avances!: véanse los mapas de M. Pidal, *Orígenes*, 3.ª ed., págs. 232-233. La distribución peninsular del fenómeno de la desonorización de z, ẑ y ž tiene una forma totalmente distinta: un gran manchón desde un trozo de la costa mediterránea (y en el medio de ese trozo, la ciudad de Valencia) hasta La Coruña, ensanchado a toda la Península, excepto las zonas siguientes: 1) Cataluña. 2) El N. y el S. (pero no el centro) del Reino de Valencia. 3) Portugal. 4) Unos cuantos puntos en las provincias de Salamanca y Cáceres y algunos puntos de habla aragonesa de la provincia de Valencia, cercanos a la frontera lingüística del valenciano. Naturalmente, no interesan ahora otros pormenores de la zona limítrofe con el portugués o con el catalán [277]. Esa repartición del ensordecimiento peninsular, la cual de ningún modo parece indicar un núcleo castellano desde donde todo se irradie, la vamos a ver de nuevo, pero extendida también a Cataluña y a buena parte de Portugal, al estudiar la confusión de *b* y *v*.

No hemos querido omitir cuántas dudas quedan en el aire, cuántos problemas permanecen en pie. Una cosa es segura: la desonorización de z, ẑ y ž, fenómeno de mar a mar, no puede estudiarse dentro del estrecho marco de lo castellano.

---

[276] Los vascos, romanizados tardíamente, ciertamente pudieron ejercer un influjo coadyuvante en el N. de Castilla y también en el de Aragón.

[277] Me refiero a los pueblos de fonética portuguesa o de fonética catalana existentes fuera de los límites políticos de Portugal, Cataluña o Valencia.

10.—METAFONIA, NEUTRO DE MATERIA Y COLONIZACION SUDITALIANA EN LA PENINSULA HISPANICA

I. Introducción

Inflexión de ę u ǫ por ī o por yod, en el occidente románico.

1. Bien conocidos son los casos en que una -ī final ha modificado la evolución de la vocal tónica en un gran grupo de lenguas: f ē c i port. *fiz*, español *hice*, cat. *fiu*, prov. *fis*, fr. *fis*, milan. ant. *fise*, napol. *fišə;* m i h i, t i b i > port. *mim, ti*, esp. ant. *mibe, tibe*, esp. mod. *mi, ti*, cat. *mi, ti* [278], prov. *mi* [279], dials. septentr. ital. *mi, ti*, dials. Lacio merid. *mi, ti, mie, tie, mine, tine* [280]. También se produce el cierre de ę en la desinencia del pretérito - ĭ s t ī (> fr. *-is*, prov. *-ist*, cat. ant. *-ist*, esp. *-iste*; pero aquí se aparta el port. *-este*). Así mismo se pueden explicar las formas románicas occidentales que proceden de v ī g ĭ n t ī [281].

Este fenómeno, aunque interrumpido por el italiano *(feci, venni* < v ē n ī), excede los límites de la Romania Occidental. Tal extensión geográfica exige suponerle enorme antigüedad con raíces en el latín vulgar. Obsérvese que la vocal final produjo la inflexión cuando sonaba *i;* después de causar el cierre de la tónica ha seguido su evolución propia (en español ha dado *e*, en francés ha desaparecido, etc.). Precisamente en el italiano, donde ha permanecido *-i*, no se ha producido la inflexión.

Relacionables con la inflexión provocada por *-i* son los efectos seme-

---

[278] BADÍA, *GHC* § 122: *ti* aparece sólo alguna vez antiguamente.

[279] RONJAT, *Grammaire istorique* §§ 497-498.

[280] Por todas partes m i h i ha sustituído a m e . Las formas átonas del it. *(mi pare, ti saluto)* no prueban inflexión de la vocal, pues ésta ha podido desarrollarse como si fuera inicial, y pueden venir lo mismo de m i h i que de m e (las formas encliticas, *vedermi*, etc., serían analógicas de las procliticas). ROHLFS, § 452. En el Sur se encuentran formas no inflexionadas *mene, tene, meve, teve*, ROHLFS, § 442.

[281] Véanse, por lo que toca al español, las opiniones divergentes de M.-LÜBKE *(GLR*, I, § 79) y de M. PIDAL *(Gram. Hist.*, § 11, 2).

jantes a éste, que pueden ser causados por algunos otros sonidos extremos, también de tipo palatal; pero las zonas donde se producen están alteradas y diseminadas: t ĭ n e a > port. *tinha*, esp. *tiña*, it. *tigna*, prov. *tinha*, cat. *tinya* (frente a prov. *tenha*, fr. *teigne)*; v ī n d ē m i a > port. *vindima*, esp. *vendimia*, cat. ant. *venimia* (frente a cat. *verema*, prov. *vendemia*, *verenha*, francés *vendange)*; n a v ĭ g i u > port. *navio*, esp. *navío* (frente a francés ant. *navoi*, prov. *naveg(i)*, *navei)* [282].

Del mismo modo algunos sonidos palatales extremos, semejantes a éstos, pueden producir en distintas zonas, la inflexión *ó* > *ú.*

Inflexión de ĕ *u* ŏ.

2. Pero cuando las vocales tónicas afectadas por yod siguiente (alguna vez -ī) son ĕ, ŏ, los resultados parecen, a primera vista, bastante divergentes entre sí: h ĕ r ī > port. ant. *eire, eiri*, esp. *ayer*, cat. *ahir*, prov. *er, ier*, prov. mod. *ier, jei, yei, yẹ, ierc, aierc, iersero*, etc. [283]; f ŏ l i a > portugués *fọlha*, leon. *fuella*, esp. *hoja*, arag. *fuella*, cat. *fulla*, prov. mod. *fuelho, fiolho, fulho, fueio*, etc. [284], fr. ant. *fueille*, fr. *feuille;* n ŏ c t e > port. *noite*, leonés *nueite*, esp. *noche*, arag. *nueite*, cat. ant. *nuit*, cat. *nit*, prov. ant. *nueit, nuit, nuech, nuch, neit*, fr. *nuit* (< **nueit)*; s ĕ x > port. *seis*, esp. *seis*, catalán *sis*, Provenza *sieis*, aquitano *cheis* [285], fr. *six* (< **sieis)*; l ĕ c t u > portugués *leito*, esp. *lecho*, cat. *llit*, prov. mod. *lieit, liech, liet*, etc., fr. *lit* (< **lieit).*

Al comparar estos ejemplos vemos: que el español (en donde ĕ y ŏ tónicas diptongan tanto en sílaba libre como en trabada) no ha diptongado en *hoja, noche, seis, lecho;* que el leonés y el aragonés (que en condiciones normales diptongan ĕ y ŏ asimismo siempre) diptongan también ahora [286], *fuella, nueite* [287]; que el provenzal antiguo, que no debía diptongar nunca espontáneamente, ha diptongado la ŏ en *nueit*; que el provenzal, que no debía diptongar nunca ĕ, la ha diptongado en *ier, lieit* < l ĕ c t u, etcétera; que el francés, que no debía diptongar en sílaba trabada, hay que

---

[282] Alguna vez *navigi.*
[283] RONJAT, *Grammaire istorique,* § 90.
[284] RONJAT, § 103.
[285] RONJAT, § 90.
[286] Con escasas diferencias respecto al castellano, en aragonés (ALVAR, *Dial. arag.*, §§ 76-79) y en leonés (M. PIDAL, *Dial. leon.*, § 3).
[287] Por lo que toca a ĕ tónica ante yod, el leonés lo mismo que el aragonés, apenas si ofrecen unos ejemplos de formas verbales (aragonés: Kuhn, § 1; Alvar, § 78; leonés, M. PIDAL, *Dial. leon.*, § 3).

suponer que ha diptongado en estos ejemplos *ě* y *ŏ* en sílaba trabada, es decir, hay que suponer que ha pasado por estados preliterarios semejantes a los que nos revelan las grafías del provenzal antiguo *nueit*, *lieit*, etc., y ha reducido luego los triptongos: **nueit > nuit*, **sieis > sis* (ort. *six*), **lieit > lit*; cuando no se produjeron triptongos, el diptongo ha seguido la evolución normal: *fueille > feuille*.

La falta de diptongación en castellano puede aclararse si consideramos lo que ocurre en portugués, donde la *ě* y la *ŏ* se cierran por influjo de la yod (port. *folha, noite, soberba, hoje*). Hay que pensar que algo parecido ocurrió en época muy remota en la zona original del castellano: la *ě* y la *ŏ*, sufrieron una inflexión semejante, y al hacerse *ẹ* y *ọ* ya no pudieron diptongar. Nótese que respecto del leonés y el aragonés no se puede hablar de modificación de la *ě* y la *ŏ*, pues se comportan igual ante yod, que en evolución espontánea. Por su parte, Schürr piensa que toda la Península tuvo diptongación ante yod: las condiciones actuales serían sencillamente consecuencia de una monoptongación. La teoría de Schürr —que especula con hechos atribuídos a épocas remotísimas— tiene algunas perspectivas seductoras: no tenemos, en realidad, datos que permitan ni aceptarla ni rechazarla.

La diptongación de *e* y *o* ante yod ocurre también en muchos sitios del N. de Italia [288], afecta al francoprovenzal [289], y se produce también en zonas retorrománicas [290].

El caso catalán.

3. En cuanto al catalán, encontramos, en estos ejemplos, *i* y *u*, como resultado de *ě = ẹ* y *ŏ = ọ*. Hay quien piensa que estas vocales, bajo el influjo anticipado de los fonemas extremopalatales que seguían, se cerraron en *i* y *u*; obsérvese que se trataría de una cerrazón de dos grados *ẹ > ẹ > i* y *ọ > ọ > u*. Para otros, los resultados actuales (*i, u*) son el momento final de un antiguo proceso de diptongación [291].

[288] ROHLFS, *Hist. Gramm. It. Spr.*, §§ 90-96.
[289] H. HAFNER, *Grundzüge einer Lautl. des Altfrankoprovenzalischen*, §§ 22-23.
[290] TH. GARTNER, *Handbuch*, Halle, 1910, págs. 152-156 y 157-159.
[291] Véase la exposición de los problemas y la bibliografía, en BADÍA, *GHC*, §§ 48, II-III y 51, II-III. En esa excelente gramática el autor se inclina a pensar que no hubo una verdadera diptongación ante yod, sino mera cerrazón. Otro ilustre tratadista, MOLL, *(GHC*, §§ 36 y 55), la admite. COROMINAS ha expresado varias veces su creencia en la diptongación ante yod, en catalán (véase ahora *Studia... in honorem L. Spitzer*, Berna, 1958, pág. 127); lo mismo piensa M. PIDAL, *Orígenes*, § 25, 2.

8

Esa diptongación catalana si (como creemos también nosotros) ha existido, se ha verificado en un momento preliterario del idioma. Basta contemplar ejemplos parecidos de lenguas de larga evolución como el francés,
para ver: 1) que los diptongos tienen a veces larguísimos procesos que pode-
mos seguir en todos sus pormenores (como en francés, el de $\acute{e}\langle > \acute{e}i > \acute{o}i >$
$> o\acute{e} > w\acute{a}$); 2) que otras veces es prácticamente seguro el precedente hipotético (fr. *lit* < *lieit < l ĕ c t u, como parece indicar la comparación
con el prov. *lieit*); 3) que con frecuencia la grafía no ha reflejado el verdadero
estado de la lengua (como en fr. mod., ortografía *oi* = **wa**); 4) que el francés
—como muchos otros idiomas— ha llegado a monoptongar diptongos
anteriores (c ŏ r > *cuer* > *coeur*, **kœ̈r**; f l ō r e > *flour* > *fleur*, **flœ̈r**). Basta
que la monoptongación tenga lugar antes de existir testimonios documen-
tales, y que ese monoptongo pueda representarse fácilmente por una sola
letra (esta condición no se dió en francés) para que toda huella de la diptongación anterior quede perdida. Son muchos los siglos preliterarios y en
ellos se han podido producir diptongaciones y reducciones de diptongos.

El provenzal (a diferencia del catalán) tiene también diptongación
de ĕ, ŏ ante -*u* (latina o secundaria): *bueu* < b ŏ v e , *mieu* < m ĕ u .

Resumen: modificación de ĕ y ŏ condicionadas por yod.

4.   Podemos, pues, decir que la yod subsiguiente causa una modificación
de las vocales $\acute{e}$ y $\acute{o}$, en un enorme territorio que se extiende por toda la
Romania Occidental. Esta modificación se produce de dos modos distintos,
y aparentemente contrapuestos: 1) ocasiona diptongación de $\acute{e}$ o de $\acute{o}$,
cuando no se esperaría (así en francés en sílaba trabada, en provenzal y
en catalán) [292]; 2) ocasiona el cierre de $\acute{e}$ y $\acute{o}$ (así en portugués y en castellano,
y, como consecuencia, no se produce la diptongación normal en esta última
lengua). Hay zonas en las que parece no existir efecto alguno de yod sobre
la $\acute{e}$ u $\acute{o}$ anterior: así ocurre en el leonés y el aragonés.

Para la división de los dialectos peninsulares resulta así muy de bulto
el contraste del castellano, sin diptongación ante yod, entre un grupo que
va desde el leonés al catalán, que todos diptongan. ¿Diptongaba también ante yod el dialecto mozárabe? M. Pidal, basado principalmente en
topónimos, piensa que sí [293].

---

[292]   Para el N. de Italia, retorrománico y francoprovenzal, véase más arriba, página 107.
[293]   *Orígenes*, §§ 25, 3-4 y 101, 1.

Fonemas que causan inflexión vocálica.

5. Observemos los fonemas que pueden producir la modificación condicionada de *é* y *ó*: unos, están netamente separados de la vocal tónica como la -*i* final en h e r i ; otras veces se trata de una yod que, separada de la vocal tónica por una consonante, permanece o se funde con dicha consonante palatalizándola (cat. *fulla* < f ŏ l i a , esp. *vendimia* < v i n d e m i a) ; en otras ocasiones se ha desarrollado una semivocal *i̯* que ha quedado en contacto con la tónica, y que unas veces ha persistido como tal *i̯*, y otras ha producido la palatalización de la consonante siguiente (fr. *nuit* < n ŏ c t e, esp. *pechos* < p ĕ c t u s). Es evidente que en todos estos casos distintos hay algo en común: la anticipación articulatoria de un sonido especialmente cerrado (-*i* o -*u*, o yod, o semivocal *i̯*). Llamaremos a este fenómeno en su enunciación más general, inflexión, y reservaremos por ahora el nombre de metafonía para la inflexión producida por las vocales finales -*i* y -*u*.

Es precisamente de este tipo, metafonía por -*i* y -*u* (sobre *á, é, ó*) en Italia y en la Península Hispánica, de lo que vamos primero a tratar. Los fenómenos de que vamos a hablar no son en el fondo distintos de los que hemos señalado al principio (esp. *hice* < f ē c i , etc.). Hemos visto esta metafonía de *ę* y *ǫ* por -*i*, extendida por toda la Romania occidental, pero limitada a unas cuantas palabras. Creemos que esa limitación fué determinada por causas morfológicas. En los casos italianos que vamos a comparar con otros españoles, la gran frecuencia de este tipo de metafonía está posibilitada por la formación del plural en -*i*, y en el Sur por el masculino singular en -*u* (-*i* y -*u*, que en unos sitios persisten y en otros, o se han transformado, o han desaparecido posteriormente). En las zonas de la Península Hispánica, que compararemos, es más frecuente la -*u*, y, por tanto, la metafonía por ella producida; con menos frecuencia aparecen la -*i* y la metafonía por ella provocada.

II.   LA METAFONÍA ITALIANA Y LA DE LA PENÍNSULA HISPÁNICA

La metafonía italiana.

6. El fenómeno de la metafonía por -*i* y -*u* está muy extendido en los dialectos italianos [294]. Con efectos sobre *é* y *ó* tónicas (abiertas y cerradas) se

---

[294] ROHLFS, *Hist. Gramm. It. Spr.*, §§ 5-6.

encuentra muy abundante en el S. de Italia hasta la región de Roma, Umbría y las Marcas. La Toscana, el N. del Lacio y las zonas próximas de Umbría tienen sólo huellas de metafonía [295]. Hay que tener en cuenta que en extensas zonas de los Abruzos y del N. de Apulia sólo la -*i* ejerce acción metafónica; y estas condiciones tienen algo de propagación al S. de las Marcas y de Umbría [296]. En la Italia del N. y en el Tesino, se encuentra también muy extendida la metafonía, pero en general sólo la provocada por -*i*, aunque en zonas como el N. del Piamonte y en el Tesino se encuentra la causada (en las tónicas *ǫ* y *ẹ*) tanto por -*i* como por -*u* [297]. Las llamadas colonias galoitalianas del sur de Italia manifiestan su carácter nórdico por tener sólo la metafonía de tipo -*i* [298].

En cuanto a la modificación de la vocal tónica, lo normal es que *ẹ* y *ǫ* den por metafonía de -*i* y, en su caso, también de -*u*, respectivamente *i* o *u*: romañolo (Ravenna) sing. *anvǫt* (= it. *nepote*), plur. *anvut* (= it. *nepoti*), aquí metafonía sólo por -*i*; napol. sing. *šorǝ* (= it. *fiore*), plur. *šurǝ* (= it. *fiori*), masc. *russǝ* (= it. *rosso*), fem. *rǫssa* (= it. *rossa*), metafonía por -*ī* y por -*ŭ* [299].

En cambio, el efecto normal sobre *ě* y *ŏ* consiste en su diptongación, pero se producen muchas veces efectos secundarios que pueden llevar a monoptongación (a veces los textos antiguos revelan el diptongo): Ferrara sing. *fradẹl* (= it. *fratello*), plur. *fradié* (= it. *fratelli*); otras veces *ie* > *i*, boloñés sing. *martẹl* (= it. *martello*), plur. *martí* (= it. *martelli*); piamont. de Ossola sing. masc. *örp* (= it. *orbo*), plur. *örp* (= it. *orbi*), fem. *ǫrba* (= italiano *orba*). Este último es uno de los puntos nórdicos con metafonía por -*ī* y por -*ŭ*. En el sing. y plur. masc. se produjo primero una diptongación (**uorbu, *uorbi*): la caída de ambas finales es normal, y **uo* > *ö* [300] (esta misma es la monoptongación francesa de los diptongos procedentes de *ǫ̣* ⟨ y *ǫ́* ⟩). La diptongación metafónica de *ẹ́* y *ǫ́* tanto por -*ī* como por -*ŭ*, domina la Italia del Sur, y la misma ciudad de Roma la tenía aún en su dia-

---

[295]   Pero no la de la diptongación por metafonía. ROHLFS, *Ibidem*, § 5, pág. 64.

[296]   Comp. ROHLFS, *Ibidem*, § 6, págs. 55-56.

[297]   En el caso de tónica *ǫ*, una extensa zona piamontesa al N. del Po (ROHLFS, *Hist. Gramm. It. Spr.*, § 112), y en muchas localidades del Tesino *(Ibid.,* § 113); en el caso de tónica *ẹ*, hay restos en una zona montañosa desde el Piamonte hasta los Alpes Dolomíticos *(Ibid.,* § 91), y en Val Onsernone, en Tesino *(Ibid.,* § 92).

[298]   Véanse pormenores en el libro documentadísimo de ROHLFS: para Italia N., *ẹ* § 53, *ǫ* § 74, *ę* §§ 90-96, *ǫ* §§ 111-117; para Italia S., *ẹ* § 61, *ǫ* § 79, *ę* § 101, *ǫ* § 123. Respecto a las colonias galo-italianas *ę* pág. 126; *ǫ*, pág. 144; *ę* § 95; *ǫ* § 116.

[299]   La -*e*, la -*i* y la -*u* finales se han igualado en -*ǝ*. Pero antes la -*i* y la -*u* produjeron su efecto metafónico *(šurǝ, russǝ)*. Véase más adelante, pág. 120.

[300]   Probablemente sobre un grado intermedio **ue.*

lecto en el siglo XVI: *vecchia, viecchio; castella, castiello; petra, Pietro*; en partes de Sicilia, *bieḍḍu* (= it. *bello), bieḍḍi* (= it. *belli), beḍḍa* (= it. *bella)*. El diptongo procedente de *ę* puede tener muchas transformaciones: *ié, ie, í,* etcétera. En algunas partes, p. ej. en muchas hablas del Lacio, el efecto de la metafonía sobre *ę* es *ę (kontęntu, kontęnta)*, y Rohlfs se inclina a creer que en esos casos no ha habido diptongación. En el caso de *ǫ*, el diptongo es *ue* (Lecce *muęrtu, muęrti)*; otras veces se encuentra *úa, úo, ú*, y en fin (simétricamente a lo dicho para *ę)* también *ǫ*: Calabria (Mangone) *nǫvu, nǫvi*, pero *nǫva*.

La metafonía sarda.

7. Conviene recordar aquí que esta metafonía de *ǫ* y *ę* por *-i* o *-u* en *ǫ* y *ę* es muy parecida a la que existe en el sardo: log. *bǫnu, bǫna, bǫnos;* (< b ŏ n u , -a , -o s), *bęni* (< v ĕ n i).

En realidad todas las *ó* y *é* sardas (lo mismo etimológicamente largas que breves) han quedado regularizadas, de tal modo que si hay *-i* o *-u* finales, son cerradas; y en otro caso, abiertas. Véanse ejemplos con vocal etimológicamente larga: log. *bęru* (< v ē r u), *sęda* (< s ē t a), *bęndo* (< v ē n d o).

La metafonía portuguesa.

8. Conocida es de antiguo la existencia de la metafonía por *-u* (ortográficamente *-o)* y *-a* en portugués [301]. Williams la resume así: sometidas a la acción de *-o* pronunciada como *-u* [302], *é > é, ę > i, ǫ > ǫ* y *ǫ > ú*. Hay también una relación de abertura entre la tónica y la *-a*, que origina que *é > ę* y *ǫ > ǫ* [303].

Estos cambios no forman un sistema regular y perfecto; mejor dicho, tienen sólo una regularidad relativa. De *ǫ > ú*, por efecto de *-u*, sólo se cita *tudo < tǫdo < t ō t u* ; correspondientemente de *ę > i* por efecto de *-u* sólo se aducen los pronombres *isto, isso, aquilo* [304]. Prescindimos en lo

---

[301]   Prescindo de la llamada «metafonía» verbal. Véase lo que decimos, págs. 16-17.

[302]   Pero no en el plural *-os* (aunque la pronunciación es *-us)*.

[303]   WILLIAMS, § 100, 3-7. En la misma obra, metafonía de los nombres, § 123, 6-7; metafonía de los adjetivos, § 126, 7-10. Véase SILVA NETO, *Hist. da Língua Portuguesa*, Río de Janeiro, 1952, §§ 24-35.

[304]   Se ha pretendido efecto metafónico en *siso* (< s ē n s u): registrado en port., gall., gall.-ast., y además en leonés antiguo, resulta sospechosa su extensión geográfica. Respecto a *urso*, port. ant. *usso*, véase pág. 10.

que sigue de estos efectos metafónicos ($\acute{u} < \acute{o}$ e $\acute{i} < \acute{e}$) que no tienen acción ni en sustantivos ni en adjetivos.

Así (y admitiendo que -o, en singular, sonó u desde mucho antes de que -os de plural llegara a sonar -uš) la enunciación del sistema parece confirmarse con ejemplos bien coherentes como estos en que la tónica era ŏ en latín, *cǫrno, cǫrnos, sǫgro, sǫgra, sǫgros, sǫgras, nǫvo, nǫva, nǫvos, nǫvas*. Los adjetivos en -ōsus, habrían terminado por reproducir analógicamente la variación de los en ŏ, después de haber pasado por una etapa regular: port. ant. (hasta el s. XVI) *formǫso, formǫsos, formǫsa, formǫsas*, port. mod. *-ǫso, -ǫsos, -ǫsa, -ǫsas*[304*]. En general, sin embargo, los adjetivos con ǫ́ ($< \bar{o}, \breve{u}$) no sufren la metafonía por -a; conservaron, pues, siempre, su ǫ etimológica: *fǫsco, -a, -os, -as*. Sólo algunos sustantivos con ǫ́ ($< \bar{o}, \breve{u}$) tienen cambio metafónico en el plural *(tǫrdo, tǫrdos; fǫrno, fǫrnos)* ; quedan, pues, éstos igualados a los con ŏ etimológica.

Los casos con ę́ etimológica ($< \breve{e}$, ae) son mucho más confusos que los con ǫ́. Hay nombres con ę etimológica que parecen recibir el efecto de -u en el singular y en el plural: *cadę̣lo* ($< c a t \breve{e} l l u$), *cadę̣los* (¿o la ę del plural es analógica?); en cambio, *cutẹlo* ($< c \breve{u} l t \breve{e} l l u$) , *cutẹlos*. Los adjetivos con ę́ dieron dos tipos: uno, de propagación del efecto metafónico de masculino singular *lẹdo* ($< l a e t u$), *lẹdos, lẹda, lẹdas*; y, otro, en el que se generalizaron las formas con ę́ mantenida por la -a del femenino: *cę̣go* ($<c a e c u$), *cę̣gos, cę̣ga, cę̣gas*. Los adjetivos con ẹ́ ($< \bar{e}, \breve{i}$) no han sufrido metafonía: *nẹgro, nẹgra, nẹgros, nẹgras* (lo que les hace iguales a los con ẹ́ etimológica del tipo *lẹdo*).

En portugués, por tanto, el indudable efecto metafónico de -u, se ejerce con más claridad en el caso de nombres y adjetivos con ǫ́ ($< \breve{o}$) etimológica. Respecto a la metafonía por -a podría pensarse que sea una nueva propagación analógica de la diferencia producida por verdadera metafonía de -u (es decir, la oposición *sǫgro - sǫgra, nǫvo - nǫva*, causada inicialmente por el cierre de o, se habría propagado a *formǫso - formǫsa*); pero hay muchos indicios a favor de una auténtica acción de la -a sobre la tónica[305].

[304*] Comp. WILLIAMS, obra cit., § 126, 8 B.

[305] Las series *ę̣ste* $< \mathrm{i} \mathrm{s} \mathrm{t} \mathrm{e}$, *ę̣sta, isto; ę̣sse* ($< \mathrm{i} \mathrm{p} \mathrm{s} \mathrm{e}$), *ę̣ssa, isso; aquę̣le* ($< *\mathrm{a} \mathrm{c}$- $\mathrm{c} \mathrm{u}$-*í*ll*e$), *aquę̣la, aquilo* (en cambio, *tǫdo, tǫda, tudo*). En el gallego del interior de Galicia (donde falta un estudio sistemático del vocalismo actual) en nuestros asistemáticos interrogatorios coincidían todos los sujetos en pronunciar *sogra* con una vocal tónica más abierta que la de *sogro*; en el gall.-ast. de los Oscos, donde *sogro* tiene ǫ, *sogra* se suele oír con una tónica mucho más abierta aún. (Comp. G. DE DIEGO, *Gramática Gallega*, págs. 62-63, texto y nota 1). Las condiciones de la región fronteriza bien estudiada por SCHNEIDER *(Studien zum Galizischen des Limiabeckens, VKR, XI,*

La metafonía asturiana.

9. Desde fines del siglo XIX, y gracias a Menéndez Pidal, conocemos otra importante zona de metafonía en la Península Ibérica, en el asturiano central: fijada primeramente por su descubridor, en Lena, al S. de Oviedo, los estudios y exploraciones de Rodríguez Castellano, Jesús Neira, María Dolores Alonso, etc., permiten fijar hoy bien la zona toda al S., SE. y E. de Oviedo, que incluye, ya total, ya parcialmente, los Concejos de Lena, Quirós, Riosa, Morcín, Mieres, Aller, Laviana, Sobrescobio, San Martín del R. Aurelio, Langreo, Bimenes y Siero [306].

El mismo M. Pidal encontró también una zona al N. de Oviedo, en las cercanías del Cabo Peñas (Concejo de Gozón) [307].

En la gran zona asturiana, los fenómenos de inflexión se producen lo mismo por metafonía de -u que de -i. El efecto de -u e -i actúa sobre las vocales tónicas á, é, ó. La á ante -u o -i se hace é y en una zona más reducida, ó: sing. *pelu* 'palo', plur. *palos*; *guetu*, *gatos*; *terdi* 'tarde'; la zona de ó hace *gotu*, *gatos*. La é, en las mismas condiciones, da í: *pilu*, *pelos*, *llichi*, *šichi* 'leche'. La ó, igualmente, ú: *tuntu*, *tontos*; *llubu*, *llobos*, *curri* 'corre'. Es de notar que también la é segundo elemento en los diptongos *wé* < ǫ y *ié* < ę̣, da í: *nuistru* (< nǒstru), *güivu* (< *ǒvu), *nuichi* (< nǒcte), *argadiíllu* (< -ĕllu), *dubiíšu* (< glŏbĕllu), *šuiñi* (< lŏnge).

Parece segura la inflexión en los casos de é < ai: *caldiru* (< -ariu); aunque, principalmente en la zona del Cabo Peñas, se encuentre bastantes veces *-eru* [308]. Rodríguez Castellano cree que lo normal en el caso e < ai es la inflexión [309]. Hay que tener en cuenta que la zona limita por el O. con el territorio que aún tiene *ei*. Lo mismo, o aún con más decisión, se puede

---

1938, pág. 195) no pueden tomarse como representativas del gallego en general. Véase página 122, n. 346.

[306] Véase RODRÍGUEZ CASTELLANO, *Más datos sobre la inflexión vocálica en la zona Centro-Sur de Asturias*, en el *BIEA*, núm. 24, Oviedo, 1955. Véase además JESÚS NEIRA MARTÍNEZ, *El habla de Lena*, Oviedo, 1955, y MARÍA DOLORES ALONSO FERNÁNDEZ, *Notas sobre el bable de Morcín*, en *Archivum*, IV, 1954, XLI-LII.

[307] *Pasiegos y Vaqueiros*, en *Archivum*, IV, 1954, págs. 13-14. Esta zona N. ha sido luego explorada por D. CATALÁN, *Inflexión de las vocales tónicas junto al Cabo Peñas*, *RDTP*, IX, 1953, págs. 405-415, y por MARÍA DEL CARMEN DÍAZ CASTAÑÓN, *La inflexión metafonética en el Concejo de Carreño*, en *Trabajos sobre el dominio románico leonés*, I, Semin. M. Pidal, Fac. de Filosofía y Letras, Madrid, 1957, págs. 13-22.

[308] D. CATALÁN, *Inflexión*, pág. 413.

[309] Art. cit., págs. 141-143. Es de advertir que la opinión de Rodríguez Castellano resulta confirmada por las exploraciones posteriores de la señorita DÍAZ CASTAÑÓN, art. cit., pág. 22.

decir de *ó* < *au* y *al (tupu, cusu*, comp. esp. coloquial *coso* 'cosa', *pucu*) [310].

Recientemente, M. Pidal ha publicado sus datos sobre otra zona con metafonía, aislada mucho más al E.: se trata de pueblos del valle de Pas, y otros valles vecinos. Es una zona situada en la parte Sur de la provincia de Santander [311]: los principales puntos de situación son Vega de Pas, San Roque de Riomiera, Selaya, San Pedro de Romeral [312]. M. Pidal ha usado datos facilitados por los investigadores del Atlas Lingüístico de la Península. En ellos no se aduce ningún ejemplo en *-i ;* la inflexión metafónica es muy parecida a la de las zonas asturianas, algo menos intensa: la *á* sólo alcanza el grado *ạ́*, la *é* da *i* (también la del diptongo *wé)* y la *ó* en unos sitios se cierra en *ọ* (θọ́r̄u frente a θọ́r̄a) y en otros en *u (utru, turtu* 'torta pequeña').

¿Colonización suditaliana?

10. Los datos de la metafonía de Asturias y de la santanderina de Pas le han servido a Pidal, en su mencionado artículo *Pasiegos y Vaqueiros* para redondear su teoría de una intensa colonización de parte de la Península por gentes venidas del sur de Italia: metafonía por *-i* y *-u*, resultados parecidos para *-ll- (-ḍḍ-, -ḍ-, ṣ, r*, etc.), las asimilaciones *mb* > *m, nd* > *n, ld* > *l*, las más raras *-nt-* > *-nd-, -lt-* > *- ld-, -nk-* > *-ng-*, se encuentran en el S. de Italia, y también en la Península, a lo largo de la cordillera cantábrica. (¿Y por qué no también *f* > *h*, que se da en los dos sitios?) [313].

Si la metafonía de Asturias debe de ser consecuencia de una colonización suditaliana, la de Pas —agrega Pidal— debe de ser consecuencia de una colonización asturiana (el mismo extraño carácter de los «pasiegos» en contraste con toda su vecindad parece indicar origen distinto).

La metafonía, fenómeno del NO. peninsular.

11. Creemos que en lo que toca a la metafonía es necesario considerar conjuntamente todo el NO. y O. peninsular: lo que ocurre esencialmente en

---

[310] Sobre *toru* y *oru*, véase más abajo, pág. 130, n. 370.

[311] La zona queda a la derecha de la carretera Burgos-Santander, poco después de penetrar en la Montaña.

[312] M. PIDAL, *Pasiegos y Vaqueiros*, págs. 17-19.

[313] Curiosamente Pidal considera *f* > *h*, fenómeno en relación con el vasco, porque en esta lengua no hay *f*. Tampoco hay en ella, en el fondo tradicional, *-nt-, -nk-, -lt-*. La duda, pues, en principio tendrá que plantearse lo mismo respecto a estos tres grupos y a *f:* o latín meridional, o sustrato. Naturalmente sin descartar la posibilidad de otras explicaciones.

$zǫrru$ y $zǫrra$ de la zona de Pas [314], y en port. $pǫrco$ (-u) y $pǫrca$, es lo mismo: que se tiende a un sistema en que ó se cierra ante -u y se abre ante -a. En algunos puntos de la zona de Pas, como en portugués, la diferencia no ha pasado de ǫ a ọ, pero en Asturias y también en muchos sitios de Pas se llegó a una cerrazón ú (ante -u) frente a ó (ante -a). Diferencias mucho más importantes y variadas se encuentran entre los distintos puntos del sur de Italia: sin embargo nadie podrá negar allí que por lo que toca a la metafonía se trata de una zona compacta. Más aún: en Italia, a primera vista parece que se podría distinguir entre una metafonía del S. causada por -u, -i, y una del N. provocada (en general) sólo por -i: el romañolo rozando hasta los puntos limítrofes del N. de las Marcas (AIS, puntos 528, 529: sing. més, plur. mis) sería el extremo S. de la nórdica; mientras que la meridional llegaría por el N. hasta la parte S. de la Umbría (584: mése, mísi) y de las Marcas (559, 567: méze, míži) [315]. Sin embargo, Rohlfs piensa, y creemos que con razón, que los fenómenos de metafonía del S. y del N. de Italia han tenido una relación original [316]. También en la Península Ibérica habrá que considerar siempre conjuntamente la metafonía de Pas, la del asturiano central y la de Portugal. Lo que se dé como causa de los fenómenos en una de estas zonas ha de suponerse —mientras no se pruebe lo contrario— causa también en la otra; porque si la existencia de metafonía en zonas de España y de Italia puede hacernos pensar en una relación genética, con mucha más razón la presencia de fenómenos metafónicos similares en una buena parte del N. y en el O. de la Península Ibérica, parece exigir una explicación unitaria.

Veo ante todo la necesidad de nuevas exploraciones, que no sé si favorecerán la tesis de M. Pidal. El terreno en que hay metafonía debe de ser muy extenso: por el Este se extiende o ha extendido hasta el extremo de Asturias, con ese enclavamiento en Santander (en Pas). Pero, ¿no habrá otros puntos intermedios? Creo que no se puede defender cerradamente ninguna teoría sin un estudio completo de todo el NO. peninsular. Galicia, por ejemplo, es casi una total incógnita. ¿Se da en ella una metafonía parecida a la del portugués? Que hay metafonía es indudable, pero las condiciones actuales son muy confusas, y exigirán una investigación atenta y sistemática que no se ha realizado [317]. Hay, además, el hecho de que la vocal

---

[314] M. PIDAL, *Pasiegos y Vaqueiros*, pág. 19.

[315] Comp. *AIS*, mapa.

[316] ROHLFS, *Hist. Gramm. It. Spr.*, I, pág. 179, n. 1.

[317] O por lo menos, que no se ha publicado aún: ignoro los resultados de los interrogatorios para el Atlas Peninsular. La pronunciación de ciudades y villas está lamentablemente estropeada: es necesario buscar las zonas más aisladas y montañosas·

final es, en gallego, normalmente -*ǫ* (frente a -*u* del portugués y del asturiano). Sobre la provisionalidad con que —por falta de las debidas exploraciones— hay que hacer esa afirmación, y sobre los problemas que se plantean, véase lo que decimos más abajo [318].

También creo que está insuficientemente explorado, por lo que toca a metafonía, el E. de Asturias y más aún el occidente de Santander. Por de pronto, M. Pidal encontraba metafonía en 1906 en el E. de Asturias, en Linares (Ribadesella) [319]: *abéxu* (?)'abajo', *turnu, ciįgu* 'ciego', *jiįrru* 'hierro', aunque advertía que el «oscurecimiento» de la vocal no era «tan notable». Ahora no niega su observación anterior, sino que le sigue quitando importancia [320]. Creemos, en verdad, que la observación atenta de estos fenómenos en retroceso tiene enorme interés. En la tesis (inédita) sobre Cabrales (E. de Asturias, al S. de Llanes) de Jesús Alvarez Fernández Cañedo, encuentra el autor que las vocales tónicas *e* y *o* toman matiz cerrado ante -*u*, datos que convendría que alguien contrastara [321]. Son estas zonas (E. de Asturias y O. de Santander) en que el dialecto siempre fué menos intenso o está, por lo menos, mucho más erosionado, tan interesantes cuanto difíciles de explorar. Por ejemplo: el prejuicio de que no se van a encontrar matices diferentes de los castellanos en la articulación de las tónicas, puede llevar, a veces, a los investigadores, a transcribir por pura rutina. Es posible que todavía se encuentren otros casos de metafonía entre la zona de Pas y la del extremo E. de Asturias, o entre ésta y la del asturiano central [322].

Diferencias entre la metafonía asturiana y la del S. italiano.

12. En lo que toca a la relación genética entre la metafonía asturiana y la del sur de Italia, se encuentran algunas dificultades. Ante todo lo que respecta a la inflexión de *a* tónica por -*u* o -*i*. Dicha inflexión, en cualquiera

---

[318] Véase pág. 122.

[319] *Dial. leon.*, pág. 151.

[320] *Archivum*, IV, 1954, pág. 15.

[321] Recientemente he recibido una carta de Münster, del señor Fritz Garvens, que estuvo tres meses en Cabrales en 1958, quien me confirma que existe metafonía (*gǫrdu, gǫrdos*), pero me dice que «está perdiéndose rápidamente como tantas otras particularidades de interés lingüístico».

[322] En el momento último me llega el muy interesante artículo de RODRÍGUEZ CASTELLANO, *Algunas precisiones sobre la metafonía de Santander y Asturias (Archivum*, IX, 1959, págs. 236-248), y en él la más brillante confirmación de la existencia de metafonía por -*u* (y alguna vez por -*i*) desde el centro de Asturias hasta la Vega de Pas en el centro de Santander.

de sus resultados *(é* u *ó)* [323] es sumamente frecuente y se encuentra por todas partes en los restos de la gran zona continua que debió unir —según acertada tesis de D. Catalán— todo el centro asturiano [324]. El fenómeno de la inflexión de *á* por *u* e *i* en nuestras zonas asturianas y santanderina es, pues, firme y muy extenso. En contra de esto, la inflexión, en Italia, de la *á* tónica, por efecto de *-u* e *-i* está limitada a un brevísimo terreno: la pequeña isla de Ischia y la pequeñísima de Procida, frente a Nápoles, y un par de pueblos (Monte di Procida, Pozzuoli) sobre el cabo frontero (ya en la península italiana) y también Giugliano di Campania [325]. Aplicando estrictamente la teoría de colonización suditaliana habría que suponer que toda la colonización de la zona centroasturiana procedió de estos poquitos pueblos. Si no, es necesario entonces montar una nueva teoría: que la palatalización de *á* por *-u*, *-i* habría tenido una gran extensión antiguamente en el S. de Italia; sólo vagos indicios podrían aducirse. Curiosamente, en cambio, es muy frecuente la metafonía de *á* por *-ī*, esparcida por el Norte [326] desde el Tesino; y también se encuentra (solamente por *-ī*) en el S. de Italia, especialmente en gran parte de los Abruzos; pero no pasa de la provincia de Campobasso (Molise) y del Lacio meridional [327]. Los resultados de *á* con metafonía de *-i* son *ä, e, ie, i.* Es importante, además, que —sin paralelo alguno en Asturias— los resultados frecuentemente varían según se trate de sílaba libre o trabada: Teramo (al N. de los Abruzos) da como resultado *i*, en sílaba libre, y *ie* en sílaba trabada [328]. Henos, pues, en un ambiente muy distinto del de nuestra inflexión asturiana. El examen de la inflexión de *a* parece no favorecer la tesis de una colonización del centro de Asturias que procediera de la Italia meridional: solamente esos poquitos pueblos junto a Nápoles tienen una metafonía de *á*, por *-ī* y por *-ŭ*, que pueda ser comparable a la asturiana. Pero no se deben sacar conclusiones apresuradas: son muchas las correspondencias que hay que tener presentes.

---

[323] Hay que agregar aún *ǫ* en algunos pueblos de Pas (M. PIDAL, art. cit., pág. 17).

[324] D. CATALÁN, *Inflexión*, págs. 414-415. M. Pidal parece no admitirla, porque no existen apenas testimonios de metafonía en los documentos medievales; pero pudo ser siempre un uso rural evitado en la lengua de los documentos. (Un caso *mancibu-manceba*, ha señalado R. Lapesa en el Fuero de Avilés de 1155). La tesis de Catalán es sumamente razonable y los nuevos estudios de María del Carmen Díaz Castañón parecen aún confirmarla.

[325] ROHLFS, *Hist. Gramm. It. Spr.* § 22.

[326] ROHLFS, § 20.

[327] ROHLFS, § 21.

[328] ROHLFS, § 21.

Problema: antigüedad de la metafonía.

13. Otro punto de vista importante es el de la antigüedad de la metafonía. Todo habla en favor de antigüedad en el S. de Italia. Por ejemplo, ya sabemos que la *ę* por acción de -*ī* o -*ŭ* da como resultado *i* (como en la zona de Asturias) pero en Italia esa *i* participa después en el desarrollo que la *ī* latina tiene en el S. de Italia, especialmente en el sector adriático. Así en la Apulia del Norte, al it. *mesi* correspondió por metafonía **misi*, pero en esa zona *ī* > *ei, ai, oi, ui* (f ī l u > *ƒeilə, ƒailə*, etc.), y el resultado es que **misi* participó también en esa diptongación, y suena en unos sitio *meisa*, en otros, *maisə, moisə, möisə*, etc. [329]. También en algunos lugares la *ě* tónica produce por metafonía, unas veces *ié* y otras *ie*, de donde a veces resulta *i ;* y esta *i* puede evolucionar como *ī* latina: así en Opi (prov. de Aquila, Abruzos) se tiene *poidə* (it. *piedi*): la *i* ha diptongado como la *ī* latina que en ese lugar diptonga en *ǫi, ƒǫilə* 'hilo' [330]. Naturalmente que la inflexión metafónica tuvo que cumplirse antes de que se desarrollaran estas diptongaciones; lo mismo pasa con la *ú* producida por metafonía de *ǫ́*: sigue la diptongación que en muchos sitios tiene la *u* [331].

En cambio, en la metafonía asturiana hay algunos pormenores que nos pueden hacer dudar de su antigüedad. Me refiero al desarrollo por acción metafónica de los diptongos *we, ie* (que resultan, respectivamente, como hemos visto, *wi, iį*). Estos diptongos proceden, claro está, de *ǒ* y *ě*. Veamos lo que ocurre en el S. de Italia. Las condiciones, a priori, son contrarias: Italia meridional no diptonga espontáneamente *ǒ* y *ě*; en cambio, el asturiano lo hace en condiciones espontáneas (indiferentemente de cuál sea la vocal final). En el S. de Italia ocurre que la diptongación de *ě* y *ǒ* se produce precisamente cuando actúa la metafonía de *ī* y *ŭ*.

Por lo que toca a las épocas del proceso en el asturiano central, hemos de pensar dos momentos: *a*) primero *ǒ* y *ě* diptongaron, como normalmente lo hacen en *ue* (*uo*), y *ie*; *b*) posteriormente se ejerció la acción metafónica y las *e* finales de diptongo se hicieron *i*. Según eso la metafonía asturiana no sería de primera antigüedad. Pero este razonamiento no tiene una validez total: de un lado, se puede pensar en una igualación analógica del tipo *pilu : pelos :: x : pañuelos*; por tanto, *x = pañuilu*; de otro, todo podría adaptarse (con un poco de buena voluntad) a las teorías de Schürr: la metafonía estaría en el origen de toda la diptongación románica, y también,

---

[329] ROHLFS, § 61.
[330] *Ibid.*, § 101.
[331] *Ibid.*, § 79.

claro, de la asturiana; entonces habría que suponer que la metafonía habría actuado en dos tiempos: primero para producir la diptongación y luego para cerrar la *e*.

Según hemos dicho antes [332], hoy no parece haber duda de que en el asturiano central se produjo también la inflexión de *é < ai*, bien con el resultado general de *i* (*-iru < *-eru < -a r i u*), bien con el que se registra en el Alto Aller (*-eru*). El orden es, pues, éste: primero se produjo *é < ai;* más tarde fué cuando sobre la *é* actuó la metafonía. Algo semejante se puede decir para *ó < au*.

El estudio de la metafonía en el asturiano central en los resultados de *ě* y *ŏ* tónicas y de *ai* y *au* inclina a pensar que la acción metafónica se ha ejercido en época relativamente moderna. Lo cual no favorecería la teoría de la colonización suditaliana. Pero hay que tener en cuenta: 1) que la mera acción metafónica ha podido ejercerse a lo largo de un gran período; 2) que es imposible deslindar la acción metafónica y el establecimiento de una flexión interna. Esto último puede justificar *pañwilu* y *cordiru* singulares analógicos (el primero opuesto a *pañuelos* y el segundo a *corderos, -era, -eras*), aun en una época en que ya no se produjera la anticipación en la vocal tónica del grado de cerrazón de la final.

METAFONÍA Y ANTIGÜEDAD DE *-u* E *-i* EN ITALIA Y EN LA PENÍNSULA HISPÁNICA

Antigüedad de -u e -i, *y metafonía. En Italia.*

14. En la crítica de la antigüedad de estos fenómenos hay un punto de vista muy importante: el estudio de la antigüedad de *-u* e *-i*. Cuando en un habla moderna en Italia o en la Península Ibérica nos encontramos *-u, -i*, ¿hemos de pensar que son los continuadores directos de *-ŭ, -ī* latinos? ¿o tal vez que éstos dieron *-o, -e* y más tarde se volvieron a cerrar en *-u, -i*? Esto último no es, a priori, absurdo. Baste recordar evoluciones como la de la *ó > ú* en sílaba trabada, en francés: t ŭ r r e > *tǫr* > *tour*. En casos como éstos se diría que la lengua se ha entretenido en andar y desandar la misma vía.

Por lo que toca a la Italia del Sur no parece pueda caber duda de que *-u, -i* cuando aparecen así (o cuando nos han dejado huellas de su existencia) son los continuadores de *-ŭ, -ī*. La importante función morfológica de *ī* en

---

[332] Véase más arriba, pág. 113.

los nombres [333] y en los verbos [334] aseguró aquí la permanencia durante bastante tiempo, de esta vocal. En cuanto a -ŭ existe una ingeniosa teoría
de Lausberg [335] según la cual el nominativo -ŭs, y también el acusativo
ŭ(m) habrían tendido a diferenciarse del acus. de plural -os; a esto se debería que en algunas zonas italianas -ŭ > -u.

Pero el destino ulterior de -i y -u iba a ser bastante variado. Hoy -i, -u,
en la Italia meridional, se encuentran intactos sólo en algunas zonas [336], por
ejemplo, en la prov. de Cosenza (Calabria) sing. *pane, muru, linu*. Pero
ya un poco más al N. [337] empieza la zona en que todas las vocales finales
se reducen a ǝ, extenso territorio que (salvo islotes) llega a los límites del
Lacio y al S. de las Marcas. Lo más interesante para nosotros es que la -ī
y la -ŭ permanecieron lo bastante para producir la inflexión metafónica de
la tónica antes de neutralizarse en ǝ: napol. sing. *męsǝ*, plur. *misǝ;* masc. *nirǝ*,
femenino *nęrǝ; pilǝ*, lo mismo 'pelo' que 'pelos'. Compárense las formas
italianas *mese, mesi, nero, nera, pelo, peli*.

Al N. de esa gran zona de confusión volvemos a encontrar una faja que
distingue -u y -o: va desde las tierras al S. de Roma por el NE. del Lacio
al SE. de Umbría y rincón NO. de los Abruzos, y de aquí a parte del S.
de las Marcas, y toca en la costa adriática por el S. de Ancona. De este interesante territorio volveremos a hablar más abajo, § 20.

Siguiendo hacia el N. encontramos el territorio toscano que distingue
netamente sus vocales finales *a, o, e, i*, y en donde -ī > i y -ŭ > o:
capra (< -a), *capre* (< -ae), *pelo* (< -ŭ), *peli* (< -ī), *quando* (< -o),
bene (< -ĕ), it. ant. *diece* (< d e c ĕ m), hoy *dieci*, y con esta última una
serie de palabras con -i donde se esperaría -e. La Toscana, precisamente,
no tiene metafonía por -i (y no puede tenerla por -u, por lo que acabamos
de decir); tampoco, salvo algunas huellas, las partes vecinas de Umbría y
Lacio [338].

Pero en la Italia del N. vuelve a haber mucha inflexión metafónica,
aquí en general producida por -ī, y sólo pocas veces también por -u. La -u se

---

[333]   Triunfa el plural nominativo -ī en todo el espacio italiano, ROHLFS, *Hist.
Gramm. It. Spr.*, § 364; propio de la segunda declinación, se extiende analógicamente,
Ibid., §§ 365-366.

[334]   La ī de *dormīs* se generaliza, *Ibid.*, § 528.

[335]   Véase sucintamente expuesta en *Romanische Sprachwissenschaft*, I, § 274 (Col.
Gosschen) y antes, por el mismo, en *RF*, LX, 1947, págs. 301-302.

[336]   Hay que descontar de antemano Sicilia y las extremas zonas meridionales de
Calabria y Apulia, que confunden en *i* los resultados de -*i* y -*e* y en *u* los de -*o* y -*u*.
ROHLFS, §§ 144 y 147.

[337]   Véanse pormenores en ROHLFS, §§ 144-147.

[338]   ROHLFS, §§ 142 y 145.

perdió bastante tempranamente, pues no pudo llegar a producir efecto metafónico (sólo lo produjo en pocos lugares); la -ī que valió en todas partes
para formar el plural, ha terminado también por perderse, pero tuvo
tiempo para inflexionar por metafonía en muchísimos sitios y casos la
vocal tónica. Por lo que toca a la pérdida de ī y ŭ, ésas son las condiciones
generales en piamontés, lombardo, emiliano y romañolo [339]. La imagen que
sale del análisis de casos de metafonía (considerando conjuntamente todas
las vocales tónicas) es que aunque hay abundantísimos testimonios modernos, aún eran mucho más continuas las zonas de su acción en lo antiguo.
La inflexión metafónica de ǫ y ę se encuentra hoy diseminada, y en unos
sitios con más fuerzas de permanencia que en otros. En el Piamonte, sólo
en el extremo N.; en Lombardía, sólo restos; en el Tesino suizo tiene mucha
vitalidad en Val Leventina: sing. *milanę́s*, plur. *milanís*, *pęr* 'pelo', plur. *pir*,
Valmaggia sing. *forn* (< f o r n ŭ), plur. *für* [340]. Son muy abundantes en
Italia del N. los testimonios de diptongación de ę̆ y ǫ̆ por efecto metafónico de ī (y sólo en unos pocos sitios también de -ŭ) [341].

Para comprender esas condiciones prevalentes en la metafonía del N. de
Italia hay que tener presente esa pérdida de la -i final; así en el tesinés singular *pęr*, plur. *pir*, el proceso ha sido éste: sing. *pęlu* > *pęr*, pero el plural *pęlī* > **piri* > *pir*. El efecto metafónico persiste cuando la vocal cau-
sante hace mucho que ha desaparecido ya.

En esta rápida ojeada (a base de los datos acumulados y concertados
por Rohlfs en su monumental *Historische Grammatik der italienischen Sprache)* no se ha hecho sino comprobar la antigüedad de los efectos metafónicos en Italia: las vocales tónicas resultantes de la metafonía, lo mismo
que si fuesen vocales de antigüedad latina, participan, como vimos, en los
procesos de diptongación (de ī, de ŭ) [342]. En la mayor parte de los sitios la
vocal final se ha neutralizado (en el S.) o se ha perdido (en el N.), pero
antes había producido el efecto metafónico (en el N., en general, sólo la ī)
y éste ha llegado a nuestros días. En todos los casos el efecto metafónico
ha tenido que ser anterior a estos fenómenos de pérdida o de neutraliza-
ción de final.

---

[339] Véanse muchos pormenores (mantenimiento como vocal de apoyo, etc. y las
condiciones especiales de Liguria y Venecia), ROHLFS, § 143, 146.

[340] ROHLFS, §§ 53 y 74.

[341] ROHLFS, §§ 91-96 y 112-117.

[342] Véase, más arriba, pág. 118.

Antigüedad de -u e -i, y metafonía. En portugués.

15. En la Península Ibérica tenemos ante todo el caso del portugués que, como hemos visto, pronuncia hoy igualadas en -*ų* las vocales finales, lo mismo de *horto, novo,* que de *hortos, novos,* es decir, lo mismo el resultado de -*ŭ* que el de -*ō*. Sin embargo, la acción metafónica ejercida en *hǫrto, nǫvo,* frente a *hǫrtos, nǫvos* nos está diciendo que esa diferencia etimológica de las finales (-*ŭ*, -*ō*) se debió de mantener durante mucho tiempo y que la pronunciación -**uš** del plural tiene que ser una propagación analógica ocurrida ya en una época en que la metafonía no tenía valor creativo [343]. Sin embargo, ¿hemos de pensar que la -*u* de la pronunciación del singular masculino, en portugués, continúa la -*ŭ* del latín? ¿o creer que la lengua abrió primero esa -*ŭ*, hasta sonar *o,* y que luego se ha vuelto a cerrar en -*u*? Si pensamos que el singular ha conservado sin evolución el sonido -*ŭ* latino, hay el problema de la ortografía. ¿Por qué, entonces se adoptó la grafía -*o*? Queda, además, el problema que plantea el gallego: en Galicia el singular suena normalmente [344] -*ǫ*. El núcleo inicial del portugués, el gallego, tiene -*ǫ*. ¿Cuándo ocurrió -*ŭ* > gall. -*ǫ*? ¿Cómo se explica esta -*ǫ* gallega, entre las -*u* lo mismo portuguesas que asturianas? ¿Es esta -*ǫ* un resultado «mo-

---

[343] WILLIAMS, § 123, 6 A, piensa que -*ŭ* > *o,* y que luego esta *o* se cerró en *u,* antes que ocurriera lo mismo con la *o* de -*ōs.*

[344] Algunos filólogos extranjeros suelen creer que en Galicia la -*o* se pronuncia -*u* (como en portugués). Tal afirmación es inexacta. Falta una exploración metódica de las regiones lingüísticas gallegas. La pronunciación normal del gallego hablado en el Oeste de Asturias y León es -*ǫ;* lo mismo en la zona que más conozco, del NE. de Lugo; la misma transcripción da EBELING para otras partes del E. de Lugo *(Landswirt-schaftliche Geräte im Osten der Provinz Lugo, VKR,* V, 1932, págs. 50-152) y también EBELING y KRÜGER en las coplas principalmente de la provincia de Lugo que publicaron en *VKR,* X, 1937, págs. 129-156 (la notación usual es -*ǫ;* sólo a veces, en determinadas posiciones, doblemente cerrada). Véase también -*ǫ,* en la región de Finisterre (Coruña), según W. SCHROEDER, *Die Fischerboote von Finisterre,* en *VKR,* X, 1937, páginas 157-211. No parece caber duda de que lo normal en gallego es -*ǫ.*

No se pueden tomar como representación del gallego normal las transcripciones que da Schneider en su excelente estudio de la región del Limia: se trata de una zona fronteriza en la que muchos fenómenos (ž, -z-, etc.), son portugueses; aún en esta zona Schneider anota casos de -*ǫ* junto a una mayoría de -*u* (art. cit., págs. 211-215). No se debe hacer caso de la -*u* del gallego teatral, en Castilla o en Hispanoamérica: ocurre que la -*ǫ* gallega al oído del hablante castellano normal puede sonar -*u:* de ahí que en la tradición de la escena los personajes de Galicia suelan pronunciar -*u.* Según se pasa del gallego-asturiano al asturiano occidental y de éste al central se pasa de -*ǫ* a -*u.* (Comp. RODRÍGUEZ CASTELLANO, *Aspectos,* págs. 111-112.) Véase más adelante en el texto, pág. 124.

derno» en gallego, y hemos de pensar que antes se pronunció -*u*, como en sus lenguas hermanas del Este (asturiano) y del S. (portugués)? ¿O, por el contrario, que esa -*o* del gallego fué también, en otro tiempo, común al portugués? No tenemos datos seguros acerca de la metafonía en los nombres gallegos: datos positivos y seguros acerca de ella serían indicio favorable a la hipótesis de una antigua -*u*. Que existe cierta metafonía es indudable, pero muy enmarañada, y probablemente con muchas variaciones locales, todo agravado por el no muy grande intervalo entre una *o* y una *o* normales en gallego (aunque mayor que el que hay en castellano).

El problema de la pronunciación antigua de la -*o* portuguesa cuando procede de -*ŭ*, es muy espinoso. Rohlfs, *Umlauterscheinungen im Spanischen*, en *Arch. f. d. St. der Neu. Sprachen*, t. 190, págs. 323-324, piensa que la -*u* del asturiano es muy antigua y que no tiene el mismo origen que la actual -*u* (ortografía -*o*) del portugués; Piel cree que la -*u* latina dió -*o* en portugués y volvió a dar -*u* (*Considerações sobre a metafonia portuguesa*, en *Biblos*, 1942, vol. XVIII, págs. 369-370), pues considera absurdo que si en realidad se pronunciara -*u* se hubiera empleado el signo -*o* para representarlo. Harri Meier, por su parte, dice que la distinción entre la -*o* etimológica y la procedente de -*u* se hace patente por el hecho de que en el primer caso *(logo, novos)* no se cierre la vocal tónica mientras que sí en el segundo *(fogo, novo)*. *(Ensaios de filologia românica*, Lisboa, 1948, páginas 12-13).

Lo único que se puede afirmar con seguridad es que en portugués la -*o* sonaba -*u* bastante antes que -*os* del plural nominal sonara -*uš* y antes que la -*o* de los verbos *(amo)*, etc., sonara -*u* [345]; en otros términos, cuando se produjo la metafonía la -*o* < *ŭ* sonaba *u*, pero la *o* < *ō* sonaba *o*.

Antigüedad de -u *e* -i, *y metafonía. En asturiano.*

16. Datos que parecen algo más seguros ofrece el asturiano, por lo menos algunas de sus zonas. La acción metafónica es, como hemos visto, de resultados mucho más netos que en portugués, porque no parecen perturbados, o sólo en pequeña parte, por influjos analógicos.

Esto se corresponde, perfectamente, con el tratamiento de las finales velares: sing. -*u (pelu)*, plur. *palos*. En este punto, las declaraciones de los investigadores locales permiten una imagen muy clara: el asturiano cen-

---

[345] El estudio de los documentos más antiguos no resulta tampoco nada claro por la natural presión sobre los escribas, de la ortografía latina. Véase, sin embargo, M Pidal, *Orígenes*, § 35.

tral mantiene, neta, la distinción -*u* y -*os*, o, en general, -*o* [346]. En otras zonas de dialecto leonés hay condiciones menos claras; de algunas (Maragatería y tierra de Astorga, Babia y Laciana [347]) hay datos se diría seguros de que lo mismo se pronuncia sing. -*u* que plur. -*us*: es decir, que se ha llegado a una situación como la del portugués. También es indudable que cuando del asturiano central se va hacia el O. se llega dentro del asturiano occidental a una zona (Cangas de Narcea, Pola de Allande, Tineo) en la que no se puede percibir una absoluta -*u* (Rodríguez Castellano vacila entre *ǫ* y *u*) [348]. Tampoco se nota en estos concejos occidentales diferencia entre el singular y el plural; por tanto: *mozǫ̃*, lo mismo que *mozǫ̃s*. Más al occidente están los concejos de habla gallego-asturiana: en los más occidentales (los tres Oscos, Castropol) [349] el matiz normal es -*ǫ* y -*ǫs*, y lo mismo resulta de mis interrogatorios en el gallego berciano y también (según observaciones incompletas y ocasionales mías, y abundantes testimonios ajenos [350]) en el gallego hablado dentro de Galicia.

Esta distinción de -*ŭ* y -*ō* en el asturiano central resulta comprobada desde muchos otros puntos de vista. Las formas verbales con -*o* latina tienen allí, en general, también o (*comiendo*, *oyo* 'oigo'); los castellanismos quedan enquistados, también con su -*o* (*toro*) [351].

———————

[346] RODRÍGUEZ CASTELLANO, *Alto Aller*, pág. 69; NEIRA MARTÍNEZ, *El habla de Lena*, pág. 15. También, algo más al Este, M. J. CANELLADA, *El bable de Cabranes*, pág. 13. En el ast. oriental de Cabrales (según tesis inédita de ALVAREZ FERNÁNDEZ CAÑEDO), la distinción -*u*, -*os* es practicada, aunque no en las zonas más comunicadas, y más al E. en el santanderino occidental, también.

[347] ALONSO GARROTE, *Dialecto vulgar leonés*, Madrid, 1947, pág. 50, cree que en Maragatería y tierra de Astorga, en los plurales hay oscilación entre -*os* y -*us*, pero que lo predominante es lo segundo; GUZMÁN ALVAREZ, *El habla de Babia y Laciana*, asegura los plurales en -*us*. Para otras zonas leonesas, véase KRÜGER, *Westspanische Mundarten*, § 139; M. C. CASADO LOBATO, *El habla de la Cabrera Alta*, § 19, LLORENTE MALDONADO, *El habla de la Ribera*, § 23. ZAMORA VICENTE, registra -*u* y -*us* en Gabriel y Galán (*El dialect. de... G. y Galán*, en *Filología*, II, 1950, § 12) y da más bibliografía en § 11.

[348] RODRÍGUEZ CASTELLANO, *Aspectos*, págs. 111-112.

[349] No tengo datos seguros de Ibias.

[350] Véase más arriba, pág. 122, n. 344.

[351] Que es voz castellana lo corrobora también el gallego-asturiano (Oscos) donde se dice *oro*, *toro* (y no *touro* como correspondería). Véase más adelante, pág. 130, n. 368, nuestra duda respecto a *oro*.

LA DISTINCIÓN ENTRE -*u* Y -*o*, EL NEUTRO DE MATERIA Y LA METAFONÍA EN ITALIA Y EN EL ASTURIANO CENTRAL

Neutro colectivo o de materia en asturiano.

17. Antes de tratar, desde una nueva perspectiva, de -*ŭ* y -*ō* en asturiano central, y de mostrar su gran interés, hemos de tocar aquí un fenómeno muy curioso, señalado por primera vez por Menéndez Pidal (¿qué no vendrá de él en dialectología española?). Me refiero al uso de sustantivos femeninos con adjetivación aparentemente en masculino. Pidal dió ejemplos de Lena, *farina blencu, la yerba ta secu,* y, mucho más al E., otros de Linares [352] *(ponse colorao la borona y bien cocíu)* y, más al E. aún, de San Antolín de Bedón [353] (Llanes, casi al extremo E. de Asturias). Recientemente, Alvarez Fernández Cañedo lo comprueba, con toda garantía: en Cabrales (al Sur de Llanes) *boroña secu* [354]. Entre ambos extremos, María Josefa Canellada lo ha señalado en Cabranes, *una torta fríu* [355].

Como se ve, el fenómeno se extiende desde el asturiano central al oriental. Puedo añadir aún que llega mucho más al E. de lo que indican esos datos: en Cabezón de la Sal (provincia de Santander) he oído muchas veces *de noche ciego (salimos de noche ciego, era de noche ciego).* Esa expresión es usada hasta por personas nada rústicas. Por el año 1930 una anciana criada nacida en Udías (Cabezón) decía *¡Qué guapu está la ropa!* cuando quedaba satisfecha del lavado. A otra más joven, de Toporias (Cabezón) le oíamos *el agua está fríu.* Una comunicación reciente prueba que en 1958 continúan estos mismos fenómenos [356].

---

[352] Unos kilómetros al O. de Ribadesella.

[353] Cerca de Naves y N. de Posada, al O. de Llanes.

[354] Los datos que tengo de Cabrales proceden de la tesis inédita de Alvarez Fernández Cañedo, quien habla de este fenómeno en § 154, y, por otros lugares de su original cita el refrán «A falta de pan buenu é boroña», y la copla

El miu Xuan vendió las cabras
por cortexar en Riusecu,
agora el miu Xuan del alma
come la boroña secu.

[355] *Bable de Cabranes,* págs. 31-32.

[356] A pesar de que nuestros recuerdos eran muy seguros, hemos querido comprobar el estado actual de estos usos en Cabezón, para lo cual preguntamos a la señorita Herminia Baraja, Licenciada en Farmacia, nacida y residente en dicha villa, la cual contesta del inequívoco modo siguiente: «La expresión *ser de noche ciego* cuando está muy obscura la noche, no he oído otra frase desde que nací que mejor indique la falta

Menéndez Pidal ya vió que estos sustantivos que concertaban en masculino eran los que, usados en singular, indican «la materia en general y no ninguna parte de ella ni ningún objeto hecho con ella» [357]. María Josefa Canellada comprobó la observación del maestro, y añadió algún ejemplo precioso que la confirma: en Cabranes se dice *gústame sembrá la cebolla blancu*, pero en cambio *apúrreme la cebolla blanca* 'dame la cebolla blanca' (en este último caso se trata de un objeto: de una cebolla). María Josefa Canellada fijó definitivamente el carácter del fenómeno: no se trata, dice, de un sustantivo femenino que concierta en masculino, sino de un verdadero neutro «de materia», y lo confirma con ejemplos: *la sidre nuebu da gustu bebelo*. A la exclamación *Mira la lleñe secu*, otra persona contestará *¿Ulo?* Y María Josefa Canellada observa: «Si fuera un masculino ese *secu*, se diría *¿Ulu?*» [358].

Recientemente, Jesús Neira Martínez ha hecho avanzar mucho nuestro conocimiento de estos fenómenos. En su primoroso libro sobre el habla de Lena nos los describe tal como en ese concejo se encuentran: son las condiciones que podemos considerar originarias. Se trata, dice, de «una desinencia especial, del género neutro, en los adjetivos y pronombres de dos terminaciones en castellano». Neira encuentra el neutro *a)* en los pronombres: *isti, esta, esto, lu, la, lo*, etc.; *b)* en adjetivos sustantivados: *lo poco*, etc.; *c)* «En los adjetivos de dos terminaciones en castellano, cuando conciertan con sustantivos de materia en general, de cantidad indeterminada o simplemente genéricos y abstractos». Después de mencionar lo ya observado por M. Pidal y María Josefa Canellada, agrega Neira: «Pero en Lena se da con más amplitud, y presenta además dos notas características: 1) el adjetivo neutro termina siempre en *-o* (en Cabranes lo hace en *-u*); 2) concuerda con los sustantivos indicados ya sean masculinos, ya femeninos (M. Pidal y Canellada citan sólo ejemplos de sustantivos femeninos):

de ver algo, y nunca se me ocurrió pensar que fuese frase sólo de aquí, pues yo lo he dicho en otras partes y a nadie ha chocado. Y esa otra, cuando se echa la ropa al verde, y le ha dado el sol o el sereno y está muy blanca, y se pregunta: —*¿Qué tal quedó la ropa? —Está muy guapu, guapísimo se puso con un poco de sol que le dió.* Y —*No solté las vacas a beber porque el agua traía nieve y está muy fríu; —¿Qué tal quedó la hierba con el sol? — Muy seco; —¿Qué tal está, o es, la leche de tal vaca? —Muy bueno.* Y refiriéndose a la leña o borona, como tú dices, femeninos, contestan en masculino. Se ha dicho y se sigue diciendo en la actualidad sin fijarnos en que esté mal dicho». Nuestra amable comunicante escribe, como se ve, unas veces *guapu* y otras *seco;* para averiguar la verdadera final es necesaria una exploración. Como se ve por el tono de la carta, estas expresiones tienen alguna difusión aun entre personas cultas; por eso no podemos tomar como segura la *-o.*

[357] *Dial. leon.*, § 19, 2.
[358] *Bable de Cabranes*, págs. 31-32.

taba negro l arroz 'estaba negro el arroz', *taba negro l agua; ŝiche frío* 'leche
fría', *café frío; yerba maúro* 'hierba madura', *pan maúro; mantega fresco*
'manteca fresca', *maiz espigao; ŝeña seco* 'leña seca', *pan seco, nieve mo-
yono* 'nieve blanda'». Añade aún Neira dos categorías que tienen *-o: d*) los
participios usados como adjetivos; *e*) los participios de los tiempos compuestos *ha venío*, etc. [359].

Origen del neutro colectivo asturiano.

18. Notemos en primer lugar que ese uso asturiano no está lejos del
sentir español del neutro: ast. *lo blanco*, se corresponde con esp. *lo blanco;
isti, esta, esto* con esp. *este, -a, -o* y *el, la, lo*. La mayor diferencia consiste:
a) en que en asturiano de Lena el adjetivo masculino tiene *-u* y el neutro
-o, mientras que en castellano los dos tienen *-o; b*) en que este género neutro
se ha conservado en Lena no sólo en los adjetivos empleados como abstractos (como ocurre en castellano) sino también en los sustantivos de materia,
aunque en éstos sólo se descubra formalmente la calidad de neutro de
materia por la *-o* (en vez de *-u*), del adjetivo calificativo, y, claro está, por
la falta de inflexión en dicho adjetivo *(tá negro el arroz)*.

De estos sustantivos de materia eran neutros en latín bastantes de los
más usados: *oleum, lignum, lardum, vinum, lac, ferrum, unguen, linum,
aurum, gypsum*. Es evidente que nombres neutros de este tipo son el núcleo
originario de este curioso fenómeno de parte del asturiano central y oriental, mejor conservado en Lena que en ningún otro sitio de aquellos donde se
ha encontrado. Pero a esos nombres neutros de materia han venido a agregarse nombres de materia originalmente masculinos *(panis*, etc.), y lo que
es más extraordinario aún, otros femeninos *(nix, nǐvis; aqua)*. Vienen así
a reunirse en esta calidad de neutro de materia, revelada por la *-o* del adjetivo lo mismo *ŝiche cuayao* (originalmente neutro, *lac*), que *pan seco* (originalmente masculino) que *agua rošo* 'agua hirviente' (originalmente femenino).

Neutro colectivo de materia en el S. de Italia.

19. Este curioso fenómeno concuerda parcialmente con otros del S. de
Italia. Delimita Rohlfs un enorme territorio que comienza, por el N., en el
sur de las Marcas y de Umbría y termina por el S. en la zona de Bari y Ma-
tera, en el cual los colectivos llevan un artículo neutro, distinto del masculino. Rieti (NE. del Lacio) usa *lo* neutro para colectivos, y *lu* para el mas-

---

[359] *El habla de Lena*, Oviedo, 1955, § 72.

culino. Pero esta distinción entre artículo neutro y masculino tiene muchas
formas diferentes en ese extenso territorio. En Norcia (SE. de Umbría), por
ejemplo, se distingue *lo mèle* 'la miel' y *ru cane* 'el perro'. En S. Felice
Circeo *lu* es el neutro *(lu mèlǝ, lu lattǝ, lu panǝ* 'la miel' 'la leche' 'el pan')
y *ju* el masculino *(ju canǝ* 'el perro', *ju jalǝ* 'el gallo'). Siempre hay algún
modo de diferenciación del artículo, aunque las vocales puedan, alguna
vez, como en los últimos ejemplos, haber llegado a coincidir. Todo depende
del significado, dice Rohlfs: 'plomo' como nombre de metal, lleva el artículo
neutro, pero con el sentido de 'plomada' o 'sonda' el masculino. No cabe
duda, concluye, que ya se mantiene aquí una diferencia que debió existir
en la pronunciación de *illŭm* y *illŭd;* hay que suponer que la diferencia fué
illū(m) y *illŭd*. Cuando se ha perdido la diferenciación de las vocales, el
neutro puede dejar huella de su *-d* (napol. *o mmèlǝ*, frente a *o cane*) [360].

Basta lo dicho para comprender cómo todo esto tiene parentesco con el
fenómeno asturiano: la misión de distinguir el neutro-colectivo parece, en
esta zona italiana, estar encomendada, en general [361], al artículo (p. ej., *lo mèle*
'la miel', pero *ru cane*, Norcia), como en Asturias al adjetivo: *tá negro el
arroz*, pero *Xuan yera niciu* [362]. Aquí la diferencia consiste en que en Italia,
el inicial núcleo neutro de colectivos atrajo a sí a los masculinos sólo, pero
en Asturias, extrañamente, también a los femeninos *(mantega fresco)*.
El ser número limitado el de estos adjetivos en *-o*, ha llevado a que en
zonas como Cabranes todo el grupo (originalmente —como hemos explicado— neutros, masculinos y femeninos) haya pasado a llevar adjetivos
siempre en *-u*; por eso en esta última región los únicos que extrañan al
visitante son los de procedencia femenina *(sidre fríu, tela blancu)*. Para
la relación con los fenómenos italianos, recuérdese el ejemplo que da María
Josefa Canellada, y que ya hemos citado, *cebolla blancu* (con el sentido
colectivo 'las cebollas') y *cebolla blanca* (hablando de una cebolla) y compárese con lo que Rohlfs explica acerca de 'plomo' como 'metal' (colectivo)
y como 'plomada' (un instrumento), con artículo neutro en el primer caso
y masculino en el segundo [363].

---

[360] ROHLFS, *Hist. Gramm. It. Spr.*, § 419. Comp. MERLO, *ZRPh*, XXX, II, 438.
Merlo, pensando en justificar la diferencia entre artículo con palatalización y sin ella
(lǝ, lo, etc., frente a, respectivamente, *le, lo*, etc.) que en muchos sitios distingue el
artículo masculino del neutro, pensaba en un neutro *ill'hoc*, en contraste con el masculino *illŭ(m)*, lo cual aceptó BERTONI, *Italia Dialettale*, Milán, 1916, § 104.

[361] Pero en seguida citaremos los datos de Rohlfs que muestran un territorio,
dentro de esa amplia zona, en el que la distinción se produce a la par, por la vocal
del artículo y la vocal final del sustantivo.

[362] NEIRA, *Lena*, pág. 84.

[363] ROHLFS, § 419.

La distinción de -u, -o *y el neutro colectivo. En Italia.*

20. Especialmente interesante nos resulta ahora dentro de ese gran territorio suditaliano que distingue el artículo neutro (usado con colectivos) del masculino, otro más reducido, pero aún extenso, que viene a ser aproximadamente el extremo N. del que acabamos de reseñar, pues comprende el S. de las Marcas y de Umbría, penetra en los Abruzos con la provincia de Aquila y se extiende por el vecino Lacio hasta algo al S. de Roma (inmediaciones de Velletri). Incluída esta zona dentro de la anterior, tiene de particular que en ella -*u* y -*o* finales han quedado netamente separadas no sólo en el artículo, sino también en el sustantivo. El artículo neutro es *lo* y el masculino *lu* (distinción que ya conocemos), pero además ocurre que los sustantivos de materia terminan en -*o* mientras que los masculinos lo hacen en -*u*. Se distingue, por ejemplo, en Norcia (SE. de Umbría) entre *lo fèro* 'el hierro' y *lu piettu* 'el pecho'. Es decir, no es sólo la -*o* del artículo, sino a la par la del artículo y la del nombre lo que señala el neutro de materia [364].

La distinción de -u, -o *y el neutro colectivo. En Lena.*

21. Es necesario darse cuenta, antes de pasar más adelante, de cuán parecidos son los casos en que en Lena y en esta zona italiana se conserva -*o*: en el adjetivo como abstracto sustantivado: Camerino (Marcas) *lo bòno*, Lena *lo bono;* y también cuando había -*o* etimológica, así en los verbos (Camerino *vaco* 'voy', Lena *fago* 'hago') y en los adverbios (Nemi, Lacio, *quanno*, Lena, *cuando, dacuando*) [365].

Las dos regiones distinguen de modo sumamente parecido -*u* y -*o*. Las dos han conservado un neutro para expresar lo abstracto por medio de adjetivos, que diferencian por el artículo (-*o*) y por la terminación (-*o*) del adjetivo (tipo *lo bono);* las dos diferencian también los sustantivos neutro-colectivos (antiguos masculinos y neutros —en Lena, también femeninos—), la una, la italiana, por medio de las -*o* del artículo y del nombre, y la de Lena —según Neira— por la -*o* del adjetivo. Lo distinto estaría aquí en que la zona italiana dice, por ejemplo, *lo fèro* 'el hierro' pero *lu piettu* 'el pecho' (Norcia) y Lena a primera vista diferencia sólo por medio de la -*o* del adjetivo.

---

[364] Véase supra, § 14. Pormenores en ROHLFS, *Hist. Gramm. It. Spr.*, § 145; véase también H. MEIER, *Ensaios de Filologia Românica*, pág. 13, mapa 2.

[365] NEIRA, *El habla de Lena*, pág. 85 y ROHLFS, *Hist. Gramm. It. Spr.*, § 145.

Sustantivos colectivos o de materia en -o, en Lena
(asturiano central).

22. Conviene a esta luz que nos da la comparación con hechos de Italia, volver a considerar dos fenómenos de Lena y del asturiano central que hasta ahora no habían tenido interpretación satisfactoria. Neira cita una serie de nombres que excepcionalmente tienen -o, en vez de -u (y que correspondientemente carecen de inflexión metafónica), para los cuales busca causas que puedan explicar la anomalía: en unos casos se trataría, dice, de evitar homofonías *(šino* < l i n u m frente a *šinu* < p l e n u m), otras veces habría habido influjo de *au* tónico *(oro* < a u r u), otras habría influído la cercanía de *r (fierro* 'hierro', *sarrio* 'hollín', etc.) [366]. La verdadera causa no está en eso. Después de lo que sabemos que pasa entre las Marcas, Umbría, Abruzos y Lacio, creo que nada más explicativo que esta lista en la que incluyo la mayoría de los sustantivos que terminan en -o en Lena (y entre cuyos miembros reconocemos bastantes de los neutros latinos de materia) [367]: *fierro, oro, sarrio* 'hollín de chimeneas', *šino* 'lino', *fégado* 'hígado', *unto* 'grasa del cerdo', etc., *sabadiego* 'cierto embutido', *sebo, fumo* 'humo', *cucho* 'estiércol', *vino, oriégano* 'orégano', *chardio* 'lardo', *yelso* 'yeso', *raigaño* 'madera de la raíz', *canizo* 'madera de las ramas' [368]. Es evidente que estamos ante una verdadera lista de nombres de materia. Esta es, pues, y no otra, la razón por la que esos nombres tienen -o (y correspondientemente carecen de inflexión metafónica). En este rincón de Asturias que conserva -u y -o (como la mencionada zona marco-umbro-lacio-abruzense), que distingue con -u y -o el masculino y el neutro en los adjetivos (lo mismo que la zona italiana en los artículos), y que emplea ese neutro,

---

[366]   NEIRA, obra cit., págs. 16-17.

[367]   Compárense en la lista que dimos más arriba, pág. 127.

[368]   Las dos últimas voces citadas por Neira en la pág. 174; las demás en las páginas 16-17. El caso de *oro* es dudoso. En otras zonas, fuera de Lena, se suele decir también *oro* (y no *oru*, o, con inflexión, *uru)*, lo mismo que se dice *toro*. Que esta última palabra es castellanismo, es indudable. Inclinaría a pensar que *oro* es también castellanismo el hecho de que en el gallego-asturiano de los Oscos se diga también *oro* y *toro* (y no *ọuro, *tọuro*, como se esperaría). Sin embargo, *oro*, en Lena, entra perfectamente en esa indudable serie de nombres de materia en -o. Es posible que *vino* no sea voz tradicional, si no se cultiva, o no se cultiva desde antiguo, en la región (en el gall.-ast. de los Oscos tampoco es tradicional *biño*, forma del gall. de Galicia). A la lista indicada en el texto podría añadirse *peorno* (pág. 268 de Neira) si tal vez se piensa en la materia y no en el arbusto, y *morro*, si se piensa en materia comestible. Muy pocos más en -o cita Neira, para los que (salvo los verbales, *ganao*, etc.) habría que buscar explicación: *gorro, río, forno, esculencio. El habla de Lena*, págs. 15-17.

tanto con adjetivos sustantivados como con adjetivos que califican a nombres de materia, en este rincón asturiano, pues, *fierro*, *sebo*, *unto*, *chardio*, etcétera, todos nombres de materia, terminan en *-o* (y no en *-u*) diferenciándose de los masculinos *martii̯s̯u* (< m a r t e l l u), etc., como en la mencionada zona italiana se distingue entre *fèro* y *martiellu*.

Hay otro grupo de palabras que evidentemente forman también una especial categoría semántica, y que asimismo terminan en *-o;* son todas ellas voces que designan conceptos de «tiempo»: *febrero*, *marzo*, *mayo*, *šuno*, *šuneto*, *agosto*, *antrošo*, *anguano*, *verano*. Aunque aquí es posible que el frecuente uso en ablativo (bien patente en el adverbio *anguano* 'ogaño') sea la causa original de la *-o*. Pero en los sustantivos de esa lista es posible también que se haya sentido la «materia» (comp.: *un kilo de pan; el tres de junio; a principios de verano*). Entre los sustantivos de esa lista, el citado adverbio establece un puente hacia otra categoría de voces que también terminan en *-o* en Lena, y que son todas adverbios: *cuando, dacuando, dientro, muncho, abondo* [369].

Los sustantivos de materia en -o nos explican aparentes irregularidades en la metafonía del asturiano central.

23. Esta interpretación de los sustantivos con *-o*, de Lena, nos permitirá comprender mejor algunas variaciones o aparentes irregularidades que se presentan en ese concejo y también en casi todos los sitios con metafonía en el asturiano central, y que han desorientado a los investigadores.

Cuando los exploradores de la zona encuentran en sitios diversos voces que terminan en *-u*, pero que no tienen inflexión de la tónica como *cueru*, *yelsu*, *caldu*, *fierru*, *felechu*, *sarriu*, *sabadiegu* (R. Castellano), *fierru*, *quesu*, *pelu*, *llenu*, *negru* (Catalán, Díaz Castañón), ya comprendemos ahora que esas voces presuponen **cuero*, **yelso*, **caldo*, etc. como sustantivos de «materia», y, naturalmente, el uso de **lleno*, **negro*, etc., de los adjetivos que han concertado con los neutros de «materia», al modo de Lena; se trata, pues, de la propagación de formas sustantivas o adjetivas terminadas en *-u*, que vemos triunfante en Cabranes [370], pero que en esta zona con metafonía, de la que ahora hablamos, nos denuncian la modernidad de su *-u* por el hecho de no presentar inflexión.

---

[369] *El habla de Lena*, págs. 16-17, 37 y 65. Entre la lista de adverbios choca *šuibu* (< l ŏ c o), como única excepción a la *-o*. Por lo que toca a los sustantivos «de tiempo», comp. *noche ciego*, en Cabezón de la Sal (Santander). Véase más arriba, pág. 125

[370] En Cabranes no hay inflexión (CANELLADA, *Bable de Cabranes*, pág. 14).

Más aún, muchas veces la variedad de las mismas formas recogidas nos reconstruye todo el proceso. Esto ocurre con aquellas voces que pueden designar unas veces un colectivo de «materia», y otras un «objeto»: en Morcín frente a *un pilu* se dice *el pelu de la cabeza* [371]. Pero si reparamos en ello, *el pelu*, con *-u* y sin inflexión, no puede ser sino un producto de la analogía. En efecto, en otro lugar se recoge *pelo* [372]. Bien se ve que *pelo* y *pilu* son las dos formas tradicionales, la primera del neutro de «materia» y la segunda para designar 'un pelo'. Y *pelu*, contrario a la fonética local, es un resultado del fácil cruzamiento entre *pelo* y *pilu*. Cosa parecida ocurre con la voz de Lena *quiso* 'queso', con inflexión a pesar de *-o;* pero hay sitios donde los sujetos han afirmado enérgicamente la forma *quesu* [373], sin inflexión a pesar de su *-u*. Esas dos formas son analógicas; las formas fonéticas auténticas se han recogido también por otros sitios de la zona: *queso* [374], tuvo que ser inicialmente la de «materia», y *quisu* [375], la del objeto ('un queso'), mentado aisladamente. Consideraciones análogas se pueden hacer respecto a los frecuentes *fierro* y *fierru* [376], frente a *fiirru* [377], recogido también alguna vez.

Pueden verse (con gran parecido respecto a los asturianos que acabamos de mencionar) ejemplos citados por Rohlfs, procedentes de zonas suditalianas: si en dialectos de Campania el neutro *kɛllə* 'quello' no tiene la inflexión metafónica que muestran los masculinos como *killə* 'quello', *sikkə* 'secco', etc., es porque el neutro tuvo que tener originalmente *-o* y el masculino *-u* (aunque ambas vocales se han confundido en la relajada *-ə*). Si en Sant'Oreste (Roma) se dice *u ferru* pero *u piettu*, es evidente que *ferru* no tiene el diptongo metafónico (causado por *-u*) porque originalmente terminaba en *-o* (Rohlfs, *It. Gramm.*, I, pág. 61).

La zona española de distinción de -o, -u y de neutro de materia

He aquí, pues, dos zonas de la Romania, una, italiana, y, otra, española, en que se diferenciaron *-ŭm* masculino, que tuvo que pronunciarse *-ūm*, y *-ŭm* neutro, de tal modo que el acus. masc. *m a r t e l l ū m* dió en ast. central *martiiŝu* y en el N. del ital. merid. (así en Nemi, Lacio) *martiellu*, pero

---

[371] D. CATALÁN, *Inflexión*, pág. 413.

[372] Ibid., pág. 410.

[373] DÍAZ CASTAÑÓN, *La inflexión metafonética*, pág. 18; R. CASTELLANO, *Más datos*, pág. 132.

[374] D. CATALÁN, *Inflexión*, pág. 410.

[375] R. CASTELLANO, *Más datos*, págs. 128, 131, 132.

[376] D. CATALÁN y R. CASTELLANO, *passim*.

[377] MARÍA DOLORES ALONSO FERNÁNDEZ, *Bable de Morcín*, pág. XLV.

ferrŭm dió en ast. central (en Lena, y, esporádicamente, en muchos otros sitios) *fierro*, y en el N. del ital. merid. *ferro* (así en Camerino, Marcas; en Norcia, Umbría, *fèro*).

Las zonas que hoy distinguen -*u* y -*o* en Italia y en España son pequeñas. La de Asturias es, hoy, Lena (aunque es evidente que la distinción existió en todo el asturiano central allí donde hay hoy metafonía, porque como acabamos de ver, las aparentes irregularidades de ésta quedan aclaradas mediante la hipótesis de una distinción entre -*u* masculino y -*o* neutro de materia); en Italia es una extensión desde el S. de las Marcas y de Umbría con parte del NO. de Abruzos (Aquila) y la zona contigua del Lacio hasta el S. de Roma, pero también aquí los hechos de la metafonía prueban que la distinción entre -*u* y -*o* existió originalmente en un área mucho más dilatada.

Esas antiguas zonas de distinción entre -*ŭ* y -*ō* pueden ser, pues, inducidas en Italia igual que en España, partiendo de las actuales irregularidades de la metafonía. Es en cambio, no ya inducción sino hecho evidente y realísimo que, lo mismo en Italia que en España, hay otra zona mucho más extensa donde (distinguiéndose o no -*u* y -*o*) existe, mejor o peor conservado, un neutro de «materia». La zona italiana empieza por el norte lo mismo que la de distinción de -*u* y -*o* pero llega por el sur nada menos que a regiones próximas al Golfo de Tarento [378]. Correspondientemente la zona asturiana de neutro de materia parece que empieza por el O. en Lena (Asturias), es decir, también lo mismo que la de distinción de -*u* y -*o*, y que llega en el E. nada menos que a Cabezón de la Sal (Santander); esto es lo que se puede hoy afirmar y que en España las exploraciones sobre el terreno podrán ampliar probablemente.

En esa gran zona italiana, el extremo N. tiene la distinción de -*u* y -*o*. Esta distinción se acaba en seguida y pronto comienza el muy extenso territorio meridional que, salvo islotes, tiende a reducir todas las vocales finales en una -*ə* [379]; pero la -*u* original, cuando la hubo, ha producido, a veces, antes de reducirse o confundirse, la inflexión de la tónica (ya vimos ejemplos).

Parece prácticamente seguro que la distinción -*o*, -*u*, con la separación de una categoría semántica de nombres de materia, que hoy vemos casi perfecta en Lena, fué antes mucho más extensa en Asturias y penetró profundamente en Santander [380]. Ocurre que en Cabranes, por ejemplo, la distinción de -*o*, -*u* se ha perdido con triunfo de -*u*, pero el curioso hecho

---

[37] asta la región Bari-Matera, dice ROHLFS, *Hist. Gramm. It. Spr.*, § 419.
[37] Véase más arriba, pág. 120.
[380] Puesto que hasta el Occid. de Santander llega el neutro de materia.

asturiano (no veo que se citen casos semejantes en Italia [381]) de que a esta
categoría neutro-colectiva se añadieran también los nombres femeninos
de materia (Cabrales, *boroña secu*, Cabranes, *sidre fríu*, Lena, *agua rošo*,
Cabezón de la Sal, *leña... seco*), nos hace sumamente probable imaginar un
estado parecido al que ha conservado Lena, para otras regiones como Cabranes, Cabrales y partes de Llanes, y, ya en Santander, Cabezón, en las cuales
la unificación en el singular en *-u* ha oscurecido parcialmente los hechos.
Es muy probable que la zona asturiano-santanderina del neutro de materia
fuera continua, según parecen indicarlo los restos diseminados que hemos
enumerado antes. Y probable, también, que la zona de metafonía se extendiera más por el E.; tal se deduciría de los restos (que necesitan comprobación) señalados en el Conc. de Llanes y en Cabrales. Si esto fuera así,
a) distinción entre *-u* y *-o, b)* distinción metafónica de la vocal tónica,
correspondiente a la de los finales *-u* y *-o*, y *c)* distinción entre masculino
y neutro de materia, serían tres fenómenos que en relación sistemática se
habrían extendido aún mucho más por el E., y habrían penetrado profundamente en Santander. Surge entonces la duda de si Pas será el extremo
de una gran zona de la que mucho intermedio se ha derruído, o, como Pidal
piensa, una metástasis de los fenómenos del asturiano central.

Antigüedad de las metafonías en el NO. de la Península Hispánica. *Conclusiones*

24. El estudio conjunto de la metafonía asturiana y de la distinción
de *-u, -o*, nos ha ido situando en dos perspectivas principales: en una de
ellas, lo que vemos nos deja con algunas dudas; en la otra, en cambio, los
datos se nos ordenan hasta formar un sistema claro y coherente (igual a
otro conocido ya en Italia).

Quedan dudas en lo que toca a la cronología. De un lado, la concordancia de Lena (y parcialmente de muchos puntos del E. asturiano) con
una zona del N. suditaliano, nos tiene que convencer de la antigüedad de
-u, como continuadora del *-um* masculino. He ahí las condiciones ideales
para la metafonía: la *-u* final pudo actuar ininterrumpidamente en su
efecto de cerrar la vocal tónica [382]. Pero ¿en qué época cerró la vocal tónica?

---

[381]   No menciona nada parecido un tan escrupuloso registrador de pormenores como
Rohlfs. Sería interesante saber si por algún rincón de Italia se encuentran hechos semejantes al de *yerba maúro* de Lena, o *agua fríu* de Cabranes o de Cabezón de la Sal,
o *boroña secu* de Cabrales.

[382]   Prescindo de tratar el caso de *-i*. Perfectamente comprobado su efecto metafónico en el ast. central, queda siempre mucho más limitado; en ello influye, desde

En Italia meridional todo nos habla en favor de la antigüedad del efecto metafónico, puesto que las vocales o diptongos producidos por dicho efecto, participan luego, secundariamente, en los cambios primarios de otras vocales [383].

Pero ocurre que en Asturias hemos visto todo lo contrario. Las vocales y diptongos hacen tranquilamente sus evoluciones conocidas, y luego —por tanto, en época relativamente reciente— la metafonía aún afecta a estos resultados (es decir: *-olu > -welu > -wilu; -ariu > -eriu > -iru*).

Más dudas aún si comparamos con lo que ocurre en Portugal; también parece que allí la *-ŭ* persistió con valor fonético *u* (a pesar de haberse adoptado la grafía *-o* [384], posiblemente por atracción del plural *-os* y en general por los casos de *-o* etimológica [385]); quizá el timbre vacilaba entre una *-ʉ* y una *-ǫ*: en este titubeo Galicia habría tendido a regularizarse en pronunciación *-ǫ* y Portugal en pronunciación *-ʉ* (con grafía *o*). De todos modos la *-u* tuvo que tener un efecto metafónico sobre la vocal tónica temprano o relativamente temprano; desde luego ese efecto metafónico había cesado ya antes de que el plural *-os* y, en general, toda *-o* etimológica, llegaran a pronunciarse *-ʉs* (y, finalmente, *-ʉš*) y *-ʉ*.

Sin embargo, la calificación de «relativamente tardía» que damos a la metafonía asturiana y de «temprana o relativamente temprana» que atribuímos a la portuguesa, no implican a la fuerza una disparidad cronológica completa entre ambos fenómenos. Todo juicio depende: 1.) de un término *a quo* de la época que se atribuya a los fenómenos que tendrían que ser anteriores a la metafonía asturiana; 2.) de un término *ad quem*, época de los fenómenos que tienen que ser posteriores a la metafonía portuguesa. Nadie puede fijar con exactitud esos límites.

III. LA METAFONÍA HISPÁNICA Y LA TEORÍA DE UNA COLONIZACIÓN PROCEDENTE DEL S. DE ITALIA

25. M. Pidal ha juntado una larga serie de fenómenos fonéticos que se producen en la Península Hispánica y en el S. de Italia, y ha añadido una

---

luego, la menor frecuencia y por tanto, importancia morfológica en comparación con *-u*.

[383] Véase más arriba, pág. 118.

[384] Véanse los resultados de las investigaciones de PIDAL, *Orígenes*, § 35, quien no cita documentos de Galicia y Portugal. La rutina ortográfica y el carácter, menos exactamente fijo, de las articulaciones vocálicas hace muy poco seguras estas investigaciones.

[385] Es lo que piensa Pidal en otras zonas de la Península, *Orígenes*, § 35, 2.

lista de topónimos españoles que parecen tener correspondencia con nombres de ciudades o regiones suditalianas [386]. Los mencionados fenómenos fonéticos habrían venido en germen con el latín de los colonizadores, y esos gérmenes dieron en nuestra Península más o menos, los mismos resultados que en Italia. Enumero estos fenómenos y menciono algunas de las objeciones posibles [387].

I) -mb- > m(m) y -nd- > n(n), y -ld- > ll.

26.   Los dos primeros son casos de nasalización progresiva que se dan en muchas lenguas (y en algunas otras zonas románicas). No se conocen testimonios osco-úmbricos de *-mm-* < *-mb-* (aunque sí de *-nn-* < *-nd-*). Las grandes áreas actuales de *mm* < *mb* y *nn* < *nd*, en Italia (desde una línea que parte del extremo sur de Toscana, atraviesa por la mitad de la Umbría y va a dar en la costa de las Marcas, cerca de Ancona, hasta el S. de la Península, salvo el S. de Calabria y de Apulia y un pedazo del NE. de Sicilia), coinciden casi totalmente [388]. Parecido es el cambio *-ld- > -ll-* del que hay testimonios antiguos, pero esporádicos, en España; también se encuentran, esparcidos, en Italia, en el S. de las Marcas y de Umbría, Abruzos y el Lacio y puntos meridionales (Tarento y Lucania E.) [389]. Choca en la Península Hispánica la enorme disparidad de las áreas de *n* < *nd* y *m* < *mb*, en contraste con su mencionada coincidencia en Italia [390].

---

[386]   M. PIDAL, *Orígenes*, 3.ª ed., § 52-55; *A propósito de* -ll- *y* l- *latinas. Colonización suditálica en España*, en *BRAE*, XXXIV, 1954, págs. 165-216; y el mencionado artículo *Pasiegos y Vaqueiros*. En esas obras se encontrará abundante bibliografía, pues M. Pidal rebate frecuentemente a aquellos que le han hecho objeciones.

[387]   Imposible hacer aquí un examen detenido de cada una de estas cuestiones ni atender debidamente a todas las opiniones emitidas.

[388]   ROHLFS, *Hist. Gramm. It. Spr.*, §§ 253 y 254. Allí puede verse, págs. 419-420, la opinión de Rohlfs nada favorable a que el fenómeno italiano esté en relación con el sustrato osco-úmbrico. Ni que decir tiene, pues, que Rohlfs es contrario a la tesis de Pidal. V. ROHLFS, *Concordancias entre catalán y gascón*, en *VII CILR*, II, páginas 664-666; donde niega que en arag. ant. hubiera *nd* > *nn*. Véase M. ALVAR, *Dial. Arag.*, § 90, 2-3. Bibliografía y opiniones distintas sobre estos cambios pueden verse en F. H. JUNGEMANN, *Teoría*, págs. 244-272. Véase también BALDINGER, *Sprachräume*, págs. 47-51.

[389]   ROHLFS, § 241.

[390]   Los ejemplos castellanos de *n* < *nd* se reducen casi a unos pocos *quano* (ejemplo dudoso por la frecuencia de la apócope; y lo mismo se puede decir de *Fredenano*).

II) *Sonorización de* p, t, k, *tras* m, n, l, r.

27. La zona italiana de nasal + sorda > nasal + sonora es muy compacta (ligeramente menor que la de *mb* > *mm*, *nd* > *nn*): empieza al S. de una línea que desde los montes Albanos, atravesando Umbría, va hacia Ancona, hasta una línea S. a la altura de la orilla N. del Golfo de Tarento. El área del fenómeno para *l* + sorda > *l* + sonora parece propagarse algo más por el N. (S. de la Toscana); y un poco más reducida (desde el S. del Lacio para algunas voces) comienza la zona análoga de *r* + sorda > *r* + sonora [391]. Estos fenómenos se dan en la Península Hispánica en altoaragonés; la zona se prolonga al otro lado de la frontera en territorio gascón, pegado al vasco [392]. El área de más intensidad en España queda separada del vasco, pero con algunos testigos, en el espacio intermedio, de que hubo antiguamente continuidad [393]. El vasco, en su fondo tradicional, no tiene la combinación *m*, *n*, *r*, *l* + sorda, y en los préstamos latinos antiguos ha sonorizado el segundo elemento de estos grupos: *denbora* < t e m p o r a, *aldare* 'altar', *landatu* 'plantar' [394]. De este fenómeno hay muy escasos testimonios medievales por el ámbito hispánico [395]. Como en el caso de la pérdida de *f-* todo acredita una irradiación en contacto con el país vasco, que en el caso de *f-* llevado por Castilla, tuvo enorme propagación [396]; y aquí fué sin duda muy escasa su

---

[391] ROHLFS, *Hist. Gramm. It. Spr.* §§ 246 y 263.

[392] Véanse en KUHN, *Hocharagonesische Dialekt*, *RLiR*, XI, 1935, mapa 4, y ELCOCK, *Affinités*, mapas 3 (que reproduce el de Saroïhandy) y 25-29. La gran unanimidad de -*rd*- en 'ortiga', ELCOCK, mapa 19, KUHN, pág. 71, coincide con la del Sur de Italia. ROHLFS, *Hist. Gramm. It. Spr.*, § 263.

[393] Véase M. ALVAR, *Dial. arag.*, § 90 y mapa 12; KUHN, *obra cit.*, § 21; ELCOCK, *obra cit.*, mapas 19-29.

[394] Véase G. DE DIEGO, *Dialectología*, pág. 213. Véase una exposición general con bibliografía y diversas opiniones en JUNGEMANN, *Teoría*, págs. 244-272. Y nuestra nota 315, más arriba, pág. 114.

[395] En la lista que se da en *Orígenes*, § 55, 2-4, hay bastantes ejemplos sospechosos: son muchos los que implican una relación *t-t* (*incentitu, septendrionem, faculdatem, volundate, parde de*). Además en *faculdatem* y *volundate* operaba ya la confusión de sufijo que produce , p. ej., el port. *faculdade*.

[396] Sabido es que *f-* > *h-* está bien acreditado también en un espacio suditaliano calabrés, desde Cosenza hasta Reggio; y también testimonios diseminados por un gran espacio de la Italia del N. desde el Tesino suizo hasta Padua (ROHLFS, § 154). He aquí otro caso, pues, de duda: ¿fenómeno vasco? ¿colonización italiana? Pero PIDAL se resuelve hoy sin vacilación en favor de lo primero (en los *Orígenes*, 3.ª ed., pág. 306, admitía una ligera vacilación que hoy niega, *A propósito de* ll *y* l *latinas*, pág. 215). La misma duda entre ambas preguntas hay que plantear cuando se trata de sonorización tras *m, n, l, r*, pero en este caso Pidal se decide por la colonización.

difusión hacia el S., por eso son tan pocos los ejemplos encontrados por Pidal. Como por otra parte la coincidencia suditaliana es innegable, no hay por qué descartar que donde se impuso la sonorización no se superpusieran dos influjos: uno, de sustrato, y, otro, del latín suditaliano [397]. Que fué el predominante el primero lo indica lo pegado que el fenómeno está por unas partes (y por otras ha debido estar) al territorio de habla vasca. En buena parte del territorio donde hay sonorización tras *m, n, l, r* hay también conservación de *-p-, -t-, -k-* [398].

Los dos fenómenos han de ser explicados en relación con el vasco [399]; pero colonización y sustrato pueden haber operado en una misma dirección.

III)   *Palatalizaciones de* l- *y* -ll-.

28. Véase el mapa de M. Pidal en su artículo *A propósito de* -ll- *y* l- *latinas. Colonización suditálica en España*, en *BRAE*, XXXIV, 1954. En una gran parte del N. de Italia la *-ll-* seguida de $\bar{i}$ se ha palatalizado en l (algunas veces, también, precedida de $\bar{i}$). Es decir, lo mismo que en rumano *gallina* > rum. *găină* (con yeísmo que se demuestra por el arrum. *gălină*). En otras partes de Italia, algo más al S., en algún punto de Umbría, en el Lacio, en partes de Abruzos y en la Campania N., la l se produce no sólo cuando a *-ll-* sigue $\bar{i}$, sino también cuando sigue $\bar{u}$. Los resultados *-ll-, -ḍḍ-, -ḍ-, -dd-, -d-, r, ŷ, y, ž*, etc. y también, en Luca (Reggio, Calabria), *-l-* (en este punto, pues, como en español), se acumulan en el S. de la Península Italiana. Casi toda Sicilia, Cerdeña y el S. de Córcega, el extremo sur de Apulia y partes de Calabria, tienen *-ḍḍ-* pero también, curiosamente, hay *-ḍ-* en Lunigiana y Garfagnana Superior (extremo NO. de la Toscana).

La contemplación de esta repartición en suelo italiano, parece indicar que tanto al N. como al S. *-ll-* ofrecía dificultades: al S. la tensión para articular la geminada incómoda trae como consecuencia el cambio de punto de

---

[397]   Es lo que también sugiere LAPESA, *HLE*, 3.ª edic., pág. 69.

[398]   El caso *-p-, -t-, -k-* plantearía especiales problemas, porque si bien la conservación de las sordas intervocálicas es la norma general de las hablas suditalianas, ocurre que en la parte N. del territorio que hemos considerado siempre suditaliano (Lacio y Sur de las Marcas y de Umbría) hay muchos casos de sonorización y semisonorización que Rohlfs atribuye de una parte a influjo del N., pero de otra a un proceso especial de estas zonas. Sin embargo, la zona debió de conservar primeramente las sordas *-p-, -t-, -k-*. (ROHLFS, § 209.)

[399]   Y todo parece en relación con el conocido fenómeno de sonorización de iniciales en vasco. Véase la teoría de A. MARTINET, *La reconstruction structurale: les occlusives du basque*, en *Économie des changements phonétiques*, Berna, 1955, págs. 370-388.

articulación, y de la posición de la lengua en el instante de articular; en el N., ante palatal se desarrolla una asimilación palatalizadora. La confluencia entre estas dos tendencias (es decir, incomodidad articulatoria de la *-ll-* unida a corriente palatalizadora) parece estar representada por esa zona central umbro-abruzo-lacio-campaniense en que se amplían las condiciones en que *-ḷ-* surge (ahora lo mismo ante *ī* que ante *ū*, es decir, ante las dos vocales más «altas»). Una amplificación más, un momento de vacilaciones, correcciones, ultracorrecciones, etc., y pudo surgir la situación española *-ḷ-* < *-ll-* sin condición alguna.

En cuanto a los resultados en los dialectos del N. de España es cierto que en parte recuerdan los del S. de Italia (hasta una *ḍ*), en parte introducen un tipo nuevo, *ŝ*, que tiene gran desarrollo. Todos estos tipos del N. pueden ser resultado de la tensión y la incomodidad articulatoria de la geminada. Lo verdaderamente parecido a condiciones italianas es la igualación de *l-* y *-ll-* en asturiano, con resultado *ḷ*, *y* o *ŝ*, y también *ḍ*, lo mismo inicial que intervocálico, como ocurre en las colonias galoitálicas de Sicilia donde se tiene *l-* > *-ḍḍ-* y *-ll-* > *-ḍḍ-*; y en algún punto de dichas colonias la mera articulación geminada en ambas posiciones, es decir, *-ll-* como en latín, pero también *ll-* de *l-* latina.

No es nada fácil interpretar estas correspondencias siciliano-asturianas dentro de la teoría suditaliana. Se trata, como es sabido, de colonias que, procedentes del N. de Italia fueron implantadas en Sicilia en la Edad Media. Sucede que la igualación articulatoria de *l-* inicial y *-ll-* interior se produce en el N. de Italia en ligurés donde *l-* > *l-* *(lèngua)*, *-ll-* > *l* *(kòlu* < c o l l u) y *-l-* > *-r-* > «cero» *(muiŋ* < m o l i n u); inmediatamente en Garfagnana (Toscana) también coinciden la inicial simple y la geminada interior, pero aquí en *ḍ*: *ḍèto* < l e c t u, *bèḍo* < b ĕ l l u. Dentro de nuestra Península el gallego-portugués también llega a un resultado semejante al del ligurés (inicial simple y geminada interior se igualan en *l*, y simple interior se reduce a cero, pero no a través de una etapa *-r-* como en el ligurés). Volvamos entonces a considerar la concordancia de Garfagnana y las colonias galo-itálicas de Sicilia. Todo esto da al fenómeno asturiano *ll-* o *ŝ-* < *l-* y *-ll-* o *-ŝ-* < *-ll-* unas características que irremisiblemente lo alejan del mediodía de Italia, pues lo único en que coincide de modo curioso con el asturiano ocurre precisamente dentro de esas colonias de origen nórdico.

IV) *La metafonía y las finales* -u *e* -i.

29. Son evidentes, creemos, las concordancias entre la conservación de *-u* en asturiano y suditaliano, y las consecuencias metafónicas de este hecho.

La crítica pormenorizada que hemos realizado [400] muestra algunos desajustes: *a*) Si bien parece existir esa concordancia por lo que toca a -*u*, es difícil imaginarla por lo que respecta a -*i ; b*) no hay correspondencia entre la muy frecuente inflexión de *á* en asturiano, y la escasísima en Suditalia; *c*) tampoco la hay entre los rasgos de antigüedad de la metafonía suditaliana y los que parecen de relativa modernidad en la asturiana. Pero, como ya he dicho, se trata de puntos oscuros, no de dificultades invencibles.

Son evidentes las concordancias que hemos puesto de manifiesto en páginas que anteceden entre la distinción de un neutro-colectivo en la parte N. del territorio suditaliano y una extensa zona que va desde el centro de Asturias hasta dentro de la región O. de Santander; en parte de esa zona asturiano-santanderina (en Lena) hay aún hoy, como en la italiana, una distinción fonética -*u* (masc.), -*o* (neutro-colectivo). En todo el asturiano central donde existe inflexión, hay, según hemos mostrado, reliquias evidentes de esa distinción fonética y semántica. En otros sitios donde no existe inflexión (Cabranes) o donde no está sino vagamente indicada (como en Cabrales), o donde ni se ha explorado (Cabezón de la Sal, provincia de Santander) es sólo por sintagmas como *sidre fríu, boroña buenu, leche bueno, hierba seco, agua fríu*, etc., por lo que podemos imaginar que existieron en época remota (por lo que toca a la distinción -*o* / -*u*) condiciones parecidas a las de Lena, borradas a causa de la generalización de -*u*.

Faltan exploraciones para poder asegurar tanto la continuidad de la zona como la de la generalización de -*u*.

Conclusiones.

30. La crítica apenas esbozada —otra cosa no era posible— que hemos hecho de los apartados I-III, así como la más demorada del IV (que había sido nuestro punto de partida), nos llevan a las siguientes conclusiones. De los hechos fonéticos principales aducidos por M. Pidal en apoyo de su teoría de una colonización suditaliana en la Península, no hay ninguno que se pueda rechazar de plano: quizá el II (sonorización tras *m, n, l, r*), parece que deberá interpretarse en relación con rasgos de la fonética vasca (la coincidencia con el S. de Italia es, sin embargo, evidentísima). Dentro del grupo de fenómenos estudiados en III, resulta imposible demostrar una verdadera correlación suditaliana para la igualación de los resultados de *l*- y -*ll*- en asturiano; aparte este hecho concreto, es innegable la semejanza entre los dispares resultados de -*ll*- a lo largo de la cordillera pirenaica y en

[400] Véase más arriba, págs. 114 y ss.

el S. italiano; el mismo resultado español $-l-$ < $-ll-$ podría estar en relación con la palatalización de $-ll-$ en la zona N. de Suditalia, aunque allí condicionada por $\bar{u}$ o $\bar{\imath}$ siguiente: un fenómeno en germinación, trasplantado, podría haberse generalizado totalmente en España.

Las áreas en España están bastante dispersas: la metafonía, en líneas generales, es un fenómeno del Noroeste. Las palatalizaciones (o cacuminalizaciones de $-ll-$) se extienden desde el asturiano a Cataluña; más oriental aún es la asimilación $mb > m$, y más aún la de $nd > n$. Restringidísima es, en cambio, y casi apegada a los límites vascos, la sonorización tras m, n, l, r, y esto nos hace pensar que —a pesar de la coincidencia suditaliana— debe dejarse de lado [401]; la distinción del neutro colectivo debía de extenderse en el centro de Asturias y el O. de Santander: es decir, montándose (en Lena) con los fenómenos de distinción de $-u$ y $-o$ y de metafonía, con que está muy relacionada: imagen muy parecida dan las correspondientes zonas italianas.

Esta dispersión de áreas no nos parece que sea obstáculo mayor contra la teoría de Pidal (su mismo autor lo ha afirmado así, creemos que con toda razón varias veces). Parece, por otra parte, que construir todo un casuismo teórico de cómo sería la colonización no puede llevar sino al fracaso: es perfectamente razonable, que, en tantos siglos, haya habido muchas oleadas con mezcla de colonizadores de otros muchos sitios, y tampoco hay que pensar que los del S. de Italia vinieran siempre, exactamente, de una misma región.

Sin embargo, montando sobre un mapa de Italia los puntos de máxima coincidencia de todos los fenómenos españoles, de los que hay sospecha que puedan haber sido originados por el latín de los colonistas, las coincidencias mayores van a superponerse sobre una misma zona, que comprende el S. de las Marcas, el SE. de Umbría, el NO. de Abruzos y el pico del Lacio entre Umbría y Abruzos, con una prolongación que llega hasta el S. de Roma: es la región que aún hoy distingue $-u$ y $-o$ etimológicas, como se debió distinguir antiguamente en gallego-portugués y como hoy se distingue, en parte, en el asturiano, y en especial, el de Lena. Y que además tiene un neutro-colectivo en $-o$ (y sin metafonía), que opone al masculino con u (y con metafonía) como en Lena. Naturalmente que allí se dan los fenómenos más extensos suditalianos $mb > m$, $nd > n$ (y también la sonorización tras m, n, l, r). Curiosamente $-ld- > -ll-$ que tiene asimismo un eco, aunque débil, en España [402], se encuentra en esta misma zona italiana, la cual es muy probable que en lo antiguo se extendiera más hacia el S. En fin, de la zona que pala-

---

[401] Se diría la imagen de una «pérdida de $f-$ inicial» que hubiera fracasado.
[402] M. PIDAL, Orígenes, § 54.

taliza *-ll-* lo mismo ante *ī* que ante *ū*, toda su parte O. coincide con territorio
de la descrita; en el estado naciente de esta tendencia generalizadora de
la palatalización de *-ll-*, nada tendría de particular que en un terreno distinto
el latín importado hubiera llegado a una palatalización no condicionada.
(Véase una explicación semejante en M. Pidal [403].)

La comparación a base de topónimos que hace M. Pidal da correspondencias españolas un poco al S. de la zona que señalamos. Insistimos en que
las mayores correspondencias entre fenómenos españoles y estado actual
de las hablas italianas se concentra en el territorio que hemos descrito. Las
correspondencias toponímicas son más inseguras (bien porque pueden darse
«espejismos», bien porque el nombre puede provenir de un jefe, que era
precisamente de otro sitio). Así y todo no hay contradicción con los datos
de Pidal: las correspondencias toponímicas que él indica empiezan exactamente al sudeste del territorio que nosotros señalamos (en ocasiones, mon-
tadas sobre él); y ya hemos dicho que, según los datos de Rohlfs, la zona
descrita en lo antiguo se prolongaba más hacia el S.

En lo que sí no hay correspondencia es en lo que toca a los resultados de *-ll-* que llamaremos, sin intento de mayor precisión, de tipo «cacu-
minal» (incluyo *ḍḍ*, *ḍ*, *t*, *r*, *ŝ*, etc.). Salvo un islote muy nórdico, están todos
en Italia condensados sobre el S. de la Península (a excepción de Carama-
nico y Scanno [404]) o en las islas. M. Pidal ha visto la dificultad y piensa en
una segunda colonización. Es posible.

La teoría de Pidal tiene, pues, bastantes puntos oscuros. Es, hoy por
hoy, la explicación más satisfactoria de un conjunto de hechos fonéticos
(y quizá también de toponimia) de la Península Hispánica. Los datos que
mencionamos acerca de la zona de distinción italiana de *-u*, *-o*, en donde
existe una categoría neutro-colectiva (en *-o* y sin metafonía) y su correspondencia en Lena (y seguramente en una zona más extensa borrada por
generalización de *-u*), vienen, decididamente, a apoyar las ideas de Pidal.

La comunidad del latín hablado en la Península Hispánica y en el S. de
Italia resulta aún reforzada por toda una serie de hechos ya no de orden
fonético sino sintáctico, morfológico y léxico. He aquí unos pocos ejemplos.

Preposición ante complemento directo personal.

31. Una coincidencia notable entre el S. de Italia y la Península Hispánica es el uso de la preposición *a* ante el complemento directo personal (esp. *he*

---

[403] *A propósito de* -ll- *y* l- *latinas*, pág. 209.
[404] ROHLFS, 234. Véase el mapa en M. PIDAL, *A propósito de* -ll- *y* l- *latinas*.

visto a tu padre). En nuestra Península es el castellano quien lo emplea con más amplitud; en menor número de casos, el portugués [405], y todavía de un modo más restringido el catalán [406]. Fuera de la Península Hispánica se usa también en el gascón [407]. En zonas gasconas fronterizas como Béarne y Lavedan, el empleo es muy parecido al castellano *(As bist à yan?)*. También, aunque en general con restricciones parecidas a las del catalán, se usa en una banda provenzal, exterior al gascón [408]. Algunas otras zonas, a lo que parece poco extensas, existen en galorrománico. También en sardo [409] y en retorrománico: los ejemplos que cita Meier [410] del escritor engadino Schimun Vonmoos, sólo en poquísimos casos se diferencian del uso español (lo mismo por el empleo de *a* ante complemento directo personal, que por su omisión).

Suponemos que por esa comprobada existencia fuera de las Penínsulas Hispánica e Italiana, es por lo que M. Pidal no aduce este fenómeno. Sin embargo, la coincidencia con el S. de Italia es muy notable: el área italiana es muy extensa, pues llega desde Sicilia hasta Umbría y las Marcas, ese límite que una y otra vez venimos a encontrar [411]. El uso es también muy parecido al español, como puede verse en estos ejemplos citados por Rohlfs: Apulia *chiamà a Mariə* 'llamar a María'; Lacio Merid. *si vvisto a ffràtimo?* '¿has visto a mi hermano?'; Abruzos *t'a pagat a tte?* '¿te ha pagado a ti?'. Esta coincidencia aislada tendría menos valor por usarse en otros sitios, además de en las zonas en cuestión. Pero la coincidencia hispano-suditaliana es mucho más fuerte y de caracteres mucho más generales.

Triple localización de los demostrativos.

32. No es posible tampoco dejar de señalar la casi identidad en lo que toca a las tres situaciones señaladas por el demostrativo: cercanía del que habla; cercanía del que escucha; lejanía de los dos. Lo mismo el S. de Italia

---

[405] Véase para toda esta cuestión el muy documentado estudio de H. MEIER, *Sobre as origens do acusativo preposicional nas línguas românicas*, en su libro *Ensaios de filologia românica*, Lisboa, s. a., págs. 114-164.

[406] F. DE B. MOLL, *GHC*, §§ 495-496.

[407] ROHLFS, *Gascon*, pág. 415.

[408] RONJAT, *Grammaire istorique*, §§ 778-779, da esta localización: Périgord, Agen, Tolosa, Carcasona, Narbona: la línea que así se describe, desde el NO. al SE. (sin pasar del meridiano extremo de España) señala bien cómo el fenómeno va a enlazar con los hechos de nuestra Península.

[409] ROHLFS, en *Romanica Helvetica*, IV, pág. 60.

[410] Obra cit., págs. 148-149.

[411] ROHLFS, *Hist. Gramm. It. Spr.*, § 632.

que la Península Hispánica conservaron las tres gradaciones, pero en lugar de partir de la latina (h i c , i s t e , i l l e), se basaron en (e c c u -) i s t e , (e c c u -) i p s e y (e c c u -) i l l e : esp. *este* y *aqueste, ese* y *aquese, aquel;* catalán *aquest, aqueix, aquell* [412]; port. *este, esse, aquele*. En una enorme zona italiana, desde el S. de las Marcas y el Lacio hasta Sicilia se encuentra esta triple localización demostrativa, y las bases son las mismas, sin más diferencia sino que las formas hispánicas masculinas han partido del nominativo, y las de ese territorio italiano, del acusativo (*-um*): aquilano ant. *quisto*, napolitano ant. *chisto*, napol. mod. *chistə*. El género puede ser, como en la Península Ibérica, masculino, femenino o neutro. Es de notar que en las zonas de metafonía el neutro debió basarse en una *-o*, y carece, por tanto, de inflexión la tónica; mientras que el masculino debió de tener como base *-u*, y ha sufrido, por tanto, la inflexión: Marcas merid. ant. masc. *quisto*, neutro *questo;* napol. masc. *chistə*, neut. *chéstə* [413]. Inmediatamente se ve la casi identidad con el asturiano de Lena: masc. *isti*, neut. *esto* (o lo mismo masculino *vuistru*, neut. *vuestro*) [414], sólo que en Lena están aún patentes las vocales finales (*-i, -u*) responsables de la metafonía. La coincidencia hispano-suditaliana de las tres localizaciones demostrativas, y sobre las mismas bases (en la que también participa el sardo) es muy notable y tiene que proceder del latín hablado en estas tres zonas.

Léxico y usos de t e n e r e .

33.   Creo muy conveniente una apurada comparación de todas las coincidencias (fonéticas, de léxico, morfológicas, sintácticas) que se puedan señalar entre el S. de Italia y los romances que se desarrollan en Hispania. Listas de coincidencias léxicas entre el S. italiano y la Península Hispánica (a veces también comunes a Cerdeña o a Rumanía, o a ambas) se han hecho varias veces. Claro está que coincidencias de este tipo a base de unas

---

[412]   En el catalán moderno *aquest* y *aqueix* tienen valor de cercanía y *aquell* de lejanía. La lengua literaria ha tratado de mantener las tres localizaciones, que sí existen en el valenciano. Véanse variantes y otros pormenores en BADÍA, *GHC*, §§ 133-134; y el estudio del mismo autor *Los demostrativos y los verbos de movimiento en iberorrománico*, en *EMP*, III, págs. 3-31. La reducción de los tres grados a dos puede producirse con gran facilidad. Badía ha observado la tendencia a la confusión entre *este* y *ese* en el castellano moderno (art. cit., págs. 6-7). Hay que hacer notar que en la zona suditaliana, donde es general la triple localización, existen puntos en donde se ha llegado a la confusión de las nociones 'este' y 'ese', así en Nápoles, dice ROHLFS, se usa hoy *chisso* en el sentido de *chisto* y viceversa *(It. Gramm.,* § 494).

[413]   ROHLFS, § 494.

[414]   NEIRA MARTÍNEZ, *El habla de Lena*, § 72.

docenas de palabras, pueden unas veces no tener valor ninguno y otras proceder de una causa distinta (no de comunidad de latín, sino de un sustrato, etc.). Pero si después de todas las coincidencias fonéticas hispanosuditalianas mencionadas, se mira al léxico, la correspondencia de los derivados hispánicos y suditalianos de a p p l i c a r e , a m y n d a l a , a n s a , *a s t u l a , b u d a , c r a s , f e r v e r e , g r a n d i a , g r e - m i a , j a n u a , *m u r r u , p l e i t a , p e c u s , p e t ĕ r e , r e s - t u c ŭ l u , s a r t a g ĭ n e , s i l i q u a , s o c r u s , s o m n u 'sueño' y 'ensueño', t r i p e s , etcétera , no puede por menos de cobrar un notable y muy especial sentido.

A veces, la amplificación semántica, y aun con consecuencias morfológicas, de una voz, puede ser notablemente coincidente: es lo que ocurre con el uso de t e n e r e en vez de h a b e r e en una muy amplia zona de la Italia meridional (napol. *tengo a frèvə*) muy parecido al del portugués *(tenho um livro)* o al del español *(tengo miedo, tengo una casa)*. El mapa, que reproduce Meier[415], procedente del núm. 50 del AIS *(quanti anni hai?)* muestra bastante entreverado el empleo de h a b e r e y t e n e r e , con una gran zona de t e n e r e que ocupa la Campania, penetra en el Lacio, en Molise, en Lucania y en varias zonas de Apulia y Calabria; pero otros mapas del AIS, como el núm. 123 *(ha le spalle larghe)* y el 388 *(ho le mani intirizzite)* dan a t e n e r e una zona compacta mucho mayor, que penetra en el Lacio hasta bien al NE. de Roma (Rieti) y sigue luego hacia el Adriático, sin rebasar, en general, el límite N. de Abruzos, pero con algún punto (Sant'Elpidio a Mare) bien dentro de las Marcas; el límite S. de esa enorme área deja sólo fuera los extremos meridionales de Apulia y Calabria[416]. Como vemos, otra vez se dibuja la gran zona para la que hemos visto siempre tantas correspondencias hispánicas. En la Península Hispánica, el fenómeno se da en sus tres lenguas. En hispánico, *tener*, como invasor del campo de *haber*, está acreditado desde los textos más antiguos *(Glosas Emilianenses*, Jarŷa núm. 11[417], *Mío Cid*, etc.). En nuestra Edad Media *haber* conserva aún mucho uso, pero desde el primer momento *tener* se emplea a su lado, muchas veces sin que pueda decirse si hay una diferencia entre los respectivos campos semánticos[418]. A lo largo de la Edad Media *tener* prosigue su victorioso avance hasta despojar casi completamente a

---

[415] *Ensaios*, pág. 11. Para toda esta cuestión, EVA SEIFERT, *Tenere 'haben' im Romanischen*, Florencia, 1935.

[416] Véase también ROHLFS, *Hist. Gramm. It. Spr.*, § 733.

[417] Comp. STERN, *Les chansons mozarabes*, Palermo, [1953], págs. 12-13.

[418] Véase EVA SEIFERT, Haber y tener *como posesión en español*, en *RFE*, XVIII, 1930.

su rival, que queda casi reducido a un mero auxiliar para tiempos compuestos. Pero el avance de t e n e r e no podía parar ahí, y también tiende a desalojar a h a b e r e de su función como simple auxiliar. Esta etapa sólo se completó en gallego-portugués: *tenho visto* 'he visto'. El castellano no ha llegado ahí pero está en los límites: una frase como *tengo vistos todos los papeles* frecuentemente se oye *tengo visto todos los papeles;* es decir, se camina hacia la formación de un nuevo antepresente. Tendencias parecidas se observan en la correspondiente zona suditaliana: *saccio ca tienə lu fuoc'allumato* 'sé que has encendido el fuego'[419]. Los hechos italianos y el constante avance de *tener* visto en el castellano, hemos de imaginarlos en profundísimas raíces[420].

Sobre arcaísmo de zonas periféricas.

34. Los fenómenos parecidos que existen en las llamadas zonas periféricas (S. de Italia, Rumanía, Retorromania, Hispania, Cerdeña) suelen explicarse a veces por arcaísmo: es decir, varias de estas zonas, en cada caso, habrían conservado una capa de latín arcaico, que en otras zonas más comunicadas habría sido sustituída por innovación del latín más tardío. Claro está que afirmar eso es pensar también en una gran homogeneidad de las primeras capas de latín importadas a cada país.

Para admitir esa explicación sería necesario en cada caso, probar que la voz o forma de que se trata no ha pervivido sino en zonas extremas y mal comunicadas. Ahora bien, ocurre que en las coincidencias hispanosuditalianas, la mayor parte de ellas, como hemos visto, se acumulan sobre una zona que está repartida entre el S. de Umbría y de las Marcas, el este y S. del Lacio, y una parte de Abruzos, próxima a estas regiones. La zona así determinada va casi a coincidir con la que, por razones principalmente toponímicas señala Pidal. Más exactamente: la que señala el maestro llega un poco más al S.; mientras que, en la nuestra, el límite S. queda menos exactamente precisado que su límite N. Con otras palabras: la zona señalada por Pidal y la nuestra coinciden en gran parte y no se contradicen decididamente en nada. Ese territorio, de ningún modo merece el nombre de periférico sino que, por el contrario, situado a distancia relativamente corta de Roma, es, como era natural, el más surcado por vías de penetración: por el S., la Appia, que llevaba a Capua y a Benevento y también la

---

[419] ROHLFS, *Hist. Gramm. It. Spr.* § 733.

[420] Corominas piensa también en estas profundas raíces, comprobables además, no sólo en escritores latinos hispánicos como Oriencio y Eteria, sino también en otros no hispánicos; anuncia Corominas un estudio suyo sobre el tema. (*DCEC.*)

Latina, más directa, que se unía con la Appia en Casilinum, poco antes de Capua. Lo atravesaba también, hacia el Adriático, la Vía Valeria, que iba a dar a Aternum (Pescara) y la Salaria que por Reate (Rieti) se dirigía también hacia el NE. Lo orillaba por el N. la Flaminia. Y lo penetraban otras vías de menor importancia, y otras locales, etc. Tierras muy transitadas, que permitían al habitante de Roma posesiones y visitas frecuentes a ellas. Era, después de todo, el fondo rural sobre el que se reflejaba más directamente la gran metrópoli. Vamos viendo que, por la parte italiana, hay poca base para llamar arcaísmo de zonas periféricas a las coincidencias hispanosuditalianas.

Se cita, a veces, como ejemplo de arcaísmo periférico el uso de la triple localización de los demostrativos hispánicos y suditalianos. Pero visto de cerca, resultará que el único rasgo de arcaísmo posible será el que sean tres; porque la gradación *hic, iste, ille* del latín ha quedado completamente trastrocada: *hic* se ha evaporado en lo románico [421]; *iste* ha pasado del segundo al primer plano, para llenar el vacío de *hic;* en el hueco que dejó *iste*, se ha metido el pronombre de identidad *ipse;* en cuanto a *ille*, destinado a otros usos, necesita reforzarse en *ecc(u)-ille* para permanecer como demostrativo; y esta forma reforzada o sus descendientes (como el español *aquel*) producirán otras formas analógicas en el primero y segundo planos (esp. *aqueste, aquese*). Se trata, pues, de un enorme proceso de innovaciones, de un proceso complicado y delicado [422]. Lo mismo el S. de Italia que Hispania entra en esa fina ordenación de tanteos revolucionarios. Por el contrario, la zona más auténticamente periférica, Rumanía, va curiosamente a coincidir con las del italiano y del francés antiguo: rum. *acest, acel;* it. *questo, quello;* francés ant. *(c)ist, cil*: lo mismo en las zonas consideradas como más innovadoras, que en Rumanía, la más apartada, el único cambio se ha reducido a la eliminación de *hic* (nótese bien, lo mismo que en el primer paso de la evolución hispano-suditaliana); reducidas así a dos las localizaciones, no hay más notable alteración de las bases latinas que restaban, que su reforzamiento: *ecc(u)-iste, ecc(u)-ille* [423]. El primer paso del proceso (eliminación de *hic*) es, pues, común a la Romania; por lo demás, todo lo que hay de innovación es cosa hispánica y suditaliana.

---

[421] Salvo restos: p. ej., en esp. *hogaño* < h o c a n n o, fr. *ce* < *ço* < e c c e - h o c, etcétera.

[422] Comp. WARTBURG, *Problemas y métodos de la lingüística*, Madrid, 1951, Consejo Superior de Investigaciones Científicas, págs. 235-240.

[423] Conocidas son las innovaciones del francés posterior: *celui* (caso régimen de *cil*), *celle*, quedan como meros pronombres; *ce(t)* y *cette* sólo como adjetivos; y en uno y otro caso la oposición entre los dos planos queda encomendada a *ci* y *là: celui-ci, celui-là; cet homme-ci, cet homme-là*.

Contrastemos ahora, a esta luz, otro ejemplo que acabamos de tratar. Emplean preposición ante el complemento directo personal, de una parte, como hemos visto con la preposición a d > *a*, Hispania (y pegado a ella un territorio provenzal), Retorromania y el S. de Italia; de otra parte, con la preposición p e r > *pe*, Rumanía *(văd pe Petru* 'veo a Pedro'). He aquí, pues, que zonas consideradas como periféricas han venido a coincidir en una necesidad de innovación. Cuando se quiere explicar por arcaísmo las correspondencias hispano-suditalianas, lo primero que pasa es que falla lo del carácter periférico de las zonas: el territorio italiano está al lado del centro mismo del Imperio. Pero ¿es que hay verdadero arcaísmo? En los ejemplos analizados no hay sino innovación. Las zonas llamadas periféricas coincidirán seguramente, a veces, por arcaísmo, pero acabamos de ver que coinciden también otras veces por innovación. La explicación de comunidad por arcaísmo no nos vale, pues, como interpretación general y hay que buscar otra causa.

Conclusiones.

35. Hace más de treinta años, después de establecer una lista de palabras con descendencia en el S. de Italia y en Hispania y Cerdeña y Rumanía (unas de estas voces en todas o casi todas esas zonas; y otras, en sólo algunas de ellas), llegaba Rohlfs a esta conclusión:

Tales coincidencias idiomáticas entre las tierras de la Romania meridional no pueden descansar en un mero coincidir de fuerzas casuales. Cerdeña fué colonizada desde el S. de Italia ya en las épocas más remotas. Y tanto en la Península Ibérica como en las regiones de los Balcanes la mayor parte de sus colonistas debieron proceder del S. de Italia, de esa región cuyos hijos han conservado hasta el día de hoy su gusto por la emigración [424].

Y, sin embargo, listas como las que daba entonces Rohlfs, por sí solas no podrían ser sino un vago indicio, una llamada de atención. Los indicios, merced a estudios sucesivos, se han ido amontonando, unos, más dudosos; otros, más claros; unos, que suscitan en nosotros algún reparo o titubeo; otros, que se aproximan a la verdadera fuerza probatoria (esa «fuerza probatoria» que en lingüística no existe nunca). Cuando llegamos al término enésimo de una muy larga lista de indicios, ¿cómo no tomarlos en consideración a todos, en su conjunto? La lingüística no es una ciencia matemática: no prueba sino que se contenta con nuestra convicción humana. Y no hay

---

[424] *ZRPh*, XLVI, 1926, pág. 164. Modernamente Rohlfs se ha expresado contrario a la tesis de la colonización suditaliana de los territorios hispánicos. Véase más arriba, pág. 136, n. 388.

petición de principio alguna en este postulado: cuando a una larga cadena de indicios, coincidentes en sentido, se le añade otro u otros nuevos, también coincidentes en ese sentido, el valor de convicción de los nuevos indicios resulta reforzado por todos los de la cadena, y ésta fortalecida por los nuevos eslabones.

Son muchos los hechos que apuntan hacia una misma dirección: el parentesco del latín hablado en España con el hablado en el S. de Italia, más exactamente, con la mitad norte de esa parte sur.

Metafonía por anticipación y metafonía por recuerdo

36. En una exploración [425] en el Valle de Ancares, de habla gallego-leonesa [426] (está al N. de León, lindante con Asturias y con Lugo) uno de los rasgos que más nos llamaron la atención fué una *á* tónica palatalizada (generalmente *ä*, algunas veces, *ę́*) que se producía siempre que en la sílaba anterior había *u, i*, o semivocal *u̯* o semivocal *i̯*: ancarés *ašuntär, acou̯här* 'sosegar' (gall. *acougar*), *cincär* 'hincar, tocar', *freitäda* 'corrimiento de tierras'.

Conocíamos desde hace mucho la existencia de zonas de Portugal, en las cuales se producía la palatalización de la *á* tónica. Los datos antiguos no permitían saber si para que se diera el fenómeno era necesaria alguna condición. Nuestros hallazgos ancarenses —un verdadero cambio condicionado— nos hicieron pensar que la evolución portuguesa fuera también de tipo semejante. El profesor Luís L. Cintra, a quien consultamos, corroboró nuestras sospechas. Buscamos en la *Etnografia da Beira* las muchas voces con palatalización de *á*, que allí se contienen, y nos encontramos con que en

---

[425] Investigación llevada a cabo (en dos viajes a la región, veranos de 1954 y 1957) en colaboración con Valentín García Yebra.

[426] El habla de Ancares no diptonga *ę* y *ǫ* y mantiene estas vocales con timbre abierto frente a los resultados relativamente cerrados de *ě* y *ó*. El intervalo entre *ę* y *e̦*, *ǫ* y *o̦* es algo mayor que entre esp. *verde* y *pelo*, *flor* y *cosa*; y suficiente para que en ancarés se distinga *ǫso* 'hueso' y *o̦so* 'oso'. Pierde *-n-* y también (en la mayoría de los casos) *-l-*, mantiene *l-* y simplifica *-ll-* y *-nn-*; es habla que tiene «geada», que tiene infinitivo conjugado, etc.: rasgos típicamente gallegos, enormemente predominantes, frente a algunos de tipo leonés como la pérdida de *-d- < - t-*, ante o (*machǎo* 'hacha', pero *entoladas* 'terrones que se queman en la roza').

Esta habla tiene también otro fenómeno de tipo gallego-portugués, pero que no habíamos encontrado nunca en hablas gallegas: una intensa nasalización de vocales allí donde se perdió una *-n-* intervocálica: *lũa, chã* 'llana', *ãõite* 'ayer'; *hão* 'ganado' (en esta última palabra se reúnen «geada», pérdida de *-n-*, pérdida de *-d-* y nasalización, con formación de un diptongo *ão* nasal). Todos estos, y otros rasgos describimos con más detenimiento en nuestra comunicación al III *Colóquio Internacional de Estudos Luso-Brasileiros de Lisboa*, septiembre, 1957 (actualmente en prensa).

todas ellas se daban condiciones idénticas a las de Ancares. Finalmente,
gracias al profesor Cintra, hemos podido conocer trabajos recientes e iné-
ditos en los que de varias localidades de Portugal se describen hechos semejantes [427]. Todas están en una extensa región de la Beira Baja, cuyos puntos
extremos N. serían —provisionalmente hasta que se haga una exploración
sistemática— Sabugal, Fundão, Sobral; los extremos occidentales, Sobral,
Oleiros y Sertã; y los extremos orientales, Sabugal, Bemquerença, Monsanto
e Idanha-a-Nova; en este territorio la *á* se transforma en un sonido entre *ä*
y *ę* cuando en la sílaba anterior hay, o ha habido, *i* o *u* o *ei* o *ou*. Ejemplos:

Pena-Lobo (Sabugal): *bureco, aguilheda*.

Sernache de Bomjardim (Sertã): *gieda* [428].

Oleiros: *felicidede, cidede* (y falsas correcciones como *tijala* por *tijela*) [429].

Penamacor: *deixé-lo* (por *deixá-lo*), *olivél* (por *olival*), *triguél* [430]; Vale de
Lôbo, Idanha-a-Nova, Bemquerença: *peneirer, carujer, touredas, povilhel
(pegulhal), venegre (vinagre)* [431].

Póvoa de Atalaia: *bręko (buraco), aleméli (animal), vskęri, skęri
(buscar)* [432].

---

[427] Hablé con el profesor Cintra después de nuestra primera visita a Ancares. Sólo
cuando leí nuestra comunicación sobre este tema, al *Colóquio* de Lisboa, supe por el
profesor Cintra que el fenómeno había sido señalado recientemente en Monsanto, en
una tesis de licenciatura inédita de la Facultad de Letras de Lisboa. Todavía después,
habiéndoseme facilitado el original de esa tesis, pude ver que los hechos de Monsanto
coinciden estupendamente con los de Ancares, y están muy bien descritos por la autora
de la tesis. Después aún el profesor Cintra descubrió y me facilitó una tan preciosa
como por todos olvidada nota de Leite de Vasconcelos, de 1881, en que el sabio filólogo describe el hecho (pero sin llegar a ver cuál es la condición que produce *a > e*).

[428] Citados por LEITE DE VASCONCELOS, en *Dialectos beirões*, II, III, IV, Porto,
1884, páginas 12-13 (tirada aparte de la *Rev. de Estudos Livres*, vol. II). De Sernache
cita dos ejemplos que no casan bien con la condición enunciada.

[429] Todos estos ejemplos proceden de las *Memórias da villa de Oleiros pelo bispo
de Angra D. João Maria Pereira*, Angra, 1881, pág. 168, citadas por Leite de Vasconcelos en el trabajito mencionado en la nota 429.

[430] A. CORDEIRO, *A lingua e a literatura popular de Penamacor*, pág. 81. El ejemplo *marmeleda* que allí se da, no se ajusta bien a las condiciones.

[431] Los ejemplos proceden de algunos de esos pueblos, y todos los he sacado de
palabras citadas en la *Etnografia da Beira* de JAIME LOPES DIAS. Son más de treinta
las palabras de esa zona, en las que *a > e*, que hemos encontrado en la obra de Dias;
en ninguna dejan de cumplirse las condiciones enunciadas.

[432] MARIA JOSÉ MARTINS, *Etnografia... de uma pequena região da Beira Baixa (Póvoa de Atalaia, Alcongosta, Tinalhas e Sobral do Campo)*, Lisboa, 1954, pág. 135. La
autora da ejemplos de varios pueblos sin enunciar las condiciones. Pero todos los
ejemplos corresponden a ellas perfectamente. La *á*, según las notaciones de la autora,
da aquí *ę* (y no *ę* o *ä* como en otros sitios), y llega en algunos pueblos a la vocal mixta
ë: *bskęri, kęri*, Alcongosta; *buskër*, Tinalhas.

Monsanto: *fekér̄ⁱ (ficar), fumér̄, sefér̄ⁱ (ceifar), popêsa (poupança)* [433].

Maria Leonor Carvalhão, autora del trabajo de donde proceden los últimos ejemplos, da también otros en que la inflexión de la tónica se produce por una palatal anterior: *balér̄ⁱ (balhar), relē̄ᵐpžér̄ⁱ (relampejar)*.

Este nuevo tipo de inflexión (que en seguida recuerda el de la *á* tónica en francoprovenzal) no lo hemos encontrado en Ancares. Lo pude comprobar en una región portuguesa, mucho más al S. que Monsanto, en Serpa al sudeste de Beja (Alemtejo) en un brevísimo interrogatorio hecho en compañía del profesor Cintra, a un grupo de personas de dicha procedencia: *kunäd⁽ᵘ⁾* 'cuñado', *kažäd⁽ᵘ⁾*, *bakaléu*; también en contacto con *i: piél* 'pial', *miä⁽ⁿ⁾d⁽ᵘ⁾* 'mayando', y ultracorrecciones como *mulár* 'mujer'. El contacto, pues, con palatal anterior inflexiona la vocal tónica.

Simetría entre dos tipos de inflexión vocálica.

37. Es necesario recordar ahora los tipos de inflexión vocálica que hemos encontrado a lo largo de estas notas sobre la metafonía peninsular.

1.° Efecto sobre la vocal tónica de las finales *-i, -u*.

2.° Efecto sobre la tónica, de una yod real o de una palatal (yod implícita), y, en algunos casos, de wau, en la sílaba siguiente.

3.° Efecto sobre la tónica de una *i̯* que le sigue y está en contacto con ella.

Todos estos efectos de inflexión son *anticipadores* (la vocal tónica se adapta a la cerrazón que va a venir, y es presentida).

Correspondientemente en nuestra última indagación en el gallego-portugués, encontramos:

1.°) Efecto sobre la tónica de una *i* o *u* en la sílaba anterior.

2.°) Efecto sobre la tónica de una semivocal *i̯* o *u̯*, o de una palatal (yod implícita) en la sílaba anterior.

3.°) Alguna vez, efecto sobre la tónica de una *i* que le antecede y está en contacto con ella.

Estos tres efectos son todos de tipo *recordador*.

Los tres tipos de inflexión *anticipadora* se corresponden miembro a miembro con los tres de inflexión *recordadora* (la tónica se adapta a la cerrazón que se articuló ya y es aún evocada). La diferencia entre los dos tipos

---

[433] MARIA LEONOR CARVALHAO, *Monsanto (Estudo etnográfico, lingüístico e folclórico)*; Dissertação de licenciatura, Faculdade de Letras, Lisboa, 1955. Trabajo inédito, ejemplar a máquina, págs. 88-89. La autora describe perfectamente las condiciones que regulan el cambio. La *á* tónica sujeta a dichas condiciones, unas veces es *ä* y otras *ę*.

es que, en nuestra ojeada a los hechos peninsulares, no hemos visto que la inflexión recordadora afecte más que a la tónica *a*.

Fenómenos parecidos fuera del gallego-portugués.

38. Hay una serie de hablas en las que se producen fenómenos de palatalización de *á*, cuando poco antes, en la misma palabra existen sonidos palatales. Sabido es el caso del francoprovenzal en el que la *á* en sílaba libre permanece como en provenzal; pero, si va detrás de palatal, da *ié* como en francés (francoprov. *recontar*, pero *deleitier*) [434]. En dialectología italiana hay una serie de lugares en donde la *á* se palataliza por influjo de una palatal anterior: en el dialecto del valle de Mesocco (Cantón de Tesino) [435] la *á* de los infinitivos en -*are* se hace *ę́* si en la sílaba anterior hay una vocal palatal: *filę́* 'hilar', *ǧǝlę́* 'helar', pero *lavá*, *portá*; en Bellante (prov. de Teramo, Abruzos) la *á* de los infinitivos se hace *i* cuando en la sílaba anterior hubo una *i* o una *u*: *fǝlí* < f i l a r e , *sǝdí* < s u d a r e [436]. Hay que tener en cuenta que el resultado normal de la *á* de infinitivo, en Bellante, es *é*; es decir, la palatalización recordadora hace que, en vez de la *é* normal, se avance hasta *i*.

Consideremos ahora lo que nos interesa para el caso de Ancares. En zona románica muy alejada, en valles alpinos como Mesocco y Brusio, una vocal palatal en la sílaba anterior a la tónica produce la palatalización de *á*; en Bellante (Abruzos) la *ī* o la *ū* en la sílaba anterior a la tónica intensifica la palatalización de la *á* de infinitivo, hasta llegar al grado *i*; en Ancares *i* o *u*, o *i̯* o *u̯* en la sílaba anterior a la tónica producen la palatalización de *á*. Es imposible no reconocer una gran proximidad entre estos fenómenos. En Portugal hemos encontrado otros no ya parecidos, sino prácticamente idénticos a los de Ancares.

Problemas para la dialectología de la Península Hispánica.

39. Para la lingüística gallego-portuguesa ofrecen extraordinario interés los fenómenos que acabamos de señalar. El hecho de que en Ancares (en el

---

[434] Comp. H. HAFNER, *Grundzüge einer Lautlehre des Altfrankoprovenzalischen*, «Romanica Helvetica», 52, págs. 63-69.

[435] Véase ROHLFS, *Hist. Gramm. It. Spr.*, I, § 25. Condiciones semejantes hay en el valle de Brusio (cerca de Poschiavo, junto a Bernina), comp. ROHLFS, t. I, página 82, nota 1.

[436] ROHLFS, §§ 21 y 25.

extremo E. y muy al N., del dominio gallego-portugués) se produzcan los mismos hechos de palatalización de *á*, y sujetos a las mismas condiciones que en una extensa zona de la Beira Baja, plantea nuevos problemas: ¿poligénesis? ¿contacto? ¿Hemos de pensar que de la zona de Ancares salió la colonización de esa extensa región de Portugal? No me aventuraré por ese terreno. Mucho más al S. encontramos en Serpa otro tipo de palatalización de *á* tónica, distinto pero parecido. Y en Monsanto hemos visto reunidos los dos, el de Serpa y el común a la Beira Baja y a Ancares [437]. Creo más bien que la *a* gallego-portuguesa (y también, en otros casos, la *e* y la *o*) tienen una sensibilidad, una inestabilidad que no presenta el castellano. No puedo detenerme en discutir las causas; sí diré sólo que creo que estos fenómenos están íntimamente unidos a alteraciones acentuales: las sílabas que siguen o anteceden tienen vocales extremas *i*, *u*; pero han de tener también, o haber tenido una intensidad articulatoria que las evoque presentidas o recordadas.

Otro problema es el del estado actual de estos fonemas procedentes de *á*, en gallego-portugués. ¿Están en un comienzo de un proceso de palatalización? ¿O se trata de procesos viejísimos, que han llegado mortecinamente hasta nosotros?

Entre los muchísimos ejemplos que todos se ajustan a las condiciones dichas, surgen unos pocos, muy pocos, extraños a ellas: *carreda (carrada)*, *Serneche (Sernache)*, *marmeleda (marmelada)*. Ante esos ejemplos, piensa uno si no estaremos ahí en presencia de un principio de generalización, es decir, de pérdida de exigencia de condiciones. (Cuando se tiene *-eda* en *pouseda*, *toureda*, *carneireda*, *aguilheda*, etc. [438], no ofrece nada de particular que se cree conciencia de un sufijo *-eda* y se propague a *carreda*, etc.).

Los casos de inflexión de *a* por sonidos de tipo *i*, *u* anteriores, en el dominio portugués no creo que puedan separarse de los casos de inflexión de *a* (y otras vocales) por influjo de sonidos tipo *i*, *u* siguientes, en el territorio asturiano. Ya hemos indicado antes cómo se trata de fenómenos en cierto modo simétricos: su eje de simetría está en el presente (articulación de la vocal tónica), sobre ella actúa o el pasado inmediato o el porvenir inmediato. Fenómenos de inestabilidad de las tónicas, en el NO. peninsular, con correspondencia también —los dos tipos—, como acabamos de ver, en Italia. Nuevas agrupaciones de hechos y nuevos problemas.

---

[437] Leite de Vasconcelos en su mencionado trabajo citaba otro caso de palatalización de *á*, que conocía por referencias, de Padrões (Concejo de Pampilhosa, distrito de Coimbra). Ignoro si se ha confirmado.

[438] Ejemplos que saco del vocabulario, al final de la *Etnografia da Beira*, VI, Lisboa, 1942, de JAIME LOPES DIAS.

En medio, Galicia y las tierras de habla gallega que quedan fuera de los límites políticos de Galicia: campos apenas estudiados con métodos científicos rigurosos. En el terreno peninsular, por todas partes hay una labor por hacer en lo que toca a la simple recogida de datos. La teoría es necesaria; pero todas nuestras teorías serán cojas y provisionales si no se hace la recogida indispensable. En este aspecto, cada año que pasa es una pérdida irreparable: el servicio militar, la escuela, la prensa, y hoy, sobre todo la radio, destruyen cada día algo del viejo tesoro de las diferencias idiomáticas.

11.—B = V, EN LA PENINSULA HISPANICA

B por V en la Romania

1. La pronunciación de la *v* latina como **b** o **ᵬ** (según la posición) es un fenómeno del castellano que se da también en la mayor parte del catalán y en buena parte del portugués europeo con todo el gallego; existe asimismo en el sur de Francia, del gascón a las hablas del Languedoc occidental; tampoco hay labiodental en vasco, y la bilabial tiene las variantes oclusiva y fricativa que se usan, según la posición, en condiciones parecidas a las del castellano. Aquí no vamos a tratar —sino cuando sea indispensable— de las circunstancias en que alternan *b* oclusiva y fricativa en todo este compacto grupo de lenguas románicas (tampoco en todos sitios está bien estudiada esa cuestión) sino de la pronunciación bilabial de la procedencia etimológica *v*.

Fenómenos parecidos se encuentran en otras zonas románicas. En sardo -*b*- y -*v*- confluyeron, ya en tiempos antiguos, en un solo sonido; pero en inicial absoluta y tras consonante sorda el resultado fué **b**-. Estas condiciones se conservan, en términos generales, en especial en los dialectos centrales, que mantienen las consonantes intervocálicas, mientras que en los demás es común la desaparición. De las zonas en que se conserva la consonante intervocálica, en algunos sitios como en Nuoro -*b*- y -*v*- han confluído en -**ᵬ**-; pero hay zonas, como la Barbagia, donde unas veces se encuentra -**ᵬ**- y otras -**v**-. Es curioso que en Bitti se distinga *b*- y *v*-. Wagner sospecha que en Bitti se han mantenido condiciones muy antiguas, anteriores al betacismo [439].

También se pueden señalar hechos más o menos parecidos en zonas del sur de Italia: en algunos puntos, *v*- en posición intervocálica sintáctica, suena **b**, en el sur de Lucania; y lo mismo ocurre en algún punto de Abruzos. En el N. de Campania se encuentran pronunciaciones como ᵤení 'venir',

---

[439] Comp. M. L. WAGNER, *Historische Lautlehre des Sardischen*, §§ 157 y 159.

que hacen suponer una antigua **b**; y lo mismo en algún lugar de las Marcas. Pero mucho más corriente es en el S. de Italia la igualación en **v**- de las etimologías *v*- y *b*-. También en unos pocos puntos del S. de Italia aparece -**b**-, en vez de la -**v**- general, procedente lo mismo de -*v*- que de -*b*- latinas [440].

EL GRAN MANCHÓN DEL SO. ROMÁNICO

2. El gran manchón occidental, de *b* por *v*, que es nuestro tema, comprende, además del castellano con el leonés y el aragonés [441], las regiones siguientes:

En Occidente. Todo el gallego y el N. de Portugal, Minho, Trás-os-Montes y también Alto Douro (salvo una faja sudeste), Douro Litoral y Beira Litoral (ésta, salvo una estrecha faja costera). Nótese que el uso de *b* por *v* baja hasta Leiría, penetra en el Ribatejo, donde llega en un punto a tocar en el Tajo, penetra un poco en el Occidente de la Beira Baixa, y mucho en el Occidente de la Beira Alta. En el extremo S. de la Beira Litoral, aunque existen múltiples testimonios de *b* por *v*, predomina la distinción entre ambos sonidos. Si buscamos un punto español de referencia, podemos decir que la *b* en vez de *v*, desde el N. de Galicia, baja en Portugal hasta el mismo paralelo que pasa por Cáceres. Prescindimos de los islotes de *b* que Boléo señala bastante más al S. (hasta Palmela, cerca de Setúbal) [442].

En el E. de la Península. La mayor parte del dominio catalán tiene *b* < *v*. Existe *v* en el campo de Tarragona, en el valenciano de Castellón, Valencia y Alicante (pero no en el «apitxat»), y, fuera de la Península, en las Baleares y en el catalán de Alguer [443].

Es necesario añadir que en la Península, fuera de las zonas mencionadas, que tienen *v*, también existe la labiodental en algunos otros puntos. En la prolongación meridional del leonés, según Espinosa, existe *v* en Serradilla y Garrovillas (Cáceres), en donde se distinguen una *b* bilabial oclusiva y una *v* labiodental fricativa [444]. En el E., existe también *v* en la región valenciana de lengua castellana, en Énguera y en la Canal de Navarrés [445]. Se han

---

[440]   ROHLFS, §§ 167 y 215.

[441]   Para el leonés y el aragonés, véanse las leves excepciones que señalamos en seguida.

[442]   Véase el mapa núm. 5 *(chuva)* de MANUEL DE PAIVA BOLÉO, en su artículo *Dialectologia e História da Língua (isoglossas portuguesas)*, en *BdF*, XII, 1951.

[443]   BADÍA, *GHC*, §§ 33-34, 67, 69 y 70.

[444]   A. M. ESPINOSA, hijo, *Arcaísmos dialectales*, Madrid, 1935, pág. 4, n. 2.

[445]   M. SANCHIS GUARNER, *Extensión y vitalidad del dialecto valenciano apitxat*, en *RFE*, XXIII, 1936, págs. 60-61.

señalado, además, muchos casos esporádicos de *v* en Granada y varios en algún punto de la provincia de Málaga, pero en condiciones dudosas, que necesitarían mayor atención [446].

En el S. de Francia existe la pronunciación *b* < *v* (además de en el Rosellón, que, claro está, va incluído en lo dicho del catalán) ante todo en el gascón, en condiciones muy semejantes a las castellanas [447]. Condiciones en general parecidas, puede decirse que caracterizan a todo el O. provenzal: confunde *b* y *v* un gran territorio que incluye aproximadamente, si vamos de O. a E., desde el río Dordoña (con las localidades de Bergerac y Sarlat, depart. Dordogne), el Quercy (depart. Lot), buena parte de la Auvernia meridional (depart. Cantal), el Gévaudan (depart. Lozère) y la mayor parte del depart. de Hérault, por donde la línea llega al Mediterráneo al este de Montpellier [448].

Podemos, pues, decir que todo el SO. románico, desde una línea que comienza en el centro del departamento de Dordogne y termina casi en el extremo oriental del departamento de Hérault, y encierra dentro de su arco los de Lot, parte del de Cantal y el de Lozère, ha confundido la *v* y la *b* latinas en un sonido bilabial a excepción de: 1) la mitad S. de Portugal y una zona triangular en el E. de la mitad N.; 2) el valenciano no «apitxat», el campo de Tarragona y las Islas Baleares. 3) Los pocos casos de *v* de las prolongaciones meridionales leonesa y aragonesa, y los indicios andaluces, que hemos mencionado.

En ese gran manchón del SO. románico que confunde *b* y *v*, parecen existir condiciones de distinción entre dos variantes, bilabial oclusiva y bilabial fricativa, de modo semejante al castellano. Pero para muchos sitios falta una exacta investigación fonética.

Ocurre en seguida pensar que no puede ser un producto de la casualidad que en esa enorme zona compacta que empieza en el corazón de Francia y termina en el Estrecho de Gibraltar y se asoma ampliamente al Cantábrico, al Atlántico y al Mediterráneo, se hayan producido los mismos o muy parecidos hechos, a saber, confusión de *b* y *v* latinas en una bilabial, y distinción (con la reserva antedicha) de bilabial oclusiva y bilabial fricativa. En último término, no se puede negar, en absoluto, que eso se haya podido

---

[446] D. ALONSO, A. ZAMORA VICENTE y M. J. CANELLADA, *Vocales andaluzas. Contribución al estudio de la fonología peninsular*, en *NRFH*, IV, 1950, págs. 226-228; D. ALONSO, *En la Andalucía de la E*, Madrid, 1956, pág. 16, n. 6. Según me comunica Manuel Alvar, en los interrogatorios del *Atlas Lingüístico de Andalucía* han salido con relativa frecuencia casos de v.

[447] ROHLFS, *Gascon*, § 360.

[448] RONJAT, *Grammaire istorique*, §§ 224-225.

producir por causas distintas, independientemente, en distintas zonas de lo que iba a ser un gran compacto. Pero si eso es un mosaico monocromo, quien lo afirme será quien —parece— tendría que explicar cómo y por qué se ha juntado pieza a pieza.

En las líneas que siguen no podemos investigar con un poco de precisión los pormenores de todas las partes de ese gran conjunto. No se nos oculta que, precisamente por eso, nuestras conclusiones tendrán que ser provisionales. Deseamos mantener en lo posible la comprensión general de los términos del problema, pero los datos que manejamos (ya modernos, ya históricos) los empleamos especialmente para la crítica y la ampliación de las noticias allegadas desde el punto de vista del castellano.

Teorías sobre la V = B española.

3. Este problema ha sido desde hace siglos una cuestión batallona de la pedagogía de nuestra lengua.

La confusión de *v* y *b*, en castellano, ha sido interpretada de modos distintos desde que fué observada, a principios del siglo XVI hasta hoy. Prescindiendo del pormenor, podemos dividir esas interpretaciones en dos grandes grupos:

I. *Precientífico.*

En él se reconoce la pronunciación bilabial de *v*, que se atribuye a núcleos de población mayores o menores, mejor o peor definidos; pero se recomienda la pronunciación labiodental de *v*, porque se la considera la única legítima: es una larga cadena de opiniones, desde Nebrija (1517) hasta la *Real Academia Española* (que sólo recientemente abandonó esa tradición) [449]. Que la pronunciación labiodental de *v* es la que corresponde a esa «letra» es una idea enormemente difundida aún entre gentes semicultas, en todos los países de habla española.

II. *Científico.*

1) La lingüística positiva, representada en España por M. Pidal y su escuela (Navarro Tomás, etc.) pensó que la pronunciación labiodental de

---

[449] Véase NAVARRO TOMÁS, *Pronunciación de las consonantes «v» y «b»*, en *Hispania*, de California, 1921, IV, 1-9; del mismo, *Manual de pronunciación española*, Madrid, 1932, § 91.

la *v* no había existido nunca en romance castellano; en castellano la *v* habría sido siempre bilabial.

2) Contra esa interpretación, nuestro llorado Amado Alonso, en 1949, en su artículo *Examen de las ideas de Nebrija sobre antigua pronunciación española* anunció una nueva interpretación, que luego, en su documentadísimo libro *De la pronunciación medieval a la moderna en español* (cuyo primer tomo [450] ha sido publicado póstumo gracias a los generosos desvelos de Rafael Lapesa), defendió y completó, a base, sobre todo, de los datos de los gramáticos a partir de Nebrija: la confusión de *v* y *b* habría existido a principios del siglo XVI sólo en la diócesis de Burgos, cerca de Vasconia; pero se habría extendido rápidamente, en ese siglo, primero en dirección noroeste (y «con toda probabilidad» también hacia Oriente), algo antes que hacia el Sur; en 1610, el centro de la Península ya confundía la *v* con la *b*; también Andalucía habría llegado a la confusión, a principios del siglo XVII. Nuestro resumen no puede conservar nada de la riqueza de matices y de voluntarias y precavidas imprecisiones que tiene el que el autor hace en las págs. 43-48 de *De la pronunciación medieval a la moderna en español*; algunos de sus asertos han sido matizados en importantes adiciones de Rafael Lapesa.

4. En las líneas que siguen nos proponemos revisar las teorías acerca de las labiales sonoras peninsulares.

Creemos que sería necesario distinguir netamente la posición inicial de la interior; y en esta última, la procedencia de sonora (-*b*- o -*v*- latinas) y la procedencia de sorda (-*p*- latina). Estas distinciones, aunque parezca extraño, pocas veces se han tenido en cuenta. Lo cual hace difícil que nosotros podamos cumplir exactamente nuestro propósito. Tenemos que atender a muchas opiniones, antiguas y modernas, que mezclan confusamente las procedencias y las posiciones. Tendríamos al hablar de estas opiniones que separar lo en ellas enmarañado. Ello aumentaría la extensión de nuestro trabajo: habremos, pues, de dejar ese desenmarañamiento al lector cuando mencionamos opiniones ajenas; pero procuraremos distinguir netamente en lo que sea propiamente enfoque y exposición nuestros [451].

---

[450] AMADO ALONSO, *De la pronunciación medieval a la moderna en español. Tomo primero. Ultimado y dispuesto para la imprenta por Rafael Lapesa*, Madrid, 1955, *BRH*.

[451] Cuervo hizo la necesaria distinción entre -*u*- < -*b*-, -*u*- y -*b*- < -*p*- (*Obras*, II, págs. 244-245). La consecuencia de la aplicación de su método está en *Obras*, II, página 248: «...a fines del siglo XV había distinción real, por una parte entre la *u* proveniente de *u* o *b* latinas y la *b* proveniente de *p*, y por otra entre *b* inicial y *u* intermedia...» Nuestras conclusiones sólo van a diferir en matices de las del gran filólogo

En toda nuestra indagación vamos a proceder guiados por este principio metodológico: *Cuando existe una norma o una tradición lingüística establecida, los testimonios contrarios a ella han de aceptarse como reveladores de una realidad idiomática; los testimonios concordantes con dicha tradición o norma deberán ser aceptados o no, sólo después de ser considerados con cautela.*

PRIMERA OJEADA A LOS TESTIMONIOS DE GRAMÁTICOS DEL SIGLO XVI.

5. En su admirable libro póstumo, Amado Alonso acumuló una gran cantidad de testimonios gramaticales de la confusión de b y v en el castellano del siglo XVI: la confusión está ya insinuada desde 1496, en un texto de Juan del Encina. Nebrija, 1517, nos da en seguida un neto testimonio; y siguen muchos más (de los principales hemos de hablar más tarde).

Al ponerse los críticos más modernos frente a esos testimonios gramaticales del siglo XVI[452], han creído que no había sino una interpretación posible: el fenómeno de la igualación habría nacido en el contacto de vascos y burgaleses y se habría extendido como la pólvora por Castilla la Vieja y León durante la primera mitad del siglo XVI.

Pero esa interpretación nos parece demasiado segura de sí misma: no se olvide que esos testimonios del siglo XVI son los primeros que existen de un interés por la pronunciación castellana. Es muy posible otra interpretación: que no hubiera una gran propagación del fenómeno en esos pocos años del siglo XVI, que lo que se moviera, lo que progresara, fuera el conocimiento de los hechos mismos, sin que éstos sufrieran gran alteración. En Encina (1496 [453]) está insinuada la confusión —que, como veremos, él (salmantino) practicaba— y en seguida la vemos confirmada por Nebrija (1517). Si la confusión estuviera sólo localizada en Burgos, es lo más natural que Nebrija lo dijera así; pero Nebrija sólo dice que confunden «algunos de los nuestros», es decir, algunos hispanos, sin determinación geográfica [454]. Es Busto quien lo atribuye a los burgaleses (1532). Pero en segui-

---

(creemos que el proceso de fricatización de -b- $<$ -p- comienza más temprano, y que hubo una -u- labiodental en el Sur).

[452] Véanse esos testimonios en *De la pronunciación medieval a la moderna*, páginas 25-48. El lector encontrará ahí las citas bibliográficas exactas.

[453] Más adelante hablaremos de otro testimonio muy anterior a Encina del que por desgracia no puede sacarse nada claro. Véase más abajo, pág. 198, nota 536.

[454] «Los nuestros», «nos», etc., tienen un valor muy amplio en Nebrija. Cuando escribe en latín quiere decir 'nosotros los latinos', etc. («Beta profertur ab illis quasi per *u* consonantem nostram [Latinam]», *De litteris Graecis*, fol. 121, cit. por A. ALONSO, *Noticias de Nebrija*, nota 167); cuando quiere señalar a los españoles dice ya «nos

da un residente habitual en Valladolid, Villalón (1558), nos dirá que las equivocaciones entre *b* y *v* son grandísimas en el escribir y en el hablar, «porque en la pronunciación ningún puro castellano sabe hacer differençia»; por los mismos años un leonés de Astorga (Torquemada) testimonia (entre 1548 y 1569) [455] la confusión ortográfica y la fonética; pero la afirmación es ahora mucho más general: «hallaréis —dice Torquemada— muy pocos hombres que sepan diferenciarlas» (la *b* y la *v*), y añade un precioso testimonio personal: «y en esto también pecan los que algo entienden como los que no saben nada: que yo confieso mi pecado de que no dejo de tener algún descuido para esto, por inadvertencia».

Atengámonos a lo que vemos. Lo que vemos que se extiende como un reguero de pólvora es una mejor observación, un mejor conocimiento de los hechos fonéticos. Nebrija ha sido quien ha levantado la liebre; la confusión que él atribuía vagamente a «algunos de los nuestros» se va localizando: Bustos la ha observado en burgaleses, Villalón en todos los castellanos, Torquemada en leoneses (en sí mismo). ¿Hay más? Sí: Nunes de Lião (1574) asegura que confunden *b* y *v* los gallegos y los portugueses del norte (de «entre Douro e Minho»). Imaginar que lo que se ha propagado desde Burgos, en muy pocos años, es el fenómeno de la igualación, nos resulta ya muy violento (nótese la dirección —¿por qué?— hacia occidente); pero imaginar el último salto (la penetración profunda en el norte de Portugal) es absurdo. Esa coincidencia del gallego y del portugués del norte tiene que venir de la raíz común. No hay manera de imaginar al portugués norteño recibiendo del gallego una costumbre articulatoria del castellano; y todo, a mediados del siglo XVI, y en unos veinte o treinta años: totalmente absurdo. No: es mucho más razonable interpretar que lo que se ha propagado, a partir de Nebrija, ha sido la observación del fenómeno y con ello su más exacta localización. La noticia que tenemos es que aproximadamente todo el norte peninsular, desde Burgos hacia el oeste: Castilla, León, norte de Portugal, confundía *b* y *v* hacia mediados del siglo XVI. *No hay ni la menor prueba de que tal confusión fuera un hecho reciente.*

No hay ninguno de esos gramáticos que desde Nebrija nos aseguran que las gentes pronuncian lo mismo *b* que *v*, que nos diga ser ése un fenómeno de los tiempos modernos; téngase en cuenta que Antonio de Torquemada

---

Hispani», ya «Hispani» («quasi nos Hispani», *De litteris Graecis*, fol. 121 v, cit. en *Noticias de Nebrija*, nota 186, en *NRFH*, III, 1949).

[455] No veo modo de fijar más exactamente la fecha del *Tratado llamado Manual de Escribientes* (GALLARDO, *Ensayo*, IV, cols. 748 y sigs.): es posterior a 1548 (cita la *Ortographia Practica* de Iciar, 1548). Torquemada había muerto por lo menos varios meses antes del 20 de marzo de 1569, fecha de la licencia para la impresión de su póstumo *Jardín de Flores Curiosas*.

tiene un capítulo entero «De las mudanzas de la lengua castellana», gran ocasión para mencionar $b = v$ como fenómeno reciente; pero no dice tal cosa. En cambio López de Velasco (1578) llama a $b = v$ costumbre «envegecida y arraygada», y dice que existe «generalmente en todo el Reyno».

Ni uno solo de los muchos gramáticos que testimonian la confusión nos dice que se trate de una costumbre nueva. Lo que podemos asegurar que es reciente, lo que podemos asegurar que es nuevo (Nebrija lo ha inaugurado), es la preocupación por ese hecho. Es una aurora que se extiende; pero no confundamos la aurora de una preocupación por la fonética con la aurora de un hecho fonético. Lo que sabemos que acaba de nacer son los testimonios gramaticales, sólo los testimonios [456].

Varios de los gramáticos del siglo XVI especifican que las equivocaciones de b por v son tanto ortográficas como fonéticas y nos dicen que la confusión al pronunciar, es la causa de la confusión ortográfica.

B- Y V- INICIALES. TESTIMONIOS ORTOGRÁFICOS DE LA EDAD MEDIA

6. Si sólo en el siglo XVI comienzan los testimonios de los filólogos, tenemos, en cambio, desde mucho antes, testimonios ortográficos. Debemos, pues, interrogar ahora a los documentos medievales: es indudable que en ellos también la confusión ortográfica, si la encontramos, debe proceder de una confusión articulatoria. ¿Por qué vamos a creer los testimonios del siglo XVI que nos dicen que las gentes confunden b y v en la escritura, porque las confunden en la pronunciación, y no vamos, en cambio, a interpretar del mismo modo las confusiones ortográficas de b y v en la Edad Media?

El problema de la distinción o confusión medieval afecta muy principalmente a las b y v etimológicas iniciales (y apenas existe en los primeros tiempos —como veremos— para las $-b- < -p-$, de un lado, y, de otro, $-v- < -b-$ y $-v-$, interiores); pero también llegaría un día en que estas dos procedencias se confundieran en una sola pronunciación. Don Rufino José Cuervo, cuyo estudio sobre *Antigua ortografía y pronunciación castellanas* conserva aún gran parte de su validez, no se detuvo mucho en las $b-$ y $v-$ iniciales; sin embargo, en pocas palabras resumió los datos que resultan de escudriñar los documentos de la Edad Media. Dice: «Por regla general se sigue la norma etimológica... Pero las excepciones son frecuentes...» [457]. Es evidente que hay una norma: $v-$ o $b-$, según fuera en latín; pero con una

---

[456] En realidad hay un testimonio muy anterior, de 1433, el de don Enrique de Villena, pero es muy confuso.

[457] *Obras*, II, Bogotá, 1954, págs. 351-352.

aparente disimilación del tipo *u-u* > *b-u* (*biuo*, en vez de *uiuo*), y con una tendencia a *b-* ante *o*, *ue*, etc. (*boz, buelta*) [458]. A esta norma se aproximan, sobre todo desde mediados del siglo XIII, muchos documentos notariales y algunos manuscritos literarios.

Si repasamos los 372 documentos castellanos medievales publicados por Menéndez Pidal (*Documentos lingüísticos de España*, I) [459], encontramos en tan abundante colección muy pocos ejemplos de confusión de *b-* y *v-*. Cuando aparecen varios casos en un mismo documento es siempre en textos muy tempranos y muy del norte. Así en el núm. 147, año 1100, de las cercanías de Burgos (*baca, Billa, bez*); y en el núm. 17, de hacia 1196, de la parte occidental de Campó (*bestidos, bendo, bachas, basos*). En el núm. 208, de 1212, ya 80 kilómetros al sur de Burgos (Aranda de Duero), *billanos, Billuela*. Todavía buscando entre los documentos de esa colección que tienen un solo testimonio de *b-* por *v-*, aproximadamente la mitad son, a la par, muy norteños y anteriores a 1250. Resulta, pues, que a juzgar por los del Reino de Castilla, publicados por M. Pidal, gana verosimilitud la hipótesis de que la confusión entre *b-* y *v-* se hubiera originado muy al norte de Castilla; la confusión en esas zonas está testimoniada en algunos de los primeros documentos que podemos considerar ya escritos en romance castellano. Pero hay que observar que aun los testimonios que parecen confirmar esa hipótesis son muy escasos. Entre otros centenares de documentos de la misma colección, algunos de esas mismas zonas y épocas, otros más meridionales o más tardíos, muchos de ellos ambas cosas, es curioso comprobar que los casos de confusión son sumamente raros[460], y cuando ocurren van a recaer en palabras como *bozería* (*boz* es grafía habitual) [461] o como *bacas*[462] (que creo producida en el nexo *bueyes* y *bacas*), o en nombres de lugar o de persona (*Billa, Biçent* [463]).

Resulta extraña esta escasez de testimonios de *b-* = *v-* en los documen-

---

[458] Comp. *Ibidem*, págs. 352-353. El uso tras *r* y *l* tiene muchas oscilaciones.

[459] Madrid, 1919.

[460] A los que cito añádanse los más tardíos, procedentes de la misma colección que aduce RAFAEL LAPESA en *BRAE*, XXXVI, 1956, pág. 222: doc. alavés, 1347, *Bitoria*; Aguilar de Campó, 1388, *bieren* y *varrio*; etc. Todo, poco, en comparación de lo que ofrecen textos de otro carácter (literario, fueros, etc.).

[461] Doc. 287, de Toledo, 1277. Es notable que la grafía medieval esp. *boz* (que llega a Nebrija) esté de acuerdo con rum. dial. *boace*, vegl. *baud*, istr. *bus*, venec. ant. *boze*, lomb. ant. *boxo* (*REW* 9459); también rum. *boci* 'gritar'. Parece como si en amplias zonas románicas se hubiera pronunciado *bocem, ¿por influjo de *bŭcca*? Un cruce semejante, más moderno, es el cat. *perbocar* (comp. cast. *provocar*). Comp. *DCEC*.

[462] Docs. 260 y 270, Toledo, 1181 y 1212.

[463] Doc. 262, Palencia 1194 y doc. 317, Córdoba 1243.

tos del Reino de Castilla, cuando en otros textos castellanos, de otro carácter, vamos a encontrar en seguida muy numerosas pruebas de confusión, tempranas y tardías, y en puntos bastante más al sur.

Si miramos al *Fuero de Madrid* (ms. del s. XIII) encontramos: *bibda,
buelta* (30), *bacherizo* (35), *barón* 'varón' (36), *Balnegrar, bado* (39), *boze-
ro* (41), *beia, -o* 'vieja, -o', *billa, uoga* 'boga' (42), *Balecas* 'Vallecas' (46),
balía, bezino (47), *baca* (50), *aberar* (52), *bestido* (53, 57), *abenidos* (56), *Bi-
cent, Bidal* 'Vidal' (58).

Los textos literarios nos ofrecen pruebas abundantes: *Cantar de mío
Cid* (ms. principios del s. XIV): *ba, -n* 'va, -n', *bado, vando* (y *b-*), *varagen,
varaia, varragán* (y *b-*), *varragana, velmezes* (y *b-*), *velido, bistades, bos, boz,
begas, bibdas, biltar, biltança, biltada mientre, Verengel* 'Berenguer', *viga.*
Otro manuscrito más norteño, de principios del siglo XIV, el famoso *A* de
Berceo, de San Millán[464], ed. Marden, *Cuatro poemas...,* Madrid, 1928 = *CP;*
y *Veintitrés milagros...,* Madrid, 1929 = *VM,* nos ofrece un gran número
de confusiones: *uondades* (*CP* 60), *berguença* (60), *berná* (63), *bano* (64),
bestidas (76), *biento* (77), *bestiduras* (79), *bieruo* (85), *bistía* (89), *uondat* (98),
bibría (99), *uoca* (106), *bientre* (107), etc.; *uanno* (*VM,* p. 22), *binagre* (43),
Barón (51), *baldrás* (59), *bientre* (70), *bergonçosos* (83), *berguença* (99), etc.

También son frecuentes las transgresiones de la ortografía etimológica
o los titubeos en el *Buen Amor* (ms. S, de fines del s. XIV o comienzos
del XV): *valadí, valar, valde, valdío, vallena, vallestero, vandero, varaja, varril,
varragán* (y *barragana*), *varruntar* (y *b-*), *vaylała, barbecho, vayo, vé* (onomatopeya del balido, 1218 *d*), *beldar, veldat, vellaco, belloso, Bera, bermejo,
vesugo*[465], *biuda, bodigo, bolar, boçes.* En el *Poema de Fernán González* (manuscrito del s. XV) la confusión es enorme: *bengades, bezindades, boz, bylla-
no, byo* 'vió', *vald* 'balde', *vallesta, vando, varata, vatalla, vautysmo, vaxar,
vella* 'bella', *vendezir, vendiciones, vesar* 'besar', *vestia, vestyon, vien* 'bien',
vondat, vrafoneras, vuen, etc.

En fin, repásense las voces con *b-* o *v-* en el *Tentative Dictionary of Medieval Spanish* [466] y se verá que un gran tanto por ciento de ellas tienen titubeo ortográfico; el tanto por ciento sería mucho mayor si ese diccionario
no se basara únicamente en unas pocas obras [467].

---

[464]   Véase R. LAPESA, *HLE,* 3.ª ed., pág. 132.
[465]   Véase *DCEC.*
[466]   Por R. S. BOGGS, LLOYD KASTEN, HAYWARD KENISTON, H. B. RICHARDSON,
Chapel Hill, 1946.
[467]   Los beneméritos colaboradores preparan nueva edición a base de más voca-
bularios.

7. Una ojeada a la amplitud del norte peninsular, nos indica, además, que la confusión no era privativa de Castilla.

M. Pidal y Amado Alonso llamaron ya la atención [468] sobre la igualación de *b* y *v* en los moriscos aragoneses, según se ve en el poema de Yuçuf (entre el siglo XIV y el XV). Fuera del ambiente morisco, los *Documentos altoaragoneses* publicados por T. Navarro confirman la confusión ya desde el siglo XIII (1270), Biescas: *benir, bos* 'vos', *binas* 'viñas', *aber, abentura, buastra, bino*; 1292, Naval, Barbastro: *becinos, bendemos, bender*; 1304 Ansó: *abeniença, bedar*; 1338 Perarrúa, Benabarre: *becina, baledera, bendo, bias, benbisto, berdadera, boluntades*; 1351, Botaya, Jaca: *bos, bender, binna, bendición* 'venta'; 1360, Panzano, Huesca: *belo, biello*; 1412, *baxiellyos, binarios, binya, bites* 'vides' [469]. Rafael Lapesa ha hecho notar [470] el gran betacismo gráfico del *Cancionero de Palacio*, compilado en Aragón y allí copiado entre 1460 y 1470.

Algunos documentos gallegos del siglo XV nos dan una imagen bastante parecida a los aragoneses: en uno de 1421, encontramos *Brabo, bosa, bos, biña, biño, bica, biinte, bisiños;* en uno de 1450, *bida, bistiario* 'vestuario', *bireedes;* en uno de 1479, *teberdes* 'tuviéredes', *ven* 'bien', *lebe* 'lleve'; en uno de 1494, *Noba, abendo, bosos, obençia, benderedes, beña, nobenta* [471].

8. La abundante presencia de testimonios de *b-* = *v-* en la ortografía de textos romances aragoneses, castellanos y gallegos, nos incita a ir hacia atrás y a observar qué condiciones prevalecían en los documentos de los siglos X y XI, redactados intencionalmente en latín, pero con muy numerosas infiltraciones de la lengua que los escribas hablaban en su trato familiar y diario; a veces se trata de una traducción o acercamiento al romance (glosas). Fué precisamente en documentos de esa clase en lo que Menéndez Pidal basó su reconstrucción de esa lengua familiar y diaria de los siglos X y XI, en sus *Orígenes*. M. Pidal no estudia esta cuestión de las iniciales *b-* y *v-*. A la *b* y la *v* dedicó un breve párrafo, para señalar sólo su confusión desde las *Glosas* (§ 10, 2); es que el problema no estaba entonces planteado. Menéndez Pidal creía en la confusión de *b* y *v* en términos parecidos a los de la pronunciación castellana de hoy; han sido, como hemos dicho, obras más recientes las que al afirmar la distinción antigua de **b** y **v** nos obligan

---

[468] M. PIDAL, *Poema de Yuçuf, RABM*, 1902, VI, pág. 91 y sigs.; A. ALONSO, *Pronunciación*, pág. 45, n. 32.

[469] *Documentos lingüísticos del alto Aragón*, Syracuse, Nueva York, 1957, páginas 22, 93, 117, 156, 169, 176, 196. Muchas veces un escriba ortografía la misma palabra ya con *v-* ya con *b-*.

[470] A. ALONSO, obra cit., pág. 45, n. 32, adición de LAPESA, al final de la nota.

[471] M. SPONER, *Docs. ants. de Galicia*, en *AORLL*, VII, 1934, págs. 60 y 66-70.

a tratar de esta cuestión. Podemos utilizar los mismos pocos documentos reproducidos en los *Orígenes*, págs. 3-44 [472]. Las *Glosas Emilianenses* (atribuídas a mediados del siglo x) [473] hablan bien claramente: *bertiziones* (junto a *uerteran*), *beces, bergu[n]dian* (junto a *uerecundia*). Lo mismo ocurre con las *Glosas Silenses* (atribuídas a la segunda mitad del siglo x): *ueuetura* (junto a *bebetura*), *basallos, bientos, betatu, betait, bicinos, ban*; el texto latino tiene las mismas características que estas últimas glosas: *benundet, inbicem, bino*. Recordemos que en las *Emilianenses* hay, junto a las romances, dos glosas en vasco: otra vez, por este curioso hecho, y por la localización (San Millán, Silos) volvemos a ver el vasco muy próximo de los testimonios de confusión; en este caso se trata, precisamente, de los primerísimos.

M. Pidal considera que las glosas *(Emilianenses* y *Silenses)* tienen rasgos navarroaragoneses. En los documentos latinos altoaragoneses se encuentran abundantes testimonios de confusión: San Juan de la Peña, documento de 1062 y 1063, *bineas, boluntate, bita, bagat* 'vaya', *billa, bostro, benut, bindimus, bobis*; Sobrarbe (?), documento de la segunda mitad del siglo XI, *bestituras, bestanlo, bibo, bertutes, bakas, bino, bedene* 'ven', *bagina, be[ci]nos*. También San Victorián (Huesca), 1024, *balli, ballis* [474].

No dan muchos ejemplos los documentos leoneses de *Orígenes*, páginas 24-29; pero entre las voces que M. Pidal cita, atento a otros fenómenos, en otras partes de su libro, se encuentran en documentos de Sahagún las formas *beika, beiga, beka, bega* [475] muchas veces entre los siglos x y xi (junto a formas semejantes, pero con *v-*), y el diminutivo correspondiente *Veizella* (junto a *Beicela* [476]), así como *ballello* y *uono* [477], todo entre fines del siglo x y principios del xi. Son muestras indiciarias de que en León había también una confusión de *b-* y *v-*.

Los documentos latinos, de la región castellana, de los mismos *Orígenes* (págs. 33-39) dan también testimonios: Valpuesta (?) 1011, *billa* (var. *uilla*), *Veska* (nombre de río, var. *Beseca*), *Velasco* (var. *Belasco*); h. 1030 Clunia o Coruña del Conde: *bassallos, uarrio, uobes, Uanios*. Desde fines del siglo x, a mediados del XII, formas como *Beila, Bela*, junto a *Ueila, Uela*, etc. [478].

---

[472] Preferimos atenernos a unos pocos textos transcritos con escrupulosidad; no podemos ensanchar la base documental, pues nos sería imposible emprender ahora la labor de discriminación que sería necesaria.

[473] Quizá algo más tardías: el P. García Villada las creía de fines del siglo x *(Orígenes,* pág. 2). Falta un estudio paleográfico pormenorizado de este importante texto.

[474] *Orígenes*, § 37$_1$.

[475] *Ibid.* § 13$_1$.

[476] *Ibid.* § 14$_3$.

[477] *Ibid.* §§ 50$_2$ y 10$_2$.

[478] *Ibid.* § 14$_2$.

9. Si comparamos ahora el resultado que nos ofrece el registro de esos pocos documentos latinos (que tantas otras infiltraciones tienen de la lengua hablada) de los siglos x, xi y principios del xii, con los primeros textos romances del norte de Castilla, de los siglos xii y principios del xiii, vemos que la imagen es la misma: el criterio principal es la ortografía latina; pero las transgresiones contra ese criterio ortográfico son numerosas en todo el norte de la Península, de Aragón a León. Son transgresiones difícilmente comprensibles si interpretamos que había una distinción entre una *b-* oclusiva bilabial y una *v-* (o *u-*) fricativa labiodental.

Esa imagen (norma etimológica latina, pero con abundantes confusiones) era la misma que nos dan los textos castellanos de los siglos a partir del xiii, lo mismo en el Fuero de Madrid que en muchos textos literarios. Es la misma que encontramos en ciertos documentos y textos literarios en Aragón del siglo xiii al xv; es la que encontramos en Galicia en documentos desde principios del siglo xv (hemos carecido de tiempo y posibilidad para una indagación algo metódica de lo anterior gallego [479]). No hemos podido llevar nuestra búsqueda al catalán: oigamos la voz autorizada de Corominas: «La confusión de *v* con *b* ya se documenta en masa en el pallarés y otras hablas septentrionales de este idioma [el catalán], desde 1400 por lo menos» [480].

Y, en fin, ésta es la misma imagen que por testimonios gramaticales desde Castilla hasta Galicia y el norte de Portugal sale para el siglo xvi.

Ahora bien: consideramos absurdo no superponer estas imágenes: documentos latinos de los siglos x y xi, documentos romances (de tipo distinto, jurídicos, literarios, etc.) de todo el norte peninsular de los siglos xii al xv; testimonios de los gramáticos (de Castilla a Galicia y norte de Portugal) del siglo xvi. Siempre lo mismo: norma etimológica latinizante; y, contra ella, siempre innumerables transgresiones. No cabe más que una interpretación posible: en el norte de la Península no ha habido, en general, la distinción de una **b-** y una **v-** (sin negar que no pudiera haber algunas zonas o focos donde, aun en el norte, la distinción se practicara). En general, los hablantes confundían de algún modo la *b-* y la *v-*; de esa confusión son pruebas los testimonios gráficos desde el fondo de la Edad Media hasta los letreros que hacen en las paredes con la tiza de los colegios los niños de 1959, lo mismo que los testimonios de los primeros gramáticos (los del siglo xvi) y de los que les habrían de suceder.

¿Cómo interpretaremos, pues, que sean tan pocos los testimonios de *b-* = *v-* en una colección de documentos como la del Reino de Castilla, pu-

---

[479] Sería necesario, en cada caso, ir a los documentos originales.
[480] *DCEC*, IV, pág. 682.

blicada por M. Pidal? La tradición notarial sigue la etimología latina (la ortografía latina se conserva prácticamente intacta a través de los siglos de letra visigoda y de letra carolingia); la misma extrañeza que sentimos comparando el *Fuero de Madrid* o el manuscrito del *Fernán González* (llenos de confusiones) con los documentos del Reino de Castilla en la colección de M. Pidal, o con algunos manuscritos de Crónicas, etc. (que tienen tan pocas confusiones) la sentimos comparando la ortografía latina de las Glosas Silenses (y del texto latino que glosan) o el mencionado documento latino de Sobrarbe, de fines del siglo XI —llenos de confusiones— con numerosísimos códices latinos en letra visigótica o carolingia de ortografía prácticamente irreprochable. Los mismos hechos, pues, del lado latino medieval que del ya romance: norma ortográfica y contra ella, infiltración de la articulación hablada. En ciertos medios —ciertos escritorios conventuales, y luego en la tradición de copistas profesionales, en la notarial, con sus formularios preparados y su escaso léxico, en la de las cancillerías reales, etcétera— domina completamente la norma ortográfica. Pero en otros ambientes, escribas rurales, copistas de textos poéticos, a veces para recitación juglaresca, las confusiones, que vienen de la lengua hablada se deslizan acá y allá más o menos intensamente.

LAS LABIALES SONORAS EN INTERIOR DE PALABRA

10. En posición interior, la -*b*- y la -*v*- etimológicas están representadas en los textos medievales por un solo signo, *u*. Así *mandauan, marauillosa, caualgar, auemos, alua; leuar, seruides, nueuas* [481]. En latín la confusión de *b* y *u* (*v*), en posición intervocálica, fué completa desde el siglo II, como lo prueban las grafías *deuere*, en vez de *debere*, etc.; esa consonante -*b*- había llegado, pues, a confundirse con la de *leuare*. Pero en *leuare*, la -*u*-, que primero fué una especie de semiconsonante, había adquirido un valor consonántico evidentemente fricativo. Esa fricativa en que se confundieron -*b*- y -*u*- debía de ser bilabial [482]. En muchas partes de la Romania, sin embargo, ese sonido pasó a labiodental. Si miramos al francés *devoir, lever*, al italiano *dovere, levare*, al portugués *dever, levar*, los resultados son fricativos labiodentales; si miramos al castellano, al gallego y al catalán, los resultados son fricativos bilabiales, aunque en la ortografía aparezca también -*v*-, unas

---

[481] Véase R. J. CUERVO, *Antigua ortografía y pronunciación castellanas*, recogido en *Obras*, II, Bogotá, 1954, págs. 244-255 (primera versión) y 348-361 (segunda versión).

[482] GRANDGENT *Lat. vulgar*, § 322.

veces tanto para los derivados de h a b e r e , como para los de l e v a r e (cat. *haver*, *levar*), otras veces sólo para los de l e v a r e (cast. *haber*, *llevar*, y lo mismo en gallego *haber*, *levar*). Es decir, el catalán continúa la igualación medieval; el castellano (con el gallego) ha rehecho su ortografía moderna de acuerdo con la etimología y sin atención a la fonética.

Nada asegura, sin embargo, ni que la -ɓ- del grupo que la generaliza sea continuación directa del latín vulgar, ni que en cualquiera de los dos últimos grupos no haya habido una serie de cambios y homogeneizaciones. Así se origina nuestro problema: ¿Qué articulación tenía esta -u-, en los textos gallegos, leoneses, castellanos y aragoneses de la Edad Media?

-u- < *-b-* o *-v-*; *-b-* < *-p-*:

DE SU DIFERENCIACIÓN MEDIEVAL, A SU CONFUSIÓN

11. La historia de la *-u-* < *-b-* o *-v-*, no puede separarse de la de la *-b-* < *-p-*. Es evidente que, cuando se fija la tradición escrita, la *-b-* procedente de *-p-* latina, era oclusiva: a esta conclusión hay que llegar si se tiene en cuenta la gran fijeza ortográfica de esta *-b-* y su constante y exacta diferenciación durante la Edad Media respecto a *-u-* [483]. Esto se comprueba aún más si consideramos que el resultado de la sonorización de *-p-*, sorda y oclusiva, tenía que ser, por de pronto, una oclusiva. La *-b-* < *-p-* es oclusiva en el catalán de Alguer, conquistado en 1354 [484]. Pero la sonora procedente de *-p-* latina ha dado siempre entre los sefardíes una fricativa que (según parece) en unos sitios es -ɓ- y en otros -v- [485]. ¿Tendremos ahí un indicio de límites cronológicos? Creo que querer sacar de ahí la exactitud de un tope *a quo* y de otro *ad quem* (es decir, que la fricatización de *-b-* < *-p-* se habría producido entre 1354 y 1492) sería aventurado.

Esa diferencia ortográfica entre *-b-* < *-p-* y *-u-* < *-b-* y *-v-* llega hasta muy tarde. De los manuscritos tardíos pasa a los primeros impresos donde en general se cumple a rajatabla. No nos era posible una investigación sistemática por el mar de impresos de fines del siglo XV y del XVI, y menos en los manuscritos de esa época. Hemos buscado, al azar, en muchos impresos de la primera mitad y del tercer cuarto del siglo XVI, y en los que han caído en nuestras manos, casi siempre se distinguen escrupulosamente las dos procedencias. Allá entre los incunables burgaleses encontramos algunas notables transgresiones como en *Arnalte y Lucenda*, 1491: *rresceuid*

---

[483] R. J. CUERVO, *est. cit.*, en *Obras*, II, pág. 245.
[484] H. KUEN, *El dialecto de Alguer*, en *A ORLL*, V, 1932, págs. 146-149 y *passim*.
[485] Véase más abajo, pág. 206.

(a. ij), *sauía* (a. iij v°) [486]. Mucho más tarde tropezamos con el *Cancionero* de López Maldonado, Madrid, 1586, y allí encontramos *acaua* (fol. 67), *sauer* (68 v°), *cauellos* (72), etc.; al lado, y a veces en la misma página, suelen aparecer estas mismas voces con -*b*-. He aquí rota la norma medieval, pero no se ha sustituído con nada. Lo mismo ocurre si hojeamos *La Angélica* de Barahona de Soto, impresa en Granada en 1586; también en este libro, *derriua* (fol. 57 v°), *derriue, resciue* (143 v°), *cauello* (197 v°), etc.; pero en otros pasajes estas mismas voces aparecen con -*b*-. No cabe duda de que, hacia la fecha de estos libros, se estaba rompiendo la tradición medieval y sustituyéndose por un completo desorden [487].

Sin embargo, hay pronto —parece— una reacción contra ese desorden; a ella se debe que la ortografía *saber, derribar, cabello*, etc., continúe y llegue a nosotros. Por este lado, pues, sigue hasta hoy la tradición medieval. Donde, con el tiempo, se habían de introducir alteraciones sería en la otra procedencia etimológica -*u*- < -*b*- y -*v*-; aquí, con desconocimiento de lo fonético, se había de volver, por último, a la etimología latina (es decir, *cavar, amaba*, que durante siglos habían sido *cauar, amaua*).

La rutina ortográfica es muy grande en casi todas las lenguas y en todas las épocas. Y, muchas veces, sólo es posible averiguar la realidad de la pronunciación por la existencia de transgresiones contra las normas de la ortografía: casos como el del *Cancionero* de López Maldonado o *La Angélica* de Barahona de Soto. Pero a pesar de esos rompimientos, la norma sigue: la fuerza de la tradición era muy grande, y se hereda con el riguroso aprendizaje de los impresores. Otra imagen muy distinta nos darían los manuscritos del siglo XVI y del XVII. Mientras los libros se obstinan en escribir *reciba*, Lope de Vega, p. ej., escribe *reçiua*. Habría que escudriñar, yendo hacia atrás en el tiempo, las grafías de los escritores y escribas, en general, sobre todo de aquellos menos en relación con la técnica de notarios, copistas profesionales, etc.; ver qué antigüedad tenía esa costumbre que encontramos en Lope (nosotros hemos citado ya ejemplos muy antiguos, desde el siglo XIV, pero sólo muy espaciados). No tenemos tiempo para esta tarea ahora.

---

[486]   LAPESA, en *BRAE*, XXXVI, 1956, pág. 222; estas transgresiones se repiten bastante en *Arnalte* junto a otros tipos como *nueba* (a. ij), *fabor* (a. ij v°), *lebantado* ([a. vj]), *mostraban* ([d. v]), *tomaban grabes* (e. j), *grabeza* (e. ij v°), *deberte* (e. vij). La mayor parte de estas confusiones se repiten, con alternativas, por todo el libro.
[487]   Una indagación detenida encontraría, suponemos, muchas más confusiones.

LA CONFUSIÓN DE *-u-* < *-b-* O *-v-* CON *-b-* < *-p-*, ESTUDIADA EN LAS RIMAS

12. Mas hay otra posibilidad de indagar. ¿Cuándo empiezan los poetas a casar entre sí consonantes con *-b-* (< *-p-*) y con *-u-* (< *-b-* y *-v-*)?

Partamos del haz de escuelas (fines del s. XIV y principios del XV) que fué coleccionado en el *Cancionero de Baena*. En este cancionero nunca riman entre sí *-b-* y *-u-*.

Imperial, natural de Génova, estante y morador en Sevilla, distingue rigurosamente la *-b-* procedente de *-p-*. Resulta tanto más claro cuanto que, a diferencia de otros poetas del siglo XV, usa abundantemente rimas con labial sonora: *conclaves, aves, suaves, graves* (*C. de Baena*, pág. 199), frente a *acaben, caben, alaben, saben* (204); *expresiva, activa, diva, esquiva* (205); *bivo, privo, esquivo, cativo* (y Villasandino al contestarle por las mismas rimas, usa *escrivo, algarivo, caritativo, emaginativo*) (*C. Baena* 236 y 237), etc. Distinguen también las dos procedencias los otros poetas del *Cancionero de Baena*[488], así como el Marqués de Santillana.

Pero en la segunda mitad del siglo, las rimas nos empiezan a dar repetidas pruebas de que ambas procedencias habían llegado a confluir en un resultado. He aquí algunos poetas en que ocurre esto:

Sabemos muy poco del Comendador Román. Debió de nacer entre aproximadamente 1430 y 1450, porque escribía ya a fines del reinado de Enrique IV; vivía aún en 1497[489]. En sus *Coplas de la Pasión con la Resurrección*, Toledo, hacia 1490 (sólo 84 págs. de poco texto): *motiuo, rrecibo* (a. iii v°); *cabe, graue, suaue* ([a. vi v°]), *biua, arriba, secutiua* (b. j), *biua, arriba* (b. iiij), *cabo, esclauo* (c. ii v°), *esquiue, recibe* (c. iiij). Un poco más sabemos de fray Ambrosio Montesino: era de Huete (Cuenca) y vivió también, adulto, a veces, allí. Su vida debió estar ligada principalmente al centro de la Península: Cifuentes (Guadalajara); Toledo...; también una residencia en Granada. Nació hacia 1450 y murió en 1514. En sus *Coplas sobre diversas devociones*, Toledo, hacia 1485 (sólo 68 págs. de poco texto), encontramos: *reçibo, escriuo, biuo* (a. ij); *brauos, clauos, cabos* (a. iij); *sabio, agrauio, cabe, llaue* ([b. v]); *sabia, desagrauia* (c. j v°); *Arabia, sabia, agrauia* (c. ij); *llaue, suaue, cabe* (d. j), etc.

---

[488] En todo él no hemos encontrado más que dos casos de confusión, véase páginas 173 y 176.

[489] Nacería hacia 1430, según H. Thomas. La fecha es en verdad imprecisa. El único dato cierto es que escribía ya a fines del reinado de don Enrique IV (hacia 1469-1474). Véase la ed. facsímil de las *Coplas de la Pasión con la Resurrección* (Londres, 1936) cuidada por H. Thomas, y en el prólogo de éste las págs. 2-4.

En curiosa coincidencia con los dos anteriores está fray Iñigo de Mendoza, de cuya vida apenas sabemos sino que gozó el favor de don Fernando y doña Isabel y que escribía ya en el reinado de Enrique IV[490]. Debió de
nacer, pues, lo más tarde, a mediados del siglo. En su lengua hay algunos rasgos dialectales: *vey* 've, mira'[491]; pronunciaba *reis, bueis*, 'reyes', 'bueyes'[492].
Fray Iñigo confunde, en variadas combinaciones, ambas procedencias: *recibo, biuo* (*NBAAEE*, XIX, p. 34); *yua, arriba, esquiua* (p. 37); *biua, arriba* (p. 48); *sabe, suaue, graue* (p. 57); *cabe, suaue, graue* (p. 59); *cabtiua,
derriba* (p. 60); *sabe, alabe, cabe, suaue, llaue* (p. 113).

Buscando en cancioneros recogidos a mediados del siglo xv *(Cancionero
de Palacio, Cancionero de Herberay des Essarts)* no se encuentra confusión;
las dos procedencias están separadas: *catiuo* rima con *biuo* y *llaue* con *aue*,
etcétera, por un lado; y por otro, *alabes* con *cabes* y *sabes*, o *recibo* con
concibo.

13. Los datos que hemos extraído del Comendador Román, de fray Ambrosio Montesino y de fray Iñigo de Mendoza prueban, sin lugar a duda, que
para algunos poetas que escribían en época tan antigua como por lo menos
los finales del reinado de Enrique IV (1454-1474), las rimas con -*b*- (< -*p*-)
casaban perfectamente con la -*u*- (< -*b*-, -*v*-): en contradicción completa
con todo lo anterior, con el Marqués de Santillana, con el *Cancionero de
Baena* y los cancioneros de mediados del siglo. El haber encontrado esta
generación (Román, Montesino, fray Iñigo) que indudablemente confunde,
nos permite, creo, interpretar con bastante firmeza algunos datos de épocas anteriores, que, por sí solos, parecerían menos seguros.

Un indicio nos lo proporciona un poeta muy antiguo. Fray Diego de
Valencia de León (o sea, 'Valencia de Don Juan') está ampliamente representado en el *Cancionero de Baena*. Nació en el siglo xiv y escribía en
los primeros años del xv; vivía en tierras de León, de donde era natural[493].

---

[490] Tenemos anotadas las curiosas variantes de la *Vita Christi en coplas*, según
un ms. del siglo xv, en las cuales la reprobación de los vicios, característica de ese
poema, se hace nombrando expresamente como personajes del momento al rey don
Enrique, al duque (de Alburquerque) y a otros magnates del período anterior a 1474.
Su favor quizá tuvo altibajos. Residió tiempo en Ocaña.

[491] *NBAAEE*, XIX, pág. 16a: *vey, rey;* pág. 55a: *ley* 'lee', *ley, rey.*

[492] *Ibid.*, pág. 15b: «ay de vos, reyes poderosos», donde es necesario leer *reis;* estos
eneasílabos que para perder una sílaba exigen leer *reis, bueis*, se repiten muchas veces. Véase *ibid.*, págs. 28-29 y 57a; en la pág. 30 *veys, leys, reys.*

[493] Que nació en el siglo xiv es indudable: canta el nacimiento de Juan II (1405).
«Valencia de León» es 'Valencia de Don Juan'. En la pág. 543 del *Cancionero de Baena*, fray Diego rima *algos, infantadgos, galgos, fidalgos;* no cabe duda que hay que leer
infantalgos, con sufijo típicamente leonés.

Confunde sólo una vez: *llaves, naves, enclaves, alabes* (*Cancionero de Baena*, pág. 211).

Gómez Manrique (de Amusco, Palencia, nacido hacia 1412, muerto hacia 1490) confunde dos veces. Una, en su única composición en portugués (conservo la mala transcripción): «mays maguer yo me *desgabe* / nunca vous eu negarey / eso que meu saber *sabe*, / posto se me faça *grabe*» (*NBAAEE*, XXII, pág. 93). Hay que tener en cuenta que contesta por los mismos consonantes a la pregunta de un portugués, en la cual las rimas son, con arreglo a la norma, *gabe, cabe, acabe*. Otra vez mezcla *ibo* (latín: 1.ª pers. del futuro de *eo, is, ire*) con *esquivo* y *vivo* (pág. 153). Es un caso de los que no hemos considerado (no es *-b-* < *-p-*); pero la norma era rimar la *-b-* de palabras latinas (igual que en los cultismos romances) sólo con *-b-* castellana. Es curioso: en ambos casos hace Gómez Manrique, en portugués y con una voz latina, respectivamente, lo que nunca había hecho en castellano, mezclar *-b-* con *-u-*.

Otros ejemplos bastante antiguos nos ofrece Rodrigo Cota. Era natural de Toledo; una de sus poesías fué escrita entre 1469 y 1474 y otra hacia 1470-72. En esta última hay la rima *lleuo, mancevo* (*NBAAEE*, XXII, pág. 588). En el *Diálogo entre el amor y un viejo*: *suaue, sabe* (583).

He aquí, pues, en generaciones anteriores [494] a la de Román-Montesino-fray Iñigo, indicios de lo que ocurría en la lengua hablada (en un caso, la de Toledo).

No cabe duda que en los poetas anteriores había una voluntad de separar las dos procedencias. En los poetas anteriores *biuo* rimaba con *esquiuo, catiuo*, etc.; *suaue* con *aue, llaue*, etc., por un lado; y del otro, *alabe* con *sabe* y *cabe*, y *concibo* con *recibo*, etc.: una separación absoluta. Y ahora, ahí, rebasada la mitad del siglo xv, un grupo de poetas (uno de ellos, Montesino, nacido en Castilla la Nueva, y con residencias largas en ella), se pone a rimar conjuntamente los dos caudales antes separados: ya rima *cabe* con *graue*, etc., y *escriuo* con *reçibo*. Es una evidente voluntad de reconocer un hecho de la lengua hablada, que hemos visto ya sólo rezumar en poetas más antiguos. Esta admisión de la realidad fonética *-b-* = *-v-* nada tiene que ver con ciertas imperfecciones de rima admitidas en la poesía del siglo xv y de principios del xvi. Pero de esto vamos a hablar un poco más adelante.

No todos los poetas —ni mucho menos— de fines del siglo xv y de prin-

---

[494] Rodrigo Cota debía de ser —parece— más viejo que fray Iñigo y Montesino; quizá podría ser de aproximadamente la misma edad que el comendador Román (véase lo que decimos de éste y E. COTARELO MORI, *BRAE*, XIII, 1926, 11-17 y 140-143).

cipios del XVI riman *acabe* con *suave*, etc., pero ya, desde Román, Montesino y fray Iñigo, habrá una línea de tradición ininterrumpida —y que se ensancha rápidamente en el siglo XVI—, de poetas que mezclan ambas procedencias; es una línea que llega hasta nosotros. Asomémonos al pormenor de sus primeras generaciones.

14. De la generación que inmediatamente sigue, interesa especialmente Juan del Encina, nacido en 1468, probablemente en Salamanca. En su *Cancionero* (1496) nos da algunos datos interesantes. En el «arte de poesía castellana» que va al frente, se contiene la noticia más antigua que poseemos de la confusión de *b* y *v*:

> Assí como Juan de Mena dixo en la *Coronación*, que acabó un pie en *proverbios* y otro en *sobervios*, adonde passa una *v* por una *b*; y esto suélese hazer en defeto de consonante, aunque *b* por *v* y *v* por *b* muy usado está, porque tienen gran hermandad entre sí. Assí como si dezimos *biva* y *reciba*, y otros muchos enxemplos pudiéramos traer, mas dexémoslos por evitar prolixidad. Y allende desto avémosnos de guardar que no pongamos un consonante dos vezes en una copla... (fol. 5).

Pero el defecto que le reprocha a Mena —quién lo había de decir— está repetido muy numerosas veces por las páginas de su *Cancionero*: la confusión de *bivo*, *escrivo*, *privo*, etc., o de sus variaciones flexionales -*a*, -*as*, -*e*, -*es*, con las correspondientes de *recibo*, *derribo* (fols. 15 *b*, 23 *c*, 55 *c*, 63 *c*, 76 *d*, 81 *a*, 84 *b*, 84 *c*, 85 *b*, 86 *b*, 93 *c*).

Hay que tener en cuenta que Encina es un rigurosísimo rimador; no hemos encontrado nunca en su *Cancionero* esas rimas imperfectas cuya tradición desde la Edad Media se prolonga hasta los primeros poetas italianizantes del siglo XVI.

Encina (muerto en 1529) apenas si está representado en el *Cancionero General* (1511).

Por desgracia, de muchos de los otros poetas de esa colección no sabemos las fechas de vida ni el origen. Sólo que pertenecen al siglo XV y algunos también a esos once años del XVI. Lo normal es que en el *Cancionero* se separen las dos procedencias etimológicas. Pero hay algunas excepciones notables (prescindiendo ya lo mismo de Encina que del Comendador Román y de fray Iñigo de Mendoza, que también figuran en ese libro, aunque escasamente representados). Una es Soria, poeta del que no tenemos más datos sino que escribía antes de 1511: en él la confusión es frecuente (*NBAAEE*, XXII, págs. 257 *a*, 261 *b*, 263 *a*, 264 *a*, 271 *a*). Confunde también repetidas veces Costana (cuatro, en las seis páginas que ocupa en el *Cancionero*, ed. de 1511, fols. 128, 128 v° —dos veces— y 129), el Bachiller Ximénez, valenciano o muy relacionado con Valencia, principios del siglo XVI (tres veces en sus seis páginas de la ed. de 1511, comp. *NBAAEE*, págs. 276 *b*, 278 *a*, 280 *b*)[495], el vizconde de Altamira (dos veces, en la brevísima obra suya recogida en el *Cancionero; NBAAEE*, XXII, págs. 758 *b* y 760 *b*), e Iñigo de Velasco (una confusión en sus únicos 26 versos, ibid., pág. 620 *b*). Ofrecen algunas confusiones Hernán Mexía, de Jaén[496], que escribía ya antes de 1474 (sólo dos, en su extensa obra, *NBAAEE*, XIX, págs. 285 *a* y *b* y 286 *a*), Puertocarrero (*NBAAEE*, XXII, pág. 681 *a*) y Luis de Vivero (Ibid., pág. 713 *b*). Fuera del *Cancionero General*, muy escasas confusiones en Torres Naharro (nació cerca de Badajoz seguramente en la segunda mitad del s. XV): *alabo, cabo, rabo, brabo* (Ed. Gillet, II, pág. 104); *nauo, crauo* (110); *biues, rescibes* (343). Las hay, en cambio, abundantísimas en don Pedro Manuel Ximénez de Urrea (Aragón, nació hacia 1486): *clauos, cabos, esclauos* (*Cancionero*, Zaragoza, 1878, pág. 17); *sabe, llaue* (55, 101); *arriba, viua* (89); *trabo, cabo, alabo* (96); *esclauo, desalabo* (103), etc.

Frente a los confundidores que hemos mencionado está la gran mayoría de los poetas del *Cancionero General*: aun algunos que sabemos llegaron a vivir en el siglo XVI, no nos ofrecen confusiones de la etimología *-p-* con la *-b-* o *-v-*, o sólo escasísimas. En Alvarez Gato (vecino y probablemente natural de Madrid, que muere hacia 1510), autor de obra copiosa, no hemos encontrado sino una confusión (Ed. Artiles, Madrid, 1928, pág. 154). Cierto que en muchos de estos poetas son escasísimas —y a veces nulas— las rimas que contienen labial. Pero hay que tener en cuenta que un poeta como Tapia, que por excepción tiene muchas rimas labiales, no confunde nunca[497].

15. Si avanzamos por el siglo XVI nos encontramos con que Garcilaso (de Toledo, nacido probablemente en 1501) no confunde en los pocos casos de rima con labial que ofrece su obra[498]. Obsérvese un pormenor que creemos es significativo. Ya Tamayo de Vargas y otros comentaristas notaron que Garcilaso hace rimas consonantes aproximadas: *culebras, negras; acabo,*

---

[495] En una de sus dos composiciones del *Cancionero General* (1511) menciona cariñosamente a poetas valencianos como Francisco de Fenollet y don Juan Fernández de Heredia, que mueren ya muy avanzada la primera mitad del siglo XVI. Si hubiera nacido en Valencia sería especialmente interesante el dato de sus confusiones.

[496] Muy amigo de Alvarez Gato.

[497] *NBAAEE*, XXII, págs. 440-465.

[498] Descartemos casos dudosos como *cabras, palabras* (la grafía ante *r* era siempre *b*, excepto *avré, avría*).

hago; puedes, debes, etc. [499], sobre todo en las rimas leoninas. Vemos, en esos ejemplos, una labial que rima, en uno, con una velar, en otro, con una dental. Es necesario añadir que esta costumbre de rimas imperfectas es un arrastre medieval: existe, p. ej., ya en el *Buen Amor;* es sobre todo muy frecuente en los poetas del siglo xv. Imperial rima *poetizado, quando, metrificado; nietos, sarmientos; biuan, syrvan; fama, palma; graçia, andança; Ave, salve; maça, raza, plaza, ensalça; buelues, lieues* (*Canc. Baena*, Madrid, 1851, págs. 200, 203, 205, 207, 236, 243, 254, 255, 256). Otro poeta sevillano de la minoría de Juan II, Ruy Páez de Ribera, rima *guirlanda, esmeranda, desnudada; syrven, biven; syguen, biven; partes, semblantes; fable, calle; propinco, rrico; yermos, syervos; salvo, algo, galgo; forros, moros; socorren, proponen, dolent; arryba, biva; Venegas, yeguas* (*Canc. Baena*, págs. 293, 294, 304, 309, 310, 316, 319, 324, 326, 328, 330) [500]. Un poeta, pues, como Páez de Ribera, que tiene muchísimas y variadas rimas imperfectas, sólo una vez rima *-b-* y *-u- (arryba, biva)*. Pero lo decisivo es esto: poetas como Imperial y Garcilaso, que admiten muchas rimas imperfectas (de evidente diferencia fonética), tienen, en cambio, el mayor cuidado de no unir *-b-* < *-p-* y *-u-* < *-b-*, *-v-*. Saquemos una primera consecuencia: no era, pues, la diferencia fonética entre *-b-* y *-u-* (supuesto que la hubiera) lo que hacía que poetas como Imperial y Garcilaso mantuvieran *-b-* y *-u-* separadas en las rimas: habrá que buscar otra causa.

Hay otra consecuencia inmediata: esas rimas imperfectas son una tradición de la poesía del siglo xv. Por tanto, cuando, de pronto, en la segunda mitad del siglo encontramos poetas como Román, Montesino y fray Iñigo, y en seguida Encina, Costana, Ximénez de Urrea, etc., que repetidamente mezclan en sus rimas *-b-* y *-u-*, este hecho le hemos de considerar distinto del de las rimas imperfectas: éstas son escasas, diseminadas, y las practican lo mismo poetas que distinguen *-b-* y *-u-* (de Imperial a Garcilaso) que otros que las confunden. En cambio poetas como Román y Encina que no tienen rimas imperfectas practican abundantemente la consonancia de *-b-* y *-u-*.

Las que llamamos rimas imperfectas y la consonancia de *-b-* y *-u-* son dos hechos distintos, por todo, como acabamos de ver. Notemos aún esto: la costumbre de las rimas imperfectas existe, formada, abundante, a principios del siglo xv; la de la rima de *-b-* con *-u-* sólo llega a ser frecuente a finales del mismo siglo. Más notable aún el otro extremo: la costumbre de las rimas imperfectas llega a principios del siglo xvi y ahí muere; la de la rima de *-b-* y *-u-* es ya desde Román, Montesino y fray Iñigo una línea in-

---

[499]   Véase ed. Navarro Tomás, «Clás. Cast.», Egloga 2.ª, verso 1007 y nota 997.
[500]   Damos el texto del ms., según el facsímil pub. por la Hisp. Society.

interrumpida que se generaliza pronto y se prolonga hasta 1959 (en que escribimos): rasgo de la pronunciación moderna. Ambos hechos, distintos por su naturaleza, se revelan también distintos tanto por su principio como por su final. En el caso de -*b*- y -*u*-, no se trata de libertades o de imperfecciones toleradas, sino del derrumbamiento de la muralla medieval entre la -*b*- y la -*u*-, es decir, del comienzo de una era, del reconocimiento de la que ya sería, hasta hoy, nuestra pronunciación moderna. E inversamente, sigue habiendo oposición al casar -*b*- y -*v*- (Encina, teóricamente, etc.); no es una oposición por motivos fonéticos, es una oposición de «arte poética», y en otros casos, opinión de dómines, en una palabra, pedantería.

Hemos visto que Garcilaso (toledano) distingue. Su casi rigurosamente contemporáneo don Diego Hurtado de Mendoza (nacido muy a principios del s. XVI [501]) confunde muy repetidas veces: *arriba, viva, esquiva* (*BAAEE*, XXXII, pág. 57); *describe, recibe, concibe* (pág. 63); *suave, llave, cabe* (página 64); *viven, reciben* (pág. 73); *rabia, agravia, sabia, desagravia* (pág. 90). ¡Quién había de esperar este rasgo en un andaluz, en este granadino, nacido casi cuando Garcilaso! Observemos que la vida, larga, de Hurtado de Mendoza, transcurre en ambientes parecidos a la —breve— de Garcilaso: la vinculación de éste con Toledo no es mucho mayor que la de don Diego con Granada, que le será, ya viejo, destierro dulcificado.

Interesante resulta, precisamente ahora, que un toledano nacido hacia 1510, Sebastián de Horozco, cuya obra es una especie de continuación de los cancioneros del siglo XV, y que evidentemente tiene una voluntad de distinguir ambas procedencias, las mezcle, sin embargo, de vez en cuando, por descuido: *vive, concibe* (Ed. Biblióf. Andaluces, Sevilla, 1874, pág. 49); *escriba, arriba, saliva* (54 a-b); *escriben, conciben, viven* (252 a).

No nos extraña que Castillejo (que era un poco más viejo que Garcilaso, que Hurtado de Mendoza y que Horozco), nacido en Ciudad Rodrigo (Salamanca) y monje (antes de sus andanzas por Europa) en San Martín de Valdeiglesias (Madrid) —todo, pues, centro peninsular— confundiera también con relativa frecuencia -*b*- y -*v*- en sus rimas [502]. Ni tampoco que confundiera Santa Teresa (1515, Avila) [503].

---

[501] En «1505, ó mejor 1506» dicen GONZÁLEZ PALENCIA y MELE, *Vida y obras de don D. Hurtado de Mendoza*, I, Madrid, 1941, págs. 47-50.

[502] *BAAEE*, XXXII: *viva, estriba*, pág. 123; *esquivo, recibo*, 124; *cabo, esclavo*, 125; *vivo, recibo*, 126; etc.

[503] Pero no tenemos prueba segura, porque si bien la Santa (en sus escasísimas rimas con labial) casa *arriba, viva, esquiva* (*BAAEE*, LIII, pág. 509) tiene rimas imperfectas *(acaba, nada*, y posiblemente *cautivo, desvío; Ibid.*, págs. 511 y 516).

16. Si buscamos otros poetas andaluces, nos encontramos en Herrera (nacido en 1534 en Sevilla) la más exquisita y deliberada separación de -*b*- y -*v*-. Pero ¿qué pensar cuando vemos que Baltasar del Alcázar, sevillano que vivió siempre en Sevilla, cuatro años más viejo que Herrera, nos da repetidas y variadas muestras de confusión: *escriba, arriba (Poesías,* Ed. R. Acad. Esp., pág. 89); *alabo, clavo (Ibid.); cabe, llave* (pág. 156); *sabe, grave, acabe* (pág. 202)? Doblemente interesante es ahora comprobar que, a principios del siglo XVII, el sevillano Rioja (nacido en 1583) distingue aún tan escrupulosamente como Herrera. Hay que considerar el carácter poético y personal de Herrera y Rioja, tradición de aristocratismo literario, poetas que nunca se apeaban de su divinidad. Otros sevillanos debieron de sufrir el influjo de Herrera: Arguijo (n. 1567), Medrano (n. 1570); en general, distinguen (aunque con alguna transgresión) [504]. Se pensaría que Jáuregui (nacido en Sevilla, 1583) sufre también inicialmente ese maestrazgo; pero en Madrid, en el *Orfeo* (con gran abundancia de rimas labiales) hay ejemplos numerosísimos, prueba de que también confundía [505]. Posiblemente algo parecido le ocurrió al antequerano Pedro Espinosa (n. 1578): en su primera época son escasísimas las rimas con labial; rimas que tengan labial y confusiones de -*b*- y -*v*- abundan en él después de 1615 [506].

Si miramos a Castilla, encontramos en los contemporáneos de Baltasar del Alcázar indicios semejantes a los hallados en la poesía de éste. Hernando de Acuña (n. hacia 1520, en Valladolid) en su extensa obra, algunas confusiones: *suave, cabe, sabe; bivo, recibo; contentava, acaba (Varias Poesías,* ed. A. Vilanova, Barcelona, 1954, págs. 215, 218 y 220). Fray Luis (de Belmonte, Cuenca) nace en 1527; tiene muy escaso número de rimas con labial; esparcidas por su obra hay algunas confusiones: *cabe, sabe, llave* (*BAAEE,* XXXVII, pág. 7); *suave, llave, cabe* (50); *acabe, grave, sabe* (60), etcétera. Ercilla (n. en Madrid, 1533), abundantes confusiones: *derriban, privan* (*BAAEE,* XVII, pág. 11); *sabios, agravios* (17); *derriba, iba, arriba* (20); *grave, suave, cabe* (31); *viva, arriba* (30), etc.

17. La generación siguiente revela un gran aumento de confusiones. Cervantes (1547, Alcalá, junto a Madrid) confunde muy abundantemente y

---

[504] Arguijo: *grave, sabe (BAAEE,* XXXII, 404); Medrano, *vibe, recibe, arribe,* ed. ALONSO y RECKERT, pág. 296. Ninguno de los dos tiene muchas rimas con labial.

[505] Ed. P. CABAÑAS, *labio, agravio, sabio* (pág. 19); *escrive, percibe, apercibe* (páginas 37-38); *clava, aljava, alaba* (pág. 69); *grave, suave, acabe* (pág. 74).

[506] Uso la división en tres épocas que establece RODRÍGUEZ MARÍN en su ed. de Espinosa (Madrid, 1909). En la segunda época, desde 1605, ya aparecen las rimas de -*b*- con -*v*- *(cabe, grave, sabe),* pág. 85; después de 1615 abundan: *escriba, estriba, derriba,* pág. 86; *revives, vives, escribes, recibes,* 105; *sabe, nave,* 110; *recibis, vives,* 118; *recibas, escribas, vivas,* 125.

a lo largo de su vida; ya en *La Galatea* (1585): *suave, llave, sabe (BAAEE*, I, pág. 17); *esquivo, vivo, recibo; vivo, avivo, recibo* (32); *suaves, sabes* (36); *suave, cabe* (39); *vivan, reciban* (45), etc. Una frecuencia semejante, con estas y otras rimas, se puede encontrar en el *Viaje del Parnaso* (*bravo, alabo, Davo*, pág. 592; *bravo, cabo, alabo*, pág. 593; *excesiva, estriba*, página 606, etc.). En el mismo año que Cervantes nace en Lucena (Córdoba) Barahona de Soto, recriado en Antequera (Málaga) y en Granada: confunde normalmente. Si escudriñáramos el *Cancionero* (1586) de López Maldonado (amigo de Cervantes, y suponemos que no de muy distinta edad), encontraríamos algunos casos de confusión; como también en las *Diversas Rimas* (1591) de Vicente Espinel, nacido en Ronda (Málaga) en 1550. San Juan de la Cruz (n. 1542, Fontiveros, Avila) da en su brevísima obra aconsonantada varias inequívocas pruebas de confusión.

Mención aparte merece el sevillano Juan de la Cueva, nacido en 1543, de esa misma generación de Cervantes. Quien lea el tardío *Ejemplar poético* (1616), verá que las procedencias -*p*- de un lado, y de otro -*b*- y -*v*- están exquisitamente separadas[507]; pero en sus Comedias (impresas en 1588) hay un notable porcentaje de confusiones: *arriba, esquiva, priva* (Ed. Biblióf. Esp., I, pág. 52); *cautiva, arriba* (84); *vive, recibe* (112-113); *llave, suave, cabe* (217); *reciba, priva* (226); *mancebo, apruevo* (342); *acabe, suave* (393); *recibas, vivas* (365). Resulta, pues, que entre el sevillano Alcázar (que confunde) y el sevillano Cueva (que confunde), nace Herrera que distingue exquisitamente: muy sospechoso. Más sospechoso aún que Cueva, que confundía ampliamente en su juventud, distinga rigurosamente en su vejez, cuando se pone a escribir su arte poética.

Dos grandes valores comienzan hacia 1580: Lope (n. 1562), madrileño, y Góngora (n. 1561), cordobés que se puede decir (salvo salidas ocasionales para estudios, negocios o embajadas de su cabildo) vivió en Córdoba hasta que tenía cerca de sesenta años. Los dos rivales, casi exactamente coetáneos, usan bastantes rimas labiales y confunden repetidamente ambas procedencias. Góngora confunde ya cuando tenía unos veinticuatro años (*nave, suave, cabe, grave*; Millé, núm. 247, soneto de 1585). Estas rimas en -*ave*- y -*abe*- las repetía una y otra vez en sus sonetos de hacia 1615, hacia la época de redacción del *Panegírico* (Millé 330, 332, 336); mientras aparecen otros tipos utilizados para efectos cómicos (*clavo, rabo, Bravo*, 331, o *Castilnovo, lobo, bobo*, 369). Un registro de los poemas mayores da un resultado concordante: existen confusiones en ambas *Soledades* (más en la Segunda: versos 209, 566); más frecuentemente en el *Panegírico* (versos 145,

---

[507] Sólo una confusión (entre muchas rimas con labial): *estribo, concivo, festivo* (Sedano, *Parnaso español*, VIII, pág. 43).

537, 562, 594). Hay confusión en las letrillas, ya desde 1581 (*grave, sabe,* Millé, núm. 95), pero nunca abundante; un poco más en las comedias (*alaba, brava; Bravo, cabo,* etc., Millé, núm. 421, versos 121, 320). En resumen: en toda la obra de Góngora hay diversos y repetidos testimonios de confusión; existen desde fecha muy temprana, pero están más concentrados en los sonetos de hacia 1615 y en el *Panegírico*.

Lope —como ya ha sido notado por otros críticos— usa abundantemente rimas mezcladas, de ambas procedencias: ya lo hace en *La Dragontea* (1598). El mismo uso en los sonetos y en el resto de su obra en verso [508].

18. Tratemos de ordenar e interpretar los datos que anteceden. Lo importante son los años de niñez y primera adolescencia, cuando el hombre se impregna de la lengua que va a ser suya. Hago grupos atendiendo —con alguna libertad, cuando es necesario— al año de nacimiento.

Primer grupo (1400-1450). Hay indicios de que fray Diego de Valencia (leonés, n. en el s. xiv) y Gómez Manrique (Palencia, n. hacia 1412) confundían. Parece indudable que Cota (Toledo, n. seguramente antes de 1450) confundía también.

Pero lo mismo el Marqués de Santillana que los poetas del *Cancionero de Baena* (salvo ese caso de fray Diego de Valencia y otro de que ya hemos hablado) o los de colecciones reunidas a mediados del siglo (Palacio, Herberay), todos distinguen.

Segundo grupo (1450-1500). Desde aproximadamente 1450 en adelante ya siempre nacerán poetas que confundan. Agrupamos los tres primeros: Román, Montesino, fray Iñigo [509]. Con ellos una serie de poetas del *Cancionero General*: Soria, Costana, el bachiller Ximénez, Altamira, Iñigo de Velasco, Hernán Mexía, Puertocarrero, Luis de Vivero. En sus cancioneros propios, Encina, que como teórico pone reparos a la confusión, confunde abundantemente y Ximénez de Urrea se nos revela como gran confundidor. Las procedencias conocidas son Cuenca, Valencia (ciudad), Jaén, Salamanca y Aragón.

Pero la mayor parte de los poetas del *Cancionero General* siguen distinguiendo escrupulosamente (y aun Mexía, Puertocarrero y Vivero que confunden a veces, tienen, es evidente, una voluntad de distinguir, que tam-

---

[508] Un poeta de Sevilla, el doctor Juan de Salinas, contemporáneo de Góngora y Lope (Salinas nace en 1559) tiene abundantes confusiones; pero no se puede citar como testimonio sevillano, porque se educó en Logroño (HERNÁNDEZ REDONDO, *El doctor Juan de Salinas,* Granada, 1932, págs. 3-4).

[509] Podrían, quizá, o algunos de ellos, haber ido en el primer grupo. Recuérdese que Thomas considera a Román nacido hacia 1430 y a Montesino hacia 1440-1450.

bién existe, a pesar de alguna transgresión, en Torres Naharro). Distingue, asimismo —sólo una confusión— el madrileño Alvarez Gato.

Tercer grupo (1500-1520). Confunden Hurtado de Mendoza, Castillejo, Horozco (unas pocas veces) y Santa Teresa. Las procedencias son Granada, Salamanca, Toledo, Avila.

Pero distingue siempre Garcilaso: Toledo.

Cuarto grupo (1520-1540). Confunden de vez en cuando Acuña, Alcázar, fray Luis, abundantemente Ercilla, repetidas veces Aldana. Procedencias: Valladolid, Sevilla, Cuenca, Madrid, Italia.

Distingue escrupulosamente Herrera. Procedencia: Sevilla.

Quinto grupo (1540-1560). Confunden San Juan de la Cruz, Cueva en sus *Comedias* (véase lo que se dice en seguida), Cervantes, Barahona de Soto, Espinel. Procedencias: Avila, Sevilla, Madrid, Córdoba, Málaga.

Pero Cueva al escribir tardíamente un arte poética (el *Ejemplar*, 1606) distingue con cuidado.

Sexto grupo (1560-1585). Confunden Góngora, Lope, Quevedo y también Jáuregui. Procedencias: Córdoba, Madrid (dos) y Sevilla.

Los sevillanos Arguijo y Medrano distinguen con algunas transgresiones. El antequerano Espinosa confunde ampliamente, pero no en sus primeras composiciones.

Rioja (Sevilla) distingue exactamente.

En lo que sigue ahora hablamos del centro, de N. a S., de la península; si sale algún dato de Galicia y de Valencia, es sólo en cuanto enriquece nuestro conocimiento de los hechos castellanos.

19. Creemos seguro que hacia 1450-1470 (la época en que adquirieron su lengua los escritores del *Segundo grupo)* las dos grafías medievales -*b*- y -*u*- correspondientes a dos fonemas opuestos entre sí durante la Edad Media, el primero oclusivo y el segundo fricativo (el primero procedente de -*p*- latina y el segundo de -*b*- o -*v*- latina) se habían confundido casi generalmente en un solo fonema fricativo. Aún se seguían distinguiendo en la escritura -*b*- y -*u*-; pero era en la mayor parte de los casos una mera rutina ortográfica, si bien en algunos sitios principalmente del sur podían aún formar una oposición fonológica (*cave*, de 'cavar'; frente a *cabe*, de 'caber').

Es probable que en el sur hubiera focos de distinción (verosímilmente Sevilla, y algún otro; quizá, Badajoz). Pero todo el norte, con avance hacia el sur hasta Cuenca, Guadalajara, Toledo, y en parte Jaén, confundía ya. Podemos imaginar que, en estos puntos de avance, parte de la población más culta distinguiría aún, o tendría idea de que era más correcto distinguir, como, en Madrid o en tantos otros puntos del mundo hispánico, un

yeísta culto de hoy tiene conciencia de que es mejor pronunciar ḷ. Hernán
Mexía distingue aún en sus coplas, en la inmensa mayoría de los casos,
pero repetidas veces se le escapa una confusión: el fenómeno, pues, estaba
ya en marcha tan al sur como Jaén. La ortografía del fuero de Guadalajara
(ms. de la segunda mitad del s. xv) distingue normalmente; pero al copista
se le escapa una vez *caveça*.

De los nacidos en la época anterior (1400-1450) sólo hemos encontrado
una confusión en el leonés fray Diego de Valencia [510] y dos en el palentino
Gómez Manrique [511]. La procedencia norteña de estos dos antiguos poetas
casa perfectamente con la idea de la propagación del fenómeno de norte
a sur.

20. ¿Podemos ir más allá, retrocediendo en el tiempo? No tenemos datos positivos, pero podemos aventurar algunas hipótesis.

Creemos importante que se tenga en cuenta el carácter archiculto, y en
buena parte sevillano, del *Cancionero de Baena*. Debemos utilizar aquí
nuestro principio metodológico: distinción, quizá aún preponderante, de -*b*-
y -*u*- en Sevilla y otros puntos andaluces, probable coexistencia de los dos
tipos de articulación ahí y en otros sitios, rutina ortográfica, aristocratismo
y técnica literaria eran un haz de fuerzas confluentes que —es seguro—
tendían a perpetuar la distinción gráfica. Los evidentes descuidos (Diego
de Valencia, Gómez Manrique), primero, y luego una minoría de poetas
(Cota, Román, Montesino, fray Iñigo, Soria, Ximénez de Urrea, etc.) para
los que el rimar confundiendo ya no es desdoro, nos indican que los hechos
fonéticos (la confusión fonética de -*b*- y -*u*-) tenían que estar muy avanza-
dos. ¿Cuál de los innumerables poetas que en nuestro siglo pronuncian *pollo*
con la -*y*- de *poyo*, se atrevería a rimar *valla* con *haya*? Cuando la obra de
ese poeta que pronuncia -*ll*- como -*y*-, pero nunca se atrevería a rimar entre
sí ambas procedencias, sea estudiada dentro de siglos por un filólogo, ese
futuro sabio cometerá un grueso error si deduce que nuestro poeta distinguía en la pronunciación -ḷ- y -*y*-. Si un poeta, en cambio, casa, en rima
perfecta, *valla* con *haya* nos dará, sí, una prueba positiva de su pronunciación.

Aplicando este criterio, pensamos que es muy probable que ya en la primera mitad del siglo xv y con profundas raíces en la del xiv o más lejos,
la confusión de -*b*- y -*u*- tuviera un extenso desarrollo en todo el norte cas-

---

[510] Como hemos dicho más arriba, nota 493, tuvo que nacer en el siglo xiv.
[511] Antes hemos visto que confunde también una vez Ruy Páez de Ribera, vecino de Sevilla, nacido en el siglo xiv: *arryba, biva* (*Canc. de Baena*, pág. 330 *b*). Pero
este poeta, decíamos, tiene muchísimas rimas imperfectas (*syrven, biven, syguen,
biven*, 294; *rrico, propinco*, 310; *salvo, algo*, 324; *socorren, proponen, dolent*, 326).
Creemos, por tanto, muy inseguro su testimonio.

tellano o castellanizado, en el centro y en parte del sur peninsular. Son notables a este respecto las anómalas grafías *sauer, sauio, saujdor, saujduría* (*Cuatro poemas*, passim), *auerturas, aujerto* (*Ibid.*, pág. 78), *menoscauada* (*Veintitrés milagros*, pág. 33), en el ms. de Berceo, de principios del siglo XIV, e infinidad, en ese mismo ms. de grafías -*b*- cuando se esperaría -*u*-. No cabe duda que el copista no pronunciaba oclusiva la -*b*- < -*p*-. La procedencia (San Millán) de ese ms. nos vuelve a situar en las cercanías del país vasco. Hay que pensar que la romanización de vascos tuvo, sí, influjo en estos fenómenos, pero en una época muy antigua, y no pudo ser tampoco, como veremos, la única causa.

21. La aplicación de nuestro principio general metodológico creemos que ha de resultar también iluminadora a quien considere los hechos del siglo XVI.

De los poetas estudiados, los que nacen en los primeros años del siglo XVI (de ambas Castillas, y un granadino) confunden unos muy repetidamente, otros lo suficiente para testimonio de la realidad fonética. Garcilaso, no. En Garcilaso confluyen una tradición medieval [512] y el italianismo (pronunciación labiodental de -*v*-).

Los poetas nacidos en los veinte años siguientes confunden todos de vez en cuando —hasta el sevillano Alcázar—; salvo Herrera —aristocratismo literario, quizá restos de pronunciación labiodental en Sevilla, influjo de la doctrina de Nebrija—.

Los poetas estudiados, que nacen a mediados del siglo, confunden todos, hasta el sevillano Cueva. Pero cuando, viejo, se pone a escribir un arte poética distingue. No hay más que una interpretación: es una distinción artificial, sobrepuesta.

En fin, la generación de Góngora y Lope y la de Quevedo confunden, ya como norma, así —en obra tardía— aun el antequerano Espinosa y el sevillano Jáuregui. Rioja —el insoportable exquisito— no. El, lo mismo que el viejo Cueva metido a preceptista, sigue impertérrito la tradición de principios del siglo XV. Mientras tanto, en la primera mitad del siglo XVII, un sevillano como Belmonte Bermúdez, autor de *La Hispálica*, mezcla abundantísimamente las dos procedencias en las rimas de ese poema.

Si tenemos siempre presente nuestro principio metodológico, la consecuencia parece clara (y viene a comprobar la que obteníamos para el siglo XV): en el siglo XVI la confusión de -*b*- y -*u*- era general, aunque segura-

---

[512] Patente en su utilización de rimas imperfectas, como en los Cancioneros del siglo XV.

mente habría focos (locales, otros predominantemente culturales [513] o sociales) de distinción. Un foco cultural de este tipo es Sevilla, en donde la tradición de distinguir se continúa desde Nebrija y Herrera hasta Rioja. Pero aun allí, Alcázar nos da pruebas de que en la conversación se confundía, y un distinguidor, que quiere ser muy escrupuloso, como Cetina, se descuida alguna vez. Es probable que este foco distinguidor sevillano irradiara algo, ligándose más o menos con otras tradiciones culturales. En la Universidad de Salamanca vemos que fray Luis quiere también distinguir, pero la pronunciación corriente le sale por la pluma algunas veces. Otro distinguidor, a mediados del siglo es el madrileño don Juan Hurtado de Mendoza (véase *BRAE*, XXXVII, 1957, págs. 249-274), tan ligado a los dómines latinistas de Alcalá. Casi todas esas ficciones se derrumban con la verdad de las tres generaciones que siguen, la de Cervantes, la de Góngora y Lope y la de Quevedo. Aun en Sevilla sólo algunos exquisitos como Rioja o algún preceptista —arrepentido de sus «transgresiones» contra la rutina erigida en ley— continuarán aferrados a la vieja norma.

22.   Mencionemos para terminar el caso chusco de otro recalcitrante. Se trata de un escritor de extraordinarias dotes (en prosa): Eugenio de Salazar. Nacido en Madrid, en 1530 (según GALLARDO, *Ensayo*, IV, col. 325), estudió en Alcalá, Salamanca, se licenció en Sigüenza, se doctoró en Méjico. Salazar, ya viejo (después de 1598), redactó, aún en Méjico, unas instrucciones, especie de testamento literario, lleno de reglas que para editarle, póstumos, los versos —los tenía manuscritos en un volumen— deberían cumplir escrupulosamente sus hijos. Allí (col. 328), entre las normas de ortografía, se lee:

«... para dar consonante a *llaue* decimos *suaue*, con *u;* y no *sabe* con *b*, porque no sería consonante.»

Hemos repasado las páginas en que en el *Ensayo* se nos da una breve antología de los poemas de Salazar, y nos hemos quedado asombrados: este hombre predicaba, pero no daba ejemplo; transgresiones de su propia regla son tan abundantes que en las veinte páginas de la antología de Gallardo, una rápida rebusca nos ha revelado: *grave, alabe, desalabe* (col. 356); *estriba, viva, esquiva* (375); *aviva, arriba, estriba* (380); *resciben, perciben, viven* (380); *vivos, esquivos, rescibos* (383); *bravo, alabo, cabo* (384); *sabes, llaves* (388); *esquiva, arriba* (392). ¿Qué harían los hijos si se hubieran decidido a imprimir? ¿Cómo obedecer al padre sin deshacerle la obra? Cuando buscamos la razón de sus prohibiciones, vemos que Salazar no consideraba consonante *b* con *v*, no por razones de pronunciación, sino por las «leyes de

---

[513]   ¿Cómo no si de pronunciación labiodental los hay aún en el siglo xx?

la poes'a». Don Juan Hurtado de Mendoza, el poeta madrileño que hemos mencionado en líneas anteriores, ejerció evidentemente cierto maestrazgo sobre Salazar. De Hurtado le viene el nombre de los «discantes» (cols. 347-348), así como la extraña afición a las trovas francesas (col. 350). Hurtado era considerado en los círculos de sus amistades como un verdadero oráculo literario. Salazar, madrileño, admirador de Herrera, «distinguidor» practicante, gran amigo de don Juan Hurtado de Mendoza (el cual, como acabamos de decir, era igualmente neto «distinguidor»), y ligado en los círculos de Salamanca y Alcalá, pronunciaba —no nos cabe duda— lo mismo que pronunciamos nosotros en el siglo xx, y de ello nos ha dado múltiples pruebas inconscientes en su poesía, pero tenía en la cabeza la idea de la necesidad de no «confundir». La tenía, pero no la practicaba.

RELACIONES DE TOLERANCIA E INTOLERANCIA MUTUA ENTRE -b-, -ƀ- Y -v

23. Hoy día, entre la *b*, la *d* y la *g*, hay establecida una correlación aproximada: son dos las variantes posibles, oclusiva (inicial y tras nasal; la *d* también tras *l*) y fricativa (en los demás casos). Estas son las condiciones normales en el N. de toda la Península (incluyendo el vasco) y también en muchos sitios del SO. francés que confunde *b* y *v* (ante todo en el gascón) [514]. Pero ha de tenerse en cuenta lo que para Portugal explicamos en nota: Portugal, que tiene **v** —en unos sitios tradicional y en otros superpuesta culturalmente— no posee un sistema claro de fricativas -ƀ-, -đ-, -g-, como el castellano; hay una oscilación posible entre matices fricativo, africado y oclusivo. Creemos —a reserva de comprobación— que en el sur del país, donde la -v- es verdaderamente tradicional, la tendencia hacia la articulación oclusiva -b-, -d-, -g- es más intensa [515]. Correspondientemente, en los pun-

---

[514] ROHLFS, *Gascon*, § 360; RONJAT, *Grammaire istorique*, §§ 224-225; F. JUNGEMANN, *Teoría*, págs. 335-341.

[515] Los datos acerca de la alternancia de oclusivas y fricativas en portugués son escasos. Sobre la naturaleza de las fricativas ƀ, đ, g, véase GONÇALVES VIANA, *Portugais*, Leipzig, 1903, quien en § 14 designa cada uno de estos sonidos como «un peu fricatif»; en cambio en § 41 da una descripción que vendría a ser la de un sonido africado: «Le contact se forme comme pour prononcer b, d, g, lesquels peuvent toujours les remplacer sans dénaturer les mots; seulement ce contact est très léger, il cesse immédiatement après qu'il s'est établi et avant de devenir un obstacle au passage de l'air, lequel s'échappe librement produisant un certain bourdonnement comme s'il n'y avait pas eu de contact. On peut dire de ces trois articulations qu'elles commencent comme des plosives et finissent comme des fricatives...». Nuestras fricativas castellanas lo son mucho más decididamente: el aire sale sin obstáculo taponador desde el comienzo mismo de la articulación. En determinadas circunstancias puede quedar un canal

tos de Cáceres en que hay **v**, sólo existe la oclusiva **b**, según Espinosa [516]; y
en el este se encuentra también **b** entre vocales —según Sanchis Guarner—
fuera del valenciano, en la Canal de Navarrés, donde hay **v**, y en extensas
zonas del valenciano que distinguen *b* y *v*. He aquí las palabras de Sanchis
Guarner: «He podido observar que *b* entre vocales suele ser oclusiva tanto

---

bastante amplio por donde el aire sale, se diría casi libremente, con mínima fricción
(así en káɗa, láѣa). Bien se ve cuánto se aleja la articulación portuguesa, según
la descripción de Gonçalves Viana. En castellano normal (salvo en casos de fonética expresiva, con separación silábica) la articulación de -ѣ-, -ɗ-, -g- no suele ser sustituída por -b-, -d-, -g-: la articulación oclusiva, en vez de fricativa, es uno de los rasgos que inmediatamente revelan extranjería del sujeto. Por lo que toca a Portugal,
y según mis propias observaciones (insuficientes), parece haber grandes diferencias
de unos sujetos a otros, que el S. tiende a la pronunciación oclusiva, y que en el Norte
las condiciones son más parecidas a las castellanas. Siempre resultan muy imprecisas
las noticias acerca de estos pormenores de la pronunciación portuguesa; no nos saca-
rán de dudas las explicaciones —alguna de carácter cómico— de P. D. STREVENS,
Some Observations on the Phonetics and Pronunciation of Modern Portuguese, § 79,
en *RLFE*, II, 1954, Coimbra. Por su parte I. S. RÉVAH, en su excelente estudio *Évolution de la prononciation au Portugal et au Brésil du XVIᵉ siècle à nos jours*, en *Anais
do Primeiro Congresso Brasileiro de língua falada no teatro*, Río de Janeiro, 1958, páginas 393-394, se limita a decir que *b*, *d* y *g* intervocálicas son fricativas en Lisboa, y
señalar la diferencia con Río de Janeiro. La pronunciación oclusiva de -*b*-, -*d*-, -*g*-
es de lo primero que se suele notar en el habla de los brasileños, pero ignoro si en el
Brasil hay también diferencias regionales. Respecto a la pronunciación del sur de
Portugal, véanse las transcripciones de GÖRAN HAMMARSTRÖM en su *Étude de phonétique auditive sur les parlers de l'Algarve*, Uppsala, 1953. El autor no se ha propuesto
en especial problemas de fricativas y oclusivas. Según sus transcripciones la mayor
parte de los sujetos pronuncian -*b*-, -*d*- y -*g*- oclusivas, p. ej., el sujeto 50, de Sagres,
pág. 56, que no pronuncia sino las tres oclusivas; otros sujetos alternan más o menos
la pronunciación oclusiva y la fricativa; véase esta alternancia, a veces en la misma
voz, en el sujeto 4, de Olhão, págs. 110-111. Una alternancia semejante, en las transcripciones de ROHNER, todas de Cachopo (Algarve) en las cuales aparecen bastantes
más fricativas, *BdF*, IX, 1948, págs. 254-274. Sería interesante un estudio riguroso
de las posibilidades fricativa y oclusiva de *b*, *d* y *g* en la Península y en el sur de
Francia. Sólo en el último momento leo el interesante artículo de BERTIL MALMBERG,
*Occlusion et spirance dans le système consonantique de l'espagnol (Mélanges... Mi-
chaëlsson*, Goteburgo, 1952, págs. 356-365). El autor parte de la idea de la absoluta
intercambiabilidad entre los dos matices oclusivo y fricativo de *b*, *d* y *g*. Creo que
es necesario matizar esa idea. Malmberg (y comp. NAVARRO TOMÁS, *Man. de pronunciación esp.*, §§ 81, 100 y 127) afirma que el énfasis afectivo puede hacer pasar a la
pronunciación oclusiva de las intervocálicas fricativas. Creemos que ello es exacto en
la pronunciación enfática lenta (en la cual, en realidad, lo que ocurre es que se pierde
la verdadera intervocalidad de las consonantes), pero que el énfasis afectivo rápido
puede aún aumentar la abertura de la fricación, sobre todo en contacto con vocales
abiertas, y más en el caso de *d* y *g* que en el de *b*.

[516] *Arcaísmos dialectales*, pág. 4, n. 3.

en la Plana de Castellón como en el sur de la provincia de Valencia y en toda la zona que habla valenciano en la provincia de Alicante... En algunas de estas comarcas, b es oclusiva en todos los casos, y en las otras, aun siendo generalmente oclusiva, comparece a veces como fricativa en la pronunciación rápida y relajada. En las Baleares he podido comprobar que... la b entre vocales es también oclusiva, aunque en la elocución poco acentuada aparezca a veces ƀ. En cambio, en los otros dialectos catalanes, que distinguen v de b, según los estudios publicados, aparece fricativa ƀ entre vocales» [517]. Creo de la mayor importancia esta correspondencia entre esparcidas zonas peninsulares, meridionales o periféricas, que juntan estos dos fenómenos: 1) distinguir b y v; 2) poseer sólo b oclusiva o por lo menos tender a la pronunciación oclusiva: así en el sur de Portugal, en zonas de Cáceres, en pueblos castellano-aragoneses de la provincia de Valencia, en el balear y en amplias zonas del valenciano. Las escrupulosas investigaciones de H. Kuen permiten agregar aquí el alguerés. En el catalán de Alguer se distingue también v y b, ésta siempre oclusiva. Las condiciones del alguerés, exportado en el siglo XIV, son, pues, las mismas que han supervivido en diversas zonas sumamente esparcidas, a través del sur de la Península, desde el sur de Portugal al valenciano, y las mismas del balear. Resultan, parece, evidentes dos cosas: 1) que donde v y b han coexistido en hablas iberorrománicas, se refrena casi siempre el paso de -b- a -ƀ-; 2) que esto ocurre siempre en hablas por lo menos relativamente meridionales; nunca en los núcleos primitivos de la Reconquista.

24. Si comparamos b-ƀ, d-đ y g-ǥ, tal como existen en el castellano, o, en general, en el norte de la Península, vemos que la procedencia más compleja ha sido la de b-ƀ, pues puede proceder del latín b, v o -p-. Ya hemos dicho que -b- y -v- se reunieron tempranamente en un solo sonido, bilabial en unos sitios de la Romania, y en otros, labiodental. Pero al producirse en la Romania occidental la sonorización de -p-, empezaron a coexistir en el sistema dos sonoras labiales, una, la más antigua, en la que habían confluído -b- y -v- latinas, y, otra, más reciente, -b- < -p-. La explicación que se dé a lo que ocurrió después depende esencialmente de la especial articulación (bilabial o labiodental) que atribuyamos en cada caso al sonido en que se habían confundido la -b- y la -v- latinas.

En francés parece no haber duda: la -b- y la -v- latinas debieron confluir en la labiodental fricativa -v-. Ahora, al producirse -b- < -p- y tender esa nueva sonora a la fricatización (lo mismo que sus hermanas -d- < -t- y -g- < -k-), iban a resultar tres labiales sonoras: b, -ƀ- y v. La convivencia

---

[517] *RFE*, XXIII, 1936, págs. 60-61.

de -ʋ- y -v- era muy difícil, y -ʋ- se ajustó a la labiodentalidad de -v-.
El proceso completo fué, pues, -p- > -b- > -v- [518]. El resultado es que en
francés hayan confluído en -v- lo mismo *avoir* < h a b e r e que *laver* < l a -
v a r e , que *rivière* < r i p a r i a . Creo que la intolerancia, ya total, ya
simplemente grande de -ʋ- coexistente con -v- es el punto esencial que hay
que tener en cuenta en cualquier zona del SO. románico donde haya v.

En la mayor parte de las zonas peninsulares o insulares del ámbito
peninsular donde pervive v (S. de Portugal, puntos de Cáceres, puntos del
aragonés de Valencia, amplias zonas del valenciano, Baleares y fuera del
ámbito, Alguer), se ha notado, como hemos visto, una fuerte tendencia hacia
una -b- meramente oclusiva. ¿Por qué? La primera contestación parece
ésta: porque la coexistencia de -ʋ- y -v- es difícilmente mantenible. El
francés y estas zonas de nuestra Península representarían dos soluciones
distintas para la incompatibilidad de -ʋ- y -v-: 1) en francés, con la igualación de ambos sonidos en -v-; 2) en las zonas peninsulares de v, refrenando
la producción de -ʋ- < -b- < -p-, es decir, tendiendo a mantener ese proceso en el grado oclusivo -b-.

25. Hay dos hechos, sin embargo, que pueden perturbar algo la sencillez de esta explicación que antecede.

De una parte, la existencia en algunos dialectos del dominio catalán
de la pronunciación v al lado de una -ʋ-. Si ello es así —aunque probablemente serían convenientes investigaciones más rigurosas—, quiere decir que
en estas zonas el dialecto ha podido soportar la incomodidad de dos sonidos próximos que en otras partes resulta intolerable [519].

Más importante nos parece lo siguiente. La tendencia a la pronunciación oclusiva en el S. de Portugal, no sólo afecta a -b- sino paralelamente
a -d- y -g-. Tenido esto en cuenta, podríamos matizar algo nuestro anterior
punto de vista y pensar que la resistencia a la fricatización ha sido lo primero y lo decisivo: la -v-, que no hubiera podido o difícilmente coexistir
junto a -ʋ-, ha podido, en cambio, convivir perfectamente con -b-. Es decir,
en portugués meridional han podido existir al mismo tiempo *haver* < h a -

---

[518] El proceso de đ y g, mucho más evolutivo, llegó a «cero» después de pasar por
đ y g.

[519] SANCHIS GUARNER, art. cit., págs. 60-61. Recuérdense sus palabras citadas, en
que, en ciertas zonas asegura una pronunciación generalmente oclusiva, pero que en
pronunciación «rápida y relajada se hace fricativa». Otro ilustre especialista, FRAN-
CISCO DE B. MOLL, preguntado por mí, me escribe: «En el valenciano meridional (provincia de Alicante, en general) tengo transcritas muchas *b* intervocálicas oclusivas,
cosa que representa una diferencia respecto al valenciano de la capital. En cuanto
al catalán del Principado, no me parece que discrepe sensiblemente del castellano.»

b e r c , *lavar* < l a v a r e , ambos pronunciados con -v-, y *saber* < s a -
p e r e , que muchos sujetos pronuncian con -b- oclusiva, o algunas veces
con pronunciaciones intermedias entre -b- y -ᵬ-.

26. Después de estas explicaciones la interpretación más sencilla de lo
que ocurrió en el N. de la Península (desde el gallego al catalán) parece la
siguiente: las *-b-* y *-v-* latinas habrían confluído en -ᵬ-, que la ortografía
medieval representaba con *-u-*. Al producirse la fricatización de la -ᵬ-
procedente de *-p-* latina, no hubo, pues, la menor dificultad: resultó una -ᵬ-
que fué a confundirse con la otra -ᵬ- (< *-v-* y *-b-*) ya existente. Cuando esto
ocurrió quedó sin duda mucho tiempo, por rutina ortográfica, *auer* < h a -
b e r e junto a *abeja* < a p i c ŭ l a , hasta que en castellano se estableció
la ortografía moderna (etimológica y antifonética) que distingue las procedencias *-v-* y *-b-*. Quedó así en Castilla *haber, lavar* y *abeja*, todas con pronunciación -ᵬ-; y lo mismo en la ortografía usual en gallego y con el mismo
valor fonético de -ᵬ-. En Cataluña, más apegada a la tradición ortográfica medieval, tenemos *haver, lavar* y *abella*, pero en los tres casos con el valor fonético -ᵬ-.

Esta es, hemos dicho, la explicación más sencilla; ¿se podría, acaso, imaginar que la *-b-* y la *-v-* latinas hubieran confluído en -v- en el N. de la Península y que fuera el proceso *-p-* > -b- > -ᵬ- lo que hubiera arrastrado a la
primitiva labiodental -v- hacia una pronunciación bilabial -ᵬ-? Difícilmente, porque la abundancia de la *-u-* ortográfica medieval (< *-b-* y *-v-*
latinas), frente a *-b-* < *-p-*, es muy grande; parece que lo más numeroso y
establecido desde mucho antes, debió de ser lo que predominara. No es imposible, sin embargo, imaginar que, aun en el N., la *-u-* ortográfica medieval
representara en unos sitios -ᵬ- y en otros -v-, y que fuera el proceso *-p-* > -b-
> -ᵬ- lo que determinara la homogeneización en -ᵬ- de todas las labiales
sonoras intervocálicas. Tanto más cuanto que esa homogeneización, en
el castellano, debió, si son ciertas nuestras hipótesis, producirse al verterse
la ya numerosísima -ᵬ- norteña sobre la -v- meridional.

En resumen: 1) allí donde sólo existía, o predominaba una -ᵬ- (< *-b-* o
-v-), también el resultado de *-p-* ha ido a confluir en -ᵬ-: así en todo el N. de
nuestra Península; 2) allí donde existía solamente, o donde predominaba,
una -v- (< *-b-* o *-v-*) ha podido ocurrir: o bien, como en nuestra Península
en zonas distintas del SO. y del E. (¡pero no del NE.!), la *-p-* se ha sonorizado en -b-, refrenándose el paso de esta oclusiva a fricativa; o bien, como
en francés, se ha llegado tempranamente al grado -v- confluyendo en -v-
todas las procedencias. En la diferencia entre estos dos caminos se refleja
bien la que existe entre el carácter más rápido y radical que tiene en francés el proceso de sonorización y fricatización (y, en el caso de *-t-* y *-k-*, di-

solución) de las sordas oclusivas latinas y la mayor lentitud de estas mismas tendencias en la Península.

LAS INTERIORES -*b*- Y -*u*-: RESUMEN

27. La ortografía medieval distinguió con rigurosa precisión (¡escasísimas transgresiones!) las dos procedencias -*b*- < -*p*- y -*u*- < -*b*-, -*v*-. No cabe duda que la -*b*-, resultado de la sonorización de -*p*-, fué, inicialmente y durante bastante tiempo, oclusiva; la -*u*-, resultado tanto de -*b*- como de -*v*- latinas fué siempre fricativa. Esa -*u*- ortográfica en el norte de la Península debió de tener un valor bilabial. Debió de ser también en el norte de la Península donde la -*b*- < -*p*- comenzaría a relajar su articulación oclusiva hasta convertirse en fricativa [520]. Al llegar a este punto, en el norte, todas las bilabiales sonoras interiores (salvo tras nasal) [521] serían ya, por tanto, fricativas, aunque la ortografía, por tradición, seguiría aún durante mucho tiempo distinguiendo -*b*- y -*u*-. Este proceso estaría ya bien iniciado a principios del siglo XIV en zonas norteñas (como prueba el ms. de Berceo, de San Millán) y casi generalizado en el norte y centro entre fines del siglo XIV y principios del XV (como prueban las rimas). Desde principios del siglo XV, y cada vez más abundantemente, las rimas comienzan a dar indicios de la fricatización de -*b*- y de la reunión de -*b*- y -*u*- en un solo sonido, evidentemente bilabial.

En el sur debió de existir primero al lado de la oclusiva -*b*- (< -*p*-) una fricativa -*u*- (< -*b*-, -*v*-), que aquí parece fué labiodental [522]. La diferente articulación, bilabial en un caso, labiodental en el otro, pudo permanecer aquí por haberse frenado la fricación de -*b*- (es lo que se deduce de los restos aún existentes).

En el norte la original bilabialidad de -*u*- facilitó el proceso de confusión de -*b*- y -*u*- en una sola bilabial fricativa; en el sur, en cambio, -**b**- podía convivir bien con -**v**-. Las zonas meridionales, que tenían estas características, debieron de sufrir bastantes mermas de territorio en el siglo XV. A principios del siglo XVI, aun en la misma Sevilla las clases populares probablemente confundían ya. Pero en Badajoz y en Sevilla tenemos testimonio de que la norma era aún la distinción de una -*b*- y una -*v*-, ésta probablemente labiodental.

---

[520] Véase más abajo, pág. 200.

[521] Posiblemente la fricatización se retrasó tras algunas otras consonantes, pero sería embarazoso querer plantear ahora este problema.

[522] El mejor testimonio de la existencia de -*v*- en el S. es la distribución periférica de los restos actuales de -**v**- en la Península. Véase más abajo, págs. 200-201.

B- Y V- INICIALES. ORTOGRAFÍA, ETIMOLOGÍA Y FONÉTICA

28. Los datos sobre las labiales sonoras interiores, y los resultados a que nos han conducido, nos permiten ahora plantear, con más precisión, el problema de *b-* y *v-* iniciales.

Sabido es que *b-* y *v-* iniciales se confundían muchas veces durante el Imperio; lo más frecuente es la grafía *b-* en vez de *v-*. Para unos, se trata de una confusión meramente gráfica (basada en la identificación de la *-b-* y la *-v-* intervocálicas). Para otros, *b-*, en vez de *v-*, se habría originado en ligazón sintáctica con una consonante anterior [523].

Ahora bien: el castellano moderno, el catalán (salvo las excepciones ya conocidas) y el gallego pronuncian con **b-** oclusiva toda *b-* o *v-* inicial absoluta; por su parte, en el vasco se produce el mismo hecho. ¿Tenemos, acaso, pruebas positivas para afirmar que esta situación en las lenguas románicas del norte de la Península no es antigua? Parecen estar en contra de tal antigüedad: 1) los testimonios, muy tardíos —siglo XVI—, de los gramáticos; 2) la distinción ortográfica entre *b-* y *v-* existente desde poco después de los orígenes. El estudio que en páginas anteriores hemos hecho de algunos textos medievales castellanos, leoneses y aragoneses, nos llevó a comprobar los resultados de Cuervo. Conviene repetir aquí nuestra conclusión: la distinción etimológica de las iniciales *b-* y *v-* era la norma; pero contra esa norma se registran innumerables transgresiones, en esos documentos latinos que dejan pasar rasgos de la lengua hablada (siglos X-XII) lo mismo que en los textos romances del siglo XII al XV.

¿Es, acaso, razonable pensar que durante la Edad Media esa ortografía etimológica, de las iniciales *b-* y *v-* fuera, al mismo tiempo, fonética? Tal es la opinión dominante en recientes estudios (basada en los testimonios de los gramáticos del siglo XVI, a partir de Nebrija). De esos testimonios tardíos hemos dicho ya algo y hablaremos después aún: adelantemos que cuando son favorables a la norma de los gramáticos latinos (distinción de *b* y *v*) nos merecen poquísimo crédito. (Aplicamos, aquí como siempre, nuestro principio general metodológico.)

Nos parece más razonable pensar que en el norte de la Península, las iniciales *b-* y *v-* tuvieran, las dos, una articulación bilabial. Las transgresiones contra la norma etimológica, tan constantes desde el siglo X en los escribas sin especial educación técnica, no tienen más que una explicación posible: *b-* y *v-* se articulaban lo mismo. Piénsese que el vasco no tiene *v*,

[523] PARODI, *Rom.*, XXVII, págs. 181 y sigs.; MEYER-LÜBKE, *ILR*, Madrid, 1926, págs. 251-252; E. RICHTER, *Beitr. z. Gesch. der Romanismen*, I, § 33, II y § 56, I.

que la pronunciación bilabial es hoy un inmenso manchón que ocupa todo
el suroeste de Francia y todo el norte de la Península, de mar a mar, inmenso manchón que —salvo algún milagro de inexplicable coalescencia— de-
nuncia la existencia de una antiquísima raíz común. Añadamos aún que
esos mismos testimonios gramaticales que se aducen en contra, lo único
que prueban es que cuando en el siglo XVI comienza la gramática, reconoce
inmediatamente que el norte no pronunciaba la labiodental.

29. Consideremos ahora la gran cantidad de grafías antietimológicas
(sobre todo b- en vez de v-; algunas veces también al contrario) que se han
perpetuado en el castellano moderno. Citemos algunas de estas voces (unas
con etimología conocida; otras, de etimología dudosa, pero en las que el
castellano muestra b- frente a la v- de voces relacionadas, en las lenguas
románicas que tienen labiodental [524]):

*Babazorro, bago, baguio, bajel, bajillo, baladre, balumba, baranda, bar-
becho, bárcena, bargueño, barniz, barrena, barrer, barro* (del rostro), *basca,
basquiña, basura, bejín, beldar, berbiquí, bermellón, bermejo, bernegal, berza,
berrear, berrenchín, berrinche, besana, besanz, betijo, betónica, bieldo, binza,
bochorno, boda, bodigo, bodollo, boga* ('moda'), *bogar, bojar, bolsor, bosar,
bóveda, buembre, buido, buitre, bulto.*

De estas voces, unas tienen documentación medieval conocida; otras,
no; un par de ellas son muy recientes. Hay algunas en que la b- en vez de v-
se ha producido, probablemente, no en el castellano, sino en una lengua
hispánica; para nuestra tesis es lo mismo. En muchas ha habido un largo
titubeo ortográfico. No cabe duda de que, en ellas, en un momento dado,
ha faltado la guía etimológica; tuvo que venir la filología moderna para
relacionar, por ejemplo, *bermejo*, con *vermiculus*. En cambio, en voces como
vía, valer, vida, etc., en que la etimología era evidente, la ortografía no solía
ser contradicha.

30. Creemos muy probable que en el norte de la Península lo mismo la
b- inicial que la v- inicial se pronunciaran bilabiales, pero con una distinción
semejante a la del español, el gallego o el catalán modernos: es decir, oclusivas en inicial absoluta, fricativas cuando, en ligazón sintáctica, la inicial
de palabra se convertía en una verdadera intervocálica; cuando, en ligazón
sintáctica, la inicial iba detrás de una consonante, también en la mayor parte de los casos, debía ser fricativa (pero no detrás de consonante nasal). Si
esta distribución, que imaginamos, entre el modo de articular fricativo y
oclusivo —que es la misma del castellano moderno— fuera exacta, se po-

---

[524] Esta lista ha salido de una rápida rebusca por las páginas del *DCEC.*

dría explicar muy bien por qué la ortografía medieval siguió la norma etimológica para las iniciales *b-* y *v-*: era imposible que el escriba comprendiera por qué *viña* y *bien* se pronunciaban unas veces con **b** y otras con **ɓ**, es decir, unas veces como *ribera*, *cabeza*, etc., y otras como *auer*, *cauallo*, etcétera. No se veía la norma fonética, y el escriba medieval, que tan clarividentemente reunía en *-u-* las procedencias etimológicas intervocálicas *-b-* y *-v-*, no tenía más remedio sino atenerse para las labiales sonoras iniciales a la distinción etimológica: única norma posible.

31. Contra la antigua opinión (de M. Pidal y otros) según la cual no se había articulado nunca labiodental en castellano, surgió la de A. Alonso, que hemos resumido en la pág. 159.

Nuestra opinión es intermedia: afirmamos el bilabialismo del norte peninsular, pero hacemos mucho hincapié en que el fenómeno de ningún modo puede considerarse meramente burgalés: se extendía de mar a mar y seguramente incluía ya parte del suroeste de Francia; creemos con Amado Alonso —pero por razones muy distintas que él— que en el sur de la Península existía *v* labiodental: Amado se basaba en los testimonios de los gramáticos del siglo XVI (tema de que vamos a tratar en seguida); nosotros inducimos la existencia de **v** labiodental, de los restos de *v* que ofrece hoy la Península, formando un arco con curva hacia el mediodía que va desde el centro de Portugal hasta el sur de Cataluña; arco de cuyas dovelas centrales sólo quedan pequeños restos (en Cáceres, Málaga, Granada, y en pueblos de lengua no valenciana castellanoaragoneses, de Valencia). Nos diferenciamos también en las apreciaciones cronológicas. Creemos que todo fué mucho más deprisa y que en el siglo XVI (salvo puntos muy aislados) la distinción de *v* y *b* era ya cosa de eruditos atiborrados de latines, o del arte poética de exquisitos aristócratas literarios.

32. Ya hemos dicho cómo tesis algo distintas a las nuestras (p. ej., tesis como que Burgos fué el primer foco de *b = v* en el siglo XVI, y que la bilabialidad casi se originó y pronto se generalizó en ese siglo) han surgido hace poco, principalmente a causa del estudio y crítica de textos gramaticales del siglo XVI. Hora es ya, pues, de que atendamos a esos testimonios gramaticales del siglo XVI. Pero es necesaria una advertencia previa: no se olvide que en el razonamiento *Los gramáticos solamente desde el siglo* XVI *denuncian las confusiones de* b *y* v, *luego dichas confusiones se originan en el siglo* XVI, hay un doble error: el razonamiento es falso de por sí; pero además no se tiene en cuenta que *esos gramáticos del siglo* XVI *son los primeros que escriben sobre la lengua castellana*; no podemos saber por testimonios de gramáticos, lo que ocurría en el siglo XV o XIV, sencillamente por que en esos siglos no había aún gramáticos de la lengua castellana (o si los hubo no nos han llegado sus doctrinas). Nace la gramática castellana a principios del siglo XVI. Abre los ojos y ve que hay confusiones de *b* y *v*. ¿Cómo es posible pensar que la confusión de *b* y *v* tuvo que nacer también precisamente en ese mismo momento en que la gramática castellana lanzaba su primera mirada a este mundo?

Es preciso, además, tener presente para juzgar bien esos testimonios gramaticales del siglo XVI, que las ideas fonéticas buscaban todavía sus moldes latinos. Amado Alonso ha visto muy bien cómo esto le ocurría a Nebrija: «El restaurador de los estudios clásicos en España, y fundador de la gramática castellana, puso toda su voluntad y talento en la reconstrucción de los sonidos latinos, griegos y hebreos clásicos; pero a la pronunciación viva de su lengua materna no atendió más que como auxiliar ilustrativo para las áulicas. De los sonidos castellanos unos son iguales a los latinos, otros, no. Como los coincidentes nos vinieron del latín, y del latín viene, en sustancia, nuestro idioma, Nebrija llama a los coincidentes «sonidos proprios» y a los otros «ajenos» o «prestados»... Si el sonido castellano era propio, Nebrija lo describía con palabras de sus autoridades latinas; si prestado, no era tema digno de estudio»[525]. Bien se ve, pues, que la posición de Nebrija era la del latinista que, con las ideas de la gramática latina, se asoma a la lengua nueva. No se olvide, al analizar sus afirmaciones sobre la *b* y la *v*. También hay que tener presente que las afirmaciones de Nebrija son repetidas muchas veces de un modo casi automático por los gramáticos del siglo XVI.

VALOR ATRIBUÍBLE A LOS TESTIMONIOS GRAMATICALES DEL SIGLO XVI

33. Recordemos todo esto y veamos qué noticias nos da Nebrija acerca de la *b* y la *v*[526]. Notemos primero que no sólo pensaba la gramática según modelos latinos, sino que tenía conceptos formados, cuajados, sobre fonemas (las «letras» según él decía). Por ejemplo, la *b* era para él un concepto fijo: producida en el modelo de la lengua latina, todas las demás lenguas tenían que ajustarse a él; no le cabía en la cabeza que podía haber una serie distinta de pronunciaciones *b* en distintos idiomas. No, la *b* (la *b* pensada por él de acuerdo con lo leído en Quintiliano) muchos pueblos la pronunciaban muy mal. Oigamos la candorosa afirmación de Nebrija:

---

[525] *De la pronunciación medieval a la moderna*, págs. 110-111.
[526] AMADO ALONSO recogió cuidadosamente los textos en su artículo *Examen de las noticias de Nebrija sobre antigua pronunciación española*, NRFH, III, 1949, páginas 63-68. (Citado en lo que sigue como *Examen.*)

«... resulta que los latinos pronuncian la *b* mucho mejor que los hebreos y los griegos...» [527].

Hay en Nebrija una descripción de *v*, pero, nótese bien, se trata de la *v* latina; y también esa descripción de la *v* latina claro está que le viene directamente de sus modelos librescos:

De las letras y pronunciaciones de la lengua latina...—La *f*, con la *v* consonante, puestos los dientes de arriba sobre el beço de baxo, i soplando por las helgaduras de ellos: la *f* más defuera, la *v* más adentro un poco [528].

Esa definición de la *v* latina la repite, con ligeras variaciones, en varios de sus tratados: no hace sino traducir lo que dice Quintiliano, a quien cita. Esperaríamos algo así, pero visto directamente en la realidad, para hablar de nuestras *v* y *b* castellanas: falta totalmente. Siempre que habla de la *v*, su mente va en seguida a sumergirse en el mundo de los conceptos leídos:

La *u*... tiene dos oficios: uno proprio, cuando suena por sí como vocal, assi como en las primeras letras destas diciones *uno, uso*; otro prestado, cuando hiere la vocal, la cual pronunciación suena en las primeras letras destas diciones *valle, vengo*. Los gramáticos antiguos en lugar della ponían el digama eólico que tiene semejança de nuestra *f*, i aun en el son no está mucho lexos della; mas después que la *f* sucedió en lugar de *ph* griega, tomaron prestada la *u*, i usaron della en lugar del digama eólico [529].

Acaba de citar *valle, vengo*. Pero inmediatamente dice: «Los gramáticos antiguos en lugar della ponían el digama». Ahí «della» claro está que ya no

---

[527] *Examen*, págs. 64-65 y notas 171 y 174. Sobre el valor que Nebrija atribuía ahí a «griegos», véase la nota de LAPESA, en *De la pronunciación medieval a la moderna*, pág. 56, nota 45. Hay que tener en cuenta que la β en griego antiguo comenzó pronto a hacerse fricativa (ya al principio de la era cristiana), y llegó a adquirir la articulación labiodental que tiene en el griego moderno; esta articulación era la que usaban los helenistas del Renacimiento y Erasmo censuró.

[528] Véanse los dos tomos (facsímil y transcripción) de la excelente edición de GALINDO ROMEO y ORTIZ MUÑOZ, Madrid, 1946: *Gram. Cast.*, I, 4. Véanse definiciones parecidas, todas relativas a la *v* latina en *Examen*, notas 164, 173, 174. Cuántas definiciones copiadas de los modelos, para la *v* latina; ninguna, en cambio, de la española, de cuyos matices, oídos en la vida diaria, nos podría haber informado ricamente.

[529] *Gram. Cast.* I, 5; comp. *Examen*, pág. 66.

se puede referir a la *v* castellana sino a la latina, o al modelo general de *v* que Nebrija tenía en la cabeza. Su mente ha resbalado mientras hablaba: ha comenzado en voces españolas: pero se ha deslizado inmediatamente a sus conceptos adquiridos. Al final de ese párrafo ¿se acuerda para algo del castellano? Resulta que nada de este párrafo puede valer para la articulación de la *v* castellana.

34. Hay sólo dos pasajes en Nebrija que traten de la *v* en castellano, uno en el que dice: «La *u* tiene dos fuerças, una de vocal i otra de 'vau'»[530]. ¿Y qué dice ahí de la *v* castellana? Pues sencillamente le achaca lo que Prisciano (a quien traduce) afirma de la *v* latina con valor de consonante[531]. En esas condiciones, el valor de 'vau' de la *v*, ¿hemos de atribuirlo a la *v* castellana observada directamente, o a la *v* castellana adaptada al modelo —digamos legal— de la *v* latina? Pues es el único pasaje del que, si se pudiera resolver esa duda, se deduciría una articulación labiodental de la *v* castellana. Porque en el otro pasaje no hay definición ninguna de la *v*. Protesta en él contra lo que se hace «contra toda razón de orthographía i letras, escreviendo una cosa i pronunciando otra», lo cual «por la mayor parte acontece a causa del parentesco i vezindad que tienen unas letras con otras, como entre la *b* i la *v* consonante, en tanto grado que algunos de los nuestros apenas las pueden distinguir, assí en la escriptura como en la pronunciación, siendo entre ellas tanta differencia quanta puede ser entre cualesquier dos letras»[532]. No nos dice, pues, sino que hay diferencia; no en qué consista la diferencia. Tampoco es seguro a qué *b* se refería Nebrija: ¿a toda *b* castellana? ¿O a la interior procedente de *p*?

Trasegando conceptos entre lo que Nebrija dice de la pronunciación latina, de la griega, de la hebrea, y lo que no dice de la castellana, y estableciendo o quizá forzando entre todos esos valores una serie de ecuaciones (no muy precisas) llega uno a pensar que sí, que Nebrija creía labiodental

---

[530] *Gram. Cast.* I, 6; comp. *Examen*, pág. 63.

[531] La única diferencia consiste en que Prisciano establece la igualdad entre 1°) la *v* consonante; 2°) el digamma; 3°) el «vau». Nebrija lo hace también así hablando de la *v* latina otras veces. Pero en este pasaje en que habla de la *v* castellana, ha omitido la mención del digamma. He aquí el pasaje de Prisciano: «*V* vero loco consonantis posita eamdem prorsus in omnibus vim habuit apud Latinos, quam apud Aeolis digamma, unde a plerisque ei nomen hoc datur, quod apud Aeolis habuit olim F digamma, id est 'vau' ab ipsius voce profectum teste Varrone et Didymo, qui id ei nomen esse ostendunt» (NEBRIJA, *Gram. Cast.*, ed. GALINDO ROMEO y ORTIZ MUÑOZ, Ed. crítica, pág. 238, nota 3).

[532] *Ortographía*, III, en A. ALONSO, *Examen*, *NRFH*, III, 1949, pág. 66, y *Pronunciación*, Madrid, 1955, pág. 26.

la *v* castellana, como describían los gramáticos la latina. Esa labor de ajuste
e interpretación de las diferentes piezas la hizo con gran talento y cuidado
—y con la completa probidad científica con que en todo procedía— Amado
Alonso. Pero al final de su labor tuvo, honradamente, que exclamar: «No
está absolutamente claro...»[533]. No, no está claro.

Y, sin embargo, estamos muy lejos de querer excluir la posibilidad de
que Nebrija pronunciara, de modo o espontáneo o aprendido, una *v* labiodental; ya veremos que su naturaleza andaluza lo hace no improbable. Pero
tampoco podemos excluir la posibilidad de que si se observaba en voces
como *lavar*, *civil*, etc., interpretara como la *v* labiodental de sus conocimientos latinos, lo que en realidad eran fricativas bilabiales o bilabio-labio-
dentales. Si de la articulación labiodental pasamos a la bilabio-labiodental
y de aquí a la bilabial, las diferencias fisiológicas son, en cada paso, míni-
mas. El que observa su propia articulación, puede, sobre todo llevado por
un concepto preestablecido, forzarla ligerísimamente: eso basta[534]. Nebrija
tenía en su mente la idea de la labiodental; le faltaba, en cambio, un concepto de «fricativa bilabial»; no es imposible, pues, que pronunciara ésta
(o una articulación próxima) y la interpretara como aquélla.

35. Es curioso que en las últimas exposiciones de estos temas nadie se
haya planteado la pregunta —aunque varias veces pareció que iba a aso-
mar a la pluma de Amado Alonso— de dónde estaba entonces —a principios del siglo XVI—, o cómo nadie la veía, la ƀ (bilabial y fricativa), que no
cabe duda pronunciaban, en determinadas posiciones, miles y miles de españoles en esa época. Creemos que la contestación razonable pudiera ser la
que ya hemos avanzado en lo que acabamos de decir sobre Nebrija, porque
los gramáticos, aunque muchos de ellos pronunciaban la bilabial fricativa,
tenían en su mente el concepto de la *v* labiodental, heredado de los gramáticos latinos.

Es muy posible que eso fuera lo que le pasaba al toledano Alejo Venegas, nacido en los últimos años del siglo XV[535]. Naturalmente que él en su

---

[533] *Pronunciación*, pág. 50. En ese libro, págs. 23-71, hizo AMADO ALONSO un
riquísimo acopio de noticias de gramáticos del Siglo de Oro sobre la *b* y la *v*. Muerto
nuestro gran lingüista, Rafael Lapesa cuidó con su conocida pulcritud (y con ejemplar desinterés) la publicación del libro. A él se deben algunas adiciones y matiza-
ciones importantes, que siempre van escrupulosamente señaladas.

[534] Bastantes españoles, especialmente andaluces, articulan, a veces, una fricativa (floja) bilabio-labiodental: influyen también en ello hábitos personales, configura-
ción de la mandíbula, posición de los dientes, etc. Véase *Vocales andaluzas*, *NRFH*,
IV, 1949.

[535] Debió de nacer en 1498 ó 1499. J. M. CABEZALÍ, *Tránsito de la muerte del maestro Alejo Venegas*, en *RBD*, III, 1949, pág. 294.

tratado (1531) sigue, como todos los demás, a Nebrija, y define la *v* como labiodental. Ahora bien: la confusión en Toledo de -*b*- y -*u*- está acreditada desde el siglo xv en las rimas de Cota, y en la primera mitad del xvi en las de Horozco. Tenido esto en cuenta, creemos probable que Venegas lo que define sea en realidad una fricativa bilabial, cuando nos dice que en la *v*, a diferencia de la *f*, el huelgo «como queda un poquito de más lugar en la juntura que no en la *f*, suena más blando que el espíritu de la *f*». Claro que hay que tener en cuenta la oposición sorda-sonora, de la que estos gramáticos no poseían la menor idea. Aun así, Venegas observa para la *f* un punto de articulación bien definido («el [labio] inferior va con los dientes de arriba», «por el lomo de arriba»). Para la *v* da evidentemente un punto de articulación muy diferente («[el labio] júntase por lo convexo de la pared que desciende»). Entre una *v* pronunciada en estas condiciones y una ƀ la diferencia de posición de los labios es mínima. Más aún: de las palabras de Venegas resulta que la articulación de esta *v* era «bastante abierta». Estamos en los aledaños de la ƀ, en una zona dudosísima entre **v** y ƀ. Sin negar la posibilidad de un matiz bilabio-labiodental, es muy probable que Venegas pronunciara una ƀ, y que, atento a Nebrija y los modelos latinos, la interpretara como **v** [536].

36. Amado Alonso comprendió muy bien que ya Villalón (1558) define claramente una ƀ al decir cómo se articula la *v*: «La *B* se pronuncia al

---

[536] Existe un testimonio muy anterior a todos los mencionados, es el de don Enrique de Villena, en su *Arte de Trovar* (1433), tratado sobre la gaya ciencia, del que sólo poseemos unos extractos hechos en el siglo xvi. En ellos, a vueltas de algunos errores, hay observaciones del mayor interés. Por desgracia, el pasaje que nos interesa resulta poco claro, y por eso supongo que dejaría de mencionarlo nuestro gran filólogo Amado Alonso. Dice así en la edición de SÁNCHEZ CANTÓN, hecha con todo el rigor apetecible (*RFE*, VI, 1919, pág. 171): «Los beços con clausura e aperiçion forman la *b*, *f*, *m* e la *p* e la *q*. e la *v* aguzando con alguna poca abertura, e ayudándose de la respiración». Es evidente: 1.° Que distingue *b* (oclusiva, piensa, interpretamos, en *b* inicial) de *v* (fricativa). 2.°) Que por ninguna parte menciona para la *v* intervención de los dientes (sólo habla de los *beços*, los labios). 3.°) Pero que todo se enmaraña por situar la *f* al lado de la *b*, con lo que se diría definir absurdamente la *f* como oclusiva y no mencionar tampoco para ella la intervención de los dientes. Lo que ocurre es que Villena no tiene el concepto de la oposición *oclusión-fricación*, que nosotros tenemos, sino el de una mayor *cerrazón* o una mayor *abertura*. En el concepto de cerrazón mayor, amontona oclusivas (*b*, *m*, *p*, *q*) y una fricativa de fricación estrecha (*f*); frente a este grupo, y como articulación de algo mayor abertura, coloca la *v*. Esta *v*, así definida exactamente, lo mismo la podemos imaginar como verdadera labiodental que como una fricativa bilabial. Vemos, pues, que, justamente un siglo antes de Venegas, Villena distingue también la *v* por su abertura mayor que la de la *f*.

abrir de la boca teniéndola antes çerrada y llena de viento. Y la *V*... teniendo la boca abierta, los labios redondos, echando el ayre de la garganta afuera amorosamente y sin passión» [536 bis]. Pero el mismo Villalón —que alza una justa bandera de rebeldía contra Nebrija y contra la traslación, sin más, de los conceptos de gramática latina a lo castellano— a pesar de eso, aplica de mala manera las dos realidades por él observadas (ɓ oclusiva y ƀ fricativa) a dos conceptos heredados *b* y *v*. Era necesaria una gran capacidad de observación y análisis para que se llegara a romper esa doble vinculación. Villalón llegó a ver que hay una bilabial oclusiva y otra fricativa; pero atribuye la primera a la ortografía *b*; y la segunda, a la grafía *v*; era difícil llegar a comprender que lo mismo *b* que *v* podían articularse ya oclusivas, ya fricativas.

Si ahora se compara la definición de Villalón con la de Venegas, se ve que ambas son hitos de un mismo camino hacia la luz: es la flojedad de la articulación fricativa bilabial (a la que Venegas considera aún labiodental) lo unitivo de ambas definiciones.

Recordemos sólo a Torquemada. Este leonés nos da un ejemplo claro de la contradicción, que en otros sospechamos, entre práctica y concepto heredado: él confiesa que no distingue *b* y *v*, pero a renglón seguido define la primera como bilabial y la segunda como labiodental. Pero, si él no distinguía ¿en qué (que no fuera tradición gramatical) podía basar su distinción? Otros muchos, imaginamos, no confesaron que confundían o no llegaron a comprender que confundían, al repetir la lección aprendida en Nebrija y sus modelos.

Nebrija hizo un favor y un disfavor a los estudios de nuestra lengua. Como decía Villalón, Antonio de Nebrija «traduxo a la lengua Castellana el arte que hizo de la lengua latina. Y por tratar allí muchas cosas muy impertinentes dexa de ser arte para lengua castellana...» [537]. Pero no seamos injustos con Nebrija. Quizá tenía forzosamente que ser así. El mismo Villalón que —en oposición a Nebrija— afirma «pretendemos dar arte para el puro castellano, muy desasido del latín», aún él deberá excusarse de tener que echar mano de algunos conceptos de la gramática latina [538]. Ninguna lengua moderna europea —y menos románica— podría haberse comenzado a estudiar sin esos andadores.

[536 bis] VIÑAZA, *Biblioteca*, col. IIII; comp. *Pronunciación*, págs. 50-51.
[537] VIÑAZA, *obra cit.*, col. 482.
[538] *Ibid.*, col. 484.

Diferencias entre el Norte y el Sur

37. La confusión ortográfica de las iniciales *b-* y *v-*, está acreditada en todo el norte peninsular en toda la Edad Media (frente a una tradición, no interrumpida nunca, que distingue ambas etimologías); y fué llevada, con la expansión, hacia el sur, llevada pronto, como lo acreditan numerosos documentos y textos literarios: hasta Madrid ya a principios del siglo XIII (si el escriba del *Fuero* era madrileño). No hay más que una explicación posible, de tantos errores ortográficos: *b-* y *v-* sonaban lo mismo, las dos eran bilabiales, y debían de articularse, ya oclusivas, ya fricativas, en condiciones parecidas a las de hoy. En relación con este hecho hay que interpretar el destino de las interiores *-b-* y *-u-*, la primera oclusiva y fricativa la segunda; pero llega un momento en que la interior *-b-* se fricatiza, con lo que se produce la generalización de una sola bilabial fricativa, sin más excepción que la inicial absoluta que persiste con articulación oclusiva. Esta regularización debe de venir del norte: a principios del siglo XIV encontramos numerosos indicios de ella en un manuscrito de San Millán; luego las rimas nos permiten seguir su difusión y crecimiento a lo largo del siglo XV, en cuya segunda mitad rebasaba ya, por lo menos, la línea Cuenca, Guadalajara, Toledo, y aún tenía algún avance sobre Andalucía (Jaén). En la primera mitad del siglo XVI, toda la extensión del castellano debía de estar invadida, salvo núcleos de resistencia, probablemente de carácter mixto, a la par local y social o cultural (Sevilla, Badajoz, las universidades de Salamanca y Alcalá). A la luz de estos hechos, y de su interpretación inmediata, expuestos a lo largo del presente trabajo, es a la que hay que ver los testimonios de los gramáticos del siglo XVI. Digamos de antemano que esos testimonios corroboran, todos, la existencia de la confusión igualatoria de *b* y *v*: castellanos y leoneses confiesan tenerla, un portugués del sur afirma que la tienen los portugueses del norte y los gallegos; el mismo sevillano Nebrija reconoce que algunos hispanos confunden. Estos testimonios (en su conjunto y antes de acercarnos al pormenor de varios de ellos) confirman lo mismo los hechos de la realidad que nuestra interpretación.

Es indudable, sin embargo —creemos—, que el sur tuvo el sonido labiodental *v*. Pero la razón principal que tenemos para pensar así de ningún modo puede ser las afirmaciones de algunos dómines del siglo XVI, con la cabeza «conformada» por el molde de los modelos latinos. No; hay otra razón mucho más poderosa: no es otra sino la repartición que tienen hoy, como ya vimos, los restos de *v* en la Península: todo el sur de Portugal, puntos de Cáceres, algunos puntos en Andalucía (Málaga, etc., con abundancia en Granada), puntos de habla no valenciana de Valencia; el valenciano (Alicante, Valencia, Castellón), salvo la faja central de *apitxat;* en Cataluña, el campo de Tarragona, y, fuera, las Baleares y Alguer. Esa repartición es meridional y periférica, son como los puntos que han quedado de un gran semicírculo, con su convexidad hacia el sur; son restos más o menos continuos que nos permiten reconstruir una gran faja costera de todo el sur peninsular desde la mitad de Portugal a la costa andaluza y de aquí a la levantina hasta Tarragona. Esa faja debía de ser muy ancha, tanto que en su desarrollo podemos imaginar que llenaría toda la mitad sur de la Península. Es inútil querer precisar más, pero repito el dato de las confusiones del *Fuero de Madrid* (s. XIII).

El bilabialismo norteño nos lo podemos imaginar como una fuerte barra tendida desde la costa norte catalana hasta el Atlántico gallego y portugués, y con un gran ensanchamiento al norte de los Pirineos por tierra francesa. Esta gran barra norte de bilabialidad (dentro de la cual no se excluye la posible existencia de algunos focos de labiodentalidad) se tuvo que ir extendiendo hacia el sur con la conquista y la repoblación. No podemos saber con qué velocidad; probablemente con velocidades distintas en distintos reinos o zonas.

38. Intentemos imaginar el estado de la confusión entre 1450 y 1550. Todo el norte de la Península con Castilla la Nueva desconocía la articulación labiodental. Al toledano Venegas le hemos visto queriendo definir la labiodental, pero con pormenores que nos hacen sospechar que lo que él pronunciaba debía ser una bilabial fricativa; por otra parte hemos encontrado toledanos nacidos más de medio siglo antes, que confundían. ¿Vamos a excluir, por eso, de Toledo, la pronunciación labiodental? No, si atendemos a que el lenguaje es en cualquier momento un conjunto de estratos.

Piénsese en la situación actual del yeísmo en una población como Madrid. Una gran mayoría de sus habitantes, digamos, a bulto, un 80 por 100 o más, son yeístas. Pero no cabe duda de que hay una minoría que pronuncia la palatal lateral, unos por su procedencia geográfica, otros por educación (escuela, ambiente familiar, etc.) y no deja de haber quien (como el buen leonés Torquemada respecto a *b* y *v*) peque de vez en cuando, yeísta en el habla familiar y distinguidor de ḻ y y en el habla académica.

Así nos imaginamos ahora las condiciones en buena parte del centro y del mediodía peninsular: mezcladas. Muchas gentes que pronunciarían ya sólo las bilabiales **b** y **ƀ**; muchas otras que por naturales de las zonas más intensamente conservadoras del labiodentalismo pronunciarían aún **v** según la etimología. Mi interpretación es muy próxima a la de Lapesa al comentar las afirmaciones (1578) de Juan López de Velasco: «Corrobora Velasco lo muy extendida que estaba la confusión... «generalmente por todo el reino» aunque en especial entre burgaleses y demás castellanos. Por «todo el reino» habremos de entender 'con arraigo en todo o en casi todo el norte y con creciente expansión en el resto'. Tan asentada estaba la confusión que «a muchos les parece impossible» distinguir en la pronunciación las dos consonantes» [538*].

LA LABIODENTAL DE LOS DÓMINES Y DE LA PEDANTERÍA

39. Pero no creo que cambios decisivos pudieran ocurrir en el siglo XVI. Los mayores tuvieron que ocurrir mucho antes: desde fines del siglo XI por el centro de la Península, la mitad norte se empieza a precipitar sobre el sur. Todo debe acelerarse, principalmente en el sur, en el siglo XIII cuando se conquista Andalucía central y occidental, pero Granada no cae hasta fines del siglo XV. Son evidentemente épocas de mezcla y movimiento; en ellas se produce la gran mixtura (costumbre idiomática de los reconquistadores y repobladores —procedentes de muchos sitios—, sobre la costumbre idiomática de los restos mozárabes no totalmente arabizados). No hay ningún fenómeno histórico de la primera mitad del siglo XVI que pueda precipitar entonces una gran mutación.

Lo que se muda en el siglo XVI no es fundamentalmente el hecho fonético de abandonar la articulación labiodental de *v*. Lo que se muda rápidamente es una conciencia idiomática. La conciencia idiomática aparece en Nebrija: y en él la idea de la articulación labiodental de *v* está sólidamente sustentada: 1.°) por los modelos latinos en que estaba sumergido, 2.°) por el hecho real de que —coincidiendo por casualidad con lo que preceptuaban los modelos— así pronunciaban bastantes o muchos andaluces, y probablemente el mismo Nebrija. Pero la realidad se impone pronto: y por todas partes, y aun en la misma Sevilla [539] —a pesar de los modelos y del prejuicio etimológico— empiezan a surgir los testimonios de no pronunciarse la labiodental. El contraste entre prejuicio y realidad se ve evidente en esa espléndida colección de disparates que hay en casi todos los testimonios de gramáticos del siglo XVI que hablan de *b* y *v*: los desatinos están casi siempre en la doctrina, o en algún pormenor de ella y en los ejemplos elegidos. Hay algo que no funciona bien: y es por el desacuerdo entre lo que «debía ser» (doctrina gramatical y etimología) y la realidad de la pronunciación. No podemos conceder mucha autoridad a las descripciones de **v** labiodental en el siglo XVI: son, inicialmente, adaptación del latín, no hay ni un solo gramático que acierte a ver del todo diáfano, y sus errores son evidentísimos. La

---

[538*] *Pronunciación*, pág. 34.
[539] Véase más arriba, págs. 178 y ss.

defínición y defensa de la *v* labiodental no se hace en el siglo XVI porque se
articulara tal labiodental (excepto algunas zonas periféricas peninsulares,
las que perduran aún hoy, y otras andaluzas de las que sólo quedan indicios); se hace por la idea de que esa articulación es la legítima de esa «letra». Amado Alonso cita la lista de «distinguidores» que empieza con Nebrija (1517) y que hace terminar en Gonzalo Correas (1626). Pero ¿por qué
parar ahí? Los que creen que se debe distinguir *b* y *v* son una lista enorme
que llega hasta el siglo XX. Léase lo que se decía todavía bien entrado el
siglo XIX en la *Ortografía* de la Real Academia Española:

> «El confundir el sonido de la *b* y de la *v*, como sucede comúnmente,
> es más negligencia o ignorancia de los maestros y preceptores y culpa
> de la mala costumbre adquirida en los vicios y resabios de la educación
> doméstica y de las primeras escuelas, que naturaleza de sus voces...;
> ... la diferencia en la pronunciación... consiste en que para la *b* se han
> de juntar los labios por la parte exterior de la boca; y para la *v* los dien-
> tes altos con el labio inferior» [540].

Como se ve, todavía se está en lo mismo que Nebrija: distinción (etimológica), creencia —absoluta— en lo que es pronunciar «bien» la *b* y la *v* (la
«naturaleza de sus voces»); y ni idea de la bilabial fricativa. La lista de distinguidores por concepto heredado, incluye a la mayor parte de los tratadistas españoles del siglo XIX. Tómese la *Gramática* de Salvá: al hablar de
la *v*, protesta de la confusión: «Será bueno —nos dice— acostumbrarse a
emitir en todas las voces escritas con *v* el verdadero sonido de esta letra».
Otra vez, el concepto de lo que es el «verdadero sonido». Y pasa a definirla
como labiodental. «La *b* —continúa— no requiere ninguna de estas pos-
turas de la boca, pues basta para pronunciarla, juntar los labios y soltar
el aliento al despegarlos.» (Y aún ni idea de la bilabial fricativa.) Ponemos
a Salvá como ejemplo, pero podríamos citar docenas: es la doctrina general
en Gramáticas del siglo XIX y no pocas del XX. Salvá está aproximadamente
en la misma posición que Nebrija: sabe que muchos de los nuestros confunden, pero cree que el «verdadero sonido de esta letra» es el labiodental.

Sólo los grandes avances de la fonética positiva han logrado que la Real
Academia abandone —en el siglo XX— su defensa de la *v* labiodental; pero,
¿quién parará o cuándo se pararán las ondas del labiodentalismo doctrinal
que aún se propagan por el mundo? Oímos todos los días pronunciar *v* a los
locutores de la radio, a ciertos actores, a muchos recitadores de poemas [541],

---

[540]   9.ª edic., Madrid, 1826, págs. 51-52.
[541]   Amigos muy queridos del autor de estas líneas pasan, automáticamente, a ar

a los que graban discos, son legión los maestros que no harán un dictado sin pronunciar espléndidas labiodentales, hemos conocido bastantes españoles dedicados a la enseñanza de su lengua en el extranjero que nos atormentaban con su viða y vigór, y que formaron muy mala idea de nuestra cultura al ver que nosotros no pronunciábamos así...

No hay razón ninguna para ello y es grave error metódico creer que la lista de los «distinguidores» empieza en 1517 y termina en 1626. No: continúa por los siglos XVII-XX, y en 1959 no se ha cerrado aún. Es grave error metódico, porque hay que reverter el presente sobre el pasado. Si vemos que la Real Academia y Salvá, en época moderna, ignoran la realidad idiomática y continúan aferrados al concepto heredado de una *v* labiodental ¿por qué razón no hemos de pensar que es lo más probable que a los gramáticos de la primera mitad del siglo XVI les ocurriera lo mismo? Es mucho más natural, aún, que eso les pasara a Nebrija y sus sucesores e imitadores, que, embebidos en las ideas heredadas, trataban de amoldar la lengua nueva a los moldes viejos.

HABLA DE NEGROS EN DIEGO SÁNCHEZ DE BADAJOZ

40.   Un problema de tipo especial en el que se acumulan el caso inicial y el intervocálico nos ofrece Diego Sánchez de Badajoz, natural casi seguramente de Talavera la Real, cerca de Badajoz, sobre el Guadiana [542], muerto, lo más tarde, en 1552 [543]. En varias de las farsas de su póstuma *Recopilación en metro*, figura un negro. Y es evidente que uno de los rasgos que el autor quiere dar al lenguaje del negro es el de usar *b* en vez de *v*:

> Ay, Sesús, Birsen María...
> Sante Prito que me bal...
> diabro te an de yebar,
> ay, magre, ya ban camino... [544]

La conclusión inmediata parece ésta: el señalar con *b* en el habla del negro voces que tienen *v* etimológica en castellano, carecería de sentido si el pú-

---

ticular como labiodental la *v* etimológica en cuanto se ponen a recitar un poema; lo olvidan, inmediatamente, en cuanto vuelven a la conversación.

[542]   Comp. *Recopilación en metro*, Sevilla, 1554, fol. 66. Talavera, como Badajoz, está sobre el Guadiana. Comp. recuerdos de pesquerías del río, en *Recopilación*, folio 150.

[543]   De abril es la licencia de su póstuma *Recopilación*. Esto hace casi seguro que moriría en 1551 ó antes.

[544]   *Recopilación en metro*, Sevilla, 1554, fol. 136 v.°

blico también articulaba como bilabial la *v*. Según esto, en Badajoz habría una articulación labiodental de *v* en la primera mitad del siglo XVI. Esto no nos extrañaría nada: la inmediatez a zona portuguesa con *v* labiodental, los restos de *v* que aún hoy viven en algunos pueblos de Cáceres, y las múltiples relaciones con Sevilla [545], hacen, de consuno, sumamente verosímil que en Badajoz hubiera labiodental. Debemos, sin embargo, señalar algunas dudas por las que resulta menos seguro el testimonio de la *Recopilación en metro*.

Los rasgos del habla negra en Diego Sánchez son parecidos a los del lenguaje de negros de Gil Vicente (entre ellos *b* = *v* [546]). Se ha notado un probable gilvicentismo en Diego Sánchez de Badajoz. No sabemos qué ediciones sueltas (anteriores a la de *Obras* de 1562) pudieron tener la *Nau de Amores*, la *Frágoa d'Amor*, el *Clérigo da Beira* y la *Floresta de Enganos*, que son las obras de Gil Vicente que en este caso interesan. Lo cierto es que pronto cuaja un lenguaje teatral de negro. La grafía *b* en vez de *v* caracteriza también tanto a la negra del *Auto das Regateiras* de Antonio Ribeiro Chiado como al negro del *Auto* de Vicente Anes Joeira. El de Ribeiro, según doña Carolina Michaëlis, fué impreso antes de 1560 y más probablemente hacia 1545 [547]; en cuanto al segundo, lo considera anterior a 1550 [548]. He aquí cómo no es imposible que por estas o por otras impresiones de autos portugueses (hoy desconocidas) pudiera saber Diego Sánchez de Badajoz cuál era la caracterización acostumbrada del hablar negro teatral. Insistimos en que estas hablas teatrales se fijan y convierten en repetición rutinaria muy pronto. Por otra parte, no es posible desconocer que en las obras de Diego Sánchez hay bastantes indicios de que el autor tenía un especial interés por el habla humana [549].

---

[545] V. ALONSO ZAMORA VICENTE, *El habla de Mérida y sus cercanías*. Madrid, 1944, págs. 10 y 51.

[546] Aunque no registren ni éste ni muchos de los rasgos del lenguaje de negros vicentino las muy superficiales líneas que dedicó doña Carolina al tema (*Notas Vicentinas*, IV, Coimbra, 1922, págs. 407-408). Tampoco se reseña este rasgo en *The Phonology of the Speech of the Negroes in Early Spanish Drama*, por EDMUND DE CHASCA, *Hisp. Rev.*, XIV, 1946, págs. 322-339, donde se estudian con precisión otras características de estas hablas.

[547] *Autos portugueses de Gil Vicente y de la escuela vicentina*. Madrid, 1922, página 43.

[548] *Ibid.*, pág. 123.

[549] Además de la mezcolanza de lenguas, que no es rasgo peculiar suyo, sino del teatro de la primera mitad del siglo XVI, hay en Diego Sánchez de Badajoz, otros rasgos de su especial interés por el idioma. No creo que se haya señalado el largo pasaje sobre la lengua humana que empieza en el último verso del fol. 114 v° y continúa en el 115 r° y v° («Y nuestra lengua preciosa/que dió Dios para habrar», etc.).

Otra duda nos sugiere el hecho de que en los propios versos de Diego Sánchez no sean raras las rimas de -*b*- con -*u*-: *rabo-esclauo* (fol. 48 *b*), *ochauo-cabo* (67 *d*), *aue-cabe* (147 *c*), *biua-riba* (151 *a*).

El testimonio que resulta del habla de negros de Diego Sánchez de Badajoz habrá, pues, de aceptarse sólo provisionalmente.

UNA *b* FRICATIVA TARDÍA

41. La fricatización de -ƀ- < -*p*- debió de ocurrir también en gallego y catalán en época medieval tardía. Cuando esa fricatización se produjo, quedó en el norte de la Península un sistema de labiales sonoras de gran sencillez: todas bilabiales; oclusivas, en inicial absoluta y tras nasal; fricativas en posición intervocálica.

Recientemente ha habido una discusión sobre la pronunciación de las labiales sonoras, entre los judíos españoles de los Balcanes. Wagner había notado siempre -ƀ- (para las procedencias latinas -*b*-, -*v*- y -*p*-); ƀ- (para la procedencia *v*- latina); y b- (para la procedencia *b*- latina). Parece ahora que ésta es, sí, la pronunciación predominante en los dialectos orientales. En los occidentales, en cambio, hay -v- (para las procedencias -*b*-, -*v*- y -*p*-) y también v- (para la procedencia *v*-) frente a b- (para la procedencia *b*-) [550].

En estos datos —si esas transcripciones son fieles— hay algo que está en neta contradicción con todo lo que sabemos de las condiciones hispánicas de alternancia entre oclusivas y fricativas. En esas distintas transcripciones de textos sefardíes la inicial *b*- es siempre oclusiva (aunque vaya en posición de intervocalidad sintáctica), y en cambio, la *v*- etimológica es siempre fricativa (en unas transcripciones v- labiodental; en otras, ƀ- bilabial). Ahora bien: las condiciones hispánicas generales son en castellano, catalán, portugués, vasco y (como representante del SO. francés) gascón, que la *b*- cuando va intervocálica por ligazón sintáctica se pronuncia ƀ (fricativa). La unanimidad de la Península y del SO. francés habla otra vez clarísimamente a favor de una gran antigüedad de estas coincidencias. Al presentarse el judeo-español de los Balcanes en contradicción con esta unanimidad, sería sencillamente absurdo querer, de esos datos sefardíes, inferir condiciones para el castellano del siglo xv. Lo que habrá que hacer es buscar explicación para la contradicción sefardí; buscarla por otro lado, es decir, dentro del sefardí mismo y de sus circunstancias históricas.

En lo que toca a esa aparente diferencia entre zonas sefardíes con

---

[550] Véase M. L. WAGNER, *Espigueo judeo-español*, en *RFE*, XXXIV, 1950, pág. 103, «nota final», donde se resume la cuestión y se menciona la bibliografía esencial.

-ɓ- < -v-, y zonas con -v- < -v- si hemos de pensar (pero no es seguro) que
estas diferencias proceden de divergencias regionales antes de la expulsión,
habría que deducir, por lo menos, vastas zonas en donde, antes de 1492,
sólo había pronunciación bilabial junto a otras con labiodental. Es decir,
una división entre el este y el oeste sefardí por lo que toca a bilabial y labiodental, como la que suponemos, durante la Edad Media, entre el norte y
el sur de la Península. Pero todo lo que sea deducir seguridades de comparación con la lengua de los judíos sefardíes, me parece muy arriesgado. Ignoramos en cada caso de qué región peninsular proceden. Ignoramos, se puede decir que siempre, sus peregrinaciones intermedias hasta llegar a las residencias actuales. Ignoramos sus mezclas con otras juderías no sefardíes,
a las que, como es sabido, en ciertas ocasiones llegaron a hispanizar, ignoramos las reacciones idiomáticas producidas por el contacto con las lenguas
de los países en que últimamente están asentados, y, no se olvide, ignoramos qué grado de diferencia tenía ya el romance hablado en las juderías
españolas, antes de la expulsión, con relación a la lengua de sus convecinos
cristianos. Que la lengua de los judíos conservaba un estado muy arcaizante parece seguro. Especular en un sistema de *n* valores en los que todos
menos uno son desconocidos, y querer deducir de ahí consecuencias seguras no prueba nada sino el cándido optimismo de un estadio de la lingüística que tiene que ser superado. Es sencillamente como querer resolver una
sola ecuación que tuviera una docena de incógnitas.

F I N A L

42.   Hay, como hemos visto, una serie de indicios que parecen asegurar
para todo el N. de la Península (y no sólo para el castellano) el desconocimiento de la labiodental desde época antigua; que era así en la Edad Media
sale de los testimonios de gramáticos del siglo XVI (cuando los gramáticos de
las lenguas modernas vienen al mundo), puestos esos testimonios en contacto con los datos de los documentos medievales; refuerza el contraste con
el N., el mismo hecho de que sólo el SE., el S. y el E. (sin el NE.) de la Península nos conserven restos de *v*.

Pero para nosotros el punto más firme de apoyo es precisamente la consideración del inmenso territorio compacto que en el SO. románico está,
por lo menos hoy, reunido en la pronunciación bilabial. Ese territorio
compacto es inexplicable si pensamos que la bilabial en castellano pueda
ser un fenómeno surgido en el siglo XVI o en las proximidades del siglo XVI.
Increíble casualidad sería pensar que en el N. de Portugal, en Galicia,
en Castilla, en Cataluña y en el S. de Francia hubiera surgido independientemente la bilabial como única labial sonora y aun con las mismas va-

riantes de oclusiva y fricativa en la mayor parte de los sitios. La otra
explicación posible sería pensar en un núcleo desde donde se hubiera extendido. Pero si el fenómeno ocurrió en Castilla en el siglo XVI o cerca del siglo
XVI, no hay modo racional de imaginar cómo se podría haber extendido
al N. de Portugal y a todo el SO. francés. Si se piensa en propagación desde un núcleo hay que retrotraer la fecha muchos siglos, hasta buscar un
momento histórico en que esas distantes regiones tuvieran un vínculo unitivo.

Ciertamente no pensamos que los límites de este manchón compacto que
sólo conoce la bilabial hayan sido siempre los mismos. Y no sólo imaginamos una posible expansión de las orillas de un núcleo bastante menor que
el manchón actual, sino también un posible proceso de homogeneización
(es decir, reducción de islotes de *v* labiodental) en el interior. Más aún:
es muy probable que todo el Mediodía de la Península Ibérica y parte del
litoral E., es decir, las partes reconquistadas algo más tardíamente, hayan
mantenido mucho tiempo la labiodental; ciertas zonas extremas —pensando
en un movimiento que viene del norte— la mantienen aún.

43. Nos resulta, pues, una imagen muy parecida a la que encontrábamos al hablar de la desonorización de z, ẑ y ž [551]. Hay que imaginar que
estos fenómenos, lo mismo el de la desonorización mencionada que el de la
igualación de *b* y *v* se han producido como a lo largo de la cadena pirenaica,
desde su extremo occidental hasta, en el caso de la igualación de *b* y *v*, el
extremo oriental catalán, y con un poco de menos extensión por Oriente,
en el caso de la desonorización, que no incluyó el catalán. El fenómeno se
produce, asimismo, en ambos casos, en la vertiente N. del Pirineo, también,
con más extensión por lo que toca a la *b* bilabial.

Imaginamos, pues, una división peninsular entre el N. y el S.: el N., con
una *b* bilabial, o, por lo menos, con focos poderosos de *b* bilabial; el S., habría tenido *v* labiodental. La *b* bilabial habría sido extendida hacia el S. en
los últimos siglos de la Reconquista. Lisboa, con el S. de Portugal, habría
sido lo que impuso la -v- como norma fonética del portugués. El campo
de Tarragona, Valencia y las Baleares conservarían su -v- como pronunciación periférica catalana, quizá, en parte, sostenida por la importancia
cultural de Valencia. Pero la ciudad de Valencia, con sus alrededores, habría sucumbido a la pronunciación exclusivamente bilabial por el influjo
castellano. En fin, quedarían como huellas o testigos de la pronunciación
antigua esos otros pequeños residuos de pronunciación labiodental en la
parte central del sur de la Península (puntos de Cáceres, Málaga, Granada,
aragonés de Valencia).

---

[551] Véase, más arriba, págs. 102-103.

La imposibilidad de articulación labiodental en el manchón continuo
del S. de Francia y N. de España debe de ser un fenómeno de gran antigüedad: su causa ha de relacionarse con la de la imposibilidad de los vascos
para la articulación labiodental.

44. En las líneas que anteceden hay bastantes elementos hipotético[s]
que van sujetos a toda censura y contradicción. Una cosa es segura: que l[a]
cuestión de *b* en vez de *v* no se puede tratar atendiendo sólo al N. de Castill[a]
y a la romanización en ese N. castellano, de hablantes vascos. No: es necesario meter en el problema todo el N. de la Península, de mar a mar, y todo
el SO. de Francia. No me parece ya hipotético afirmar que tal coincidencia
fonética, tal unanimidad, no es explicable sino si le atribuímos una gran
antigüedad mucho mayor —muchísimo mayor— que el siglo XVI o sus
meros aledaños.

Una vez y otra nos han salido al paso indicios del influjo vasco en zonas
próximas a esa lengua: lo mismo respecto a la confusión de *b-* y *v-*, ya en
las antiquísimas glosas y luego desde los primeros textos romances, que en
lo que toca a la fricación de *-b- < -p-* en época también temprana, y luego,
asimismo, en los albores de la imprenta. El influjo vasco (llamémoslo así)
habría podido irradiar por el sur (norte de Castilla), por el este (alto Aragón) y por el norte (Gascuña y, en general, suroeste de Francia).

Pero basta comparar nuestro caso con el de *f- > h-*, para comprender
que el influjo o irradiación que produjo la bilabialidad hispánica tuvo que
ser mucho más antiguo. El cambio *f- > h-* por el este no llegó al aragonés
y menos al catalán; por el oeste dejó intacto el bloque gallego-portugués
y parcialmente el leonés. La bilabialidad ocupa todo el norte de la Península,
de mar a mar: tiene que estar basada en una costumbre articulatoria de
los antiguos habitantes de todo el norte de la Península y el suroeste de la
Galia: de ese conjunto, el vasco no es sino una pieza, si bien por su no romanización pudo muy bien actuar constantemente como un exacerbador
de la antigua costumbre y acelerador de sus consecuencias. No podemos
olvidar que en los núcleos primitivos de la Reconquista hubo, evidentemente, una primitiva mezcla (fugitivos procedentes del sur), así como luego
durante la Reconquista predomina el movimiento migratorio en sentido
contrario. Estas mezclas podían, claro, producir alteraciones, focos con-
tiguos con articulaciones distintas (por eso a lo largo de este trabajo hemos
admitido la posibilidad de la existencia de focos aislados de labiodentalidad en el norte). Pero los vascos, en sus límites lingüísticos y con su paula-
tina romanización, habrían fortalecido la bilabialidad (y fenómenos ane-
jos) del norte burgalés y riojano.

INDICE

INDICE